失われた報道の自由

UNFREEDOM OF THE PRESS

マーク R.レヴィン＝著
道本美穂＝訳　古森義久＝解説

日経BP

深い感謝を込めて、亡き両親
ジャック・レヴィンとノーマ・レヴィンに捧ぐ
愛情深く、人々に愛され、愛国者だった両親へ
いつまでもともに

ジャック・E・レヴィン
（1925年6月11日生まれ、2018年10月15日死去）

ノーマ・R・レヴィン
（1931年2月13日生まれ、2019年2月10日死去）

目次

はじめに

失われた報道の自由

Unfreedom
of the Press

現代のメディアでは、報道に携わる人々自らが「報道の自由」を踏みにじっている。報道の自由が失われているのは、政府による弾圧や抑圧があるからでも、ドナルド・トランプ大統領がメディアを非難しているからでもない。原因は、放送局や新聞社、そこで働くジャーナリストたちにある。

かつて、ニュースといえば客観的な事実を集めたものだったが、いまは、社会運動（ソーシャル・アクティビズム）やプログレッシブ集団（訳注＊米民主党急進左派を中心とする勢力。経済や社会などの問題解決で、政府による積極介入を志向）の意見、米民主党を支持する論調で埋め尽くされている。特定の意見やプロパガンダをニュースとしてまことしやかに流し、メディアがつくった「偽物」の出来事をあたかも事実のように報道し、ときにあえて事実を報道しないという選択をする。不都合な事実には目をつぶり、偏った報道を行い、あからさまに嘘をつく。中立かつ独自性を持つ視点は消え、大衆に受け入れられやすい、既存の価値観を強めるような報道が幅を利かせている。しかも、人々もそのことに気づいている。そのため、マスメディアの信頼性はかつてないほど地に堕ちている。

本書は、さまざまな視点を盛り込み、調査を行い、たくさんの著作家や学者の意見を参考にし、アメリカの報道の歴史とここ数十年間にわたる崩壊の証拠をつぶさに分析している。自由、市民社会、共和主義を守る砦としてのメディアの役割は崩れつつある。この厄介な問題にどう対処すべきか、読者のみなさんと実りある対話を活発に行っていくことが本書の目的だ。

本来、もっと早く、この対話を始めるべきだった。本書の内容は多岐にわたっている。たとえば、アメリカ建国初期の新聞やパンフレットがアメリカ独立宣言と合衆国憲法の理念を広める役割を担い、やがて政党機関紙や特定の政党を支持する報道が生まれたことや、職業として報道に携わる人々がプログレッシブ的思想を持つようになり、今日の報道がイデオロギーに突き動かされていることについて見ていきたい。

愛国心にあふれていたかつての報道とは違い、現代の放送局や新聞社、ジャーナリストの多くは、アメリカの建国理念や伝統、既存の制度や組織に反発心を持っている。そういった連中は、都合のいい独善的な主張をするだけで、言論や報道の自由を推進しようとはしない。それどころか、プログレッシブ派のイデオロギーや政策を核とする社会活動や政治運動を広めて、画一的な価値観を植えつける情報だけを選別して提供するフィルターになってしまっている。その方向性に合わない問題、事実、集団や個人については触れないか、小さくしか扱わない。その反面、方向性に合うものは大きく扱い、褒めたたえる。

言うまでもなく、メディアのこうした姿勢は、私たちの文化、政府、大衆の心理に大きな影響を与える。事実に基づいていてもいなくても、メディアが「現実」をつくり上げ、人々はそれをもとに自分の考え、意見、場合によっては人生を組み立てる。

だが一方で、メディアの報道には釈然としない不透明さがつきまとう。しかも、メディアが流すニュースに対して、思い切って疑問や批判を投げかけても、たいていはお決まりの感情的な反応が返ってくる。そのうえ、批判者は報道の自由を脅かす存在と見なされ、メディアは団結して守りを固めてしまう。

「報道の自由」の本来の目的を思い出してほしい。それは言論の自由の目的と同じく、知性を育み、さまざまな意見を伝え、偏ったイデオロギーを疑い、創造性《クリエイティビティ》を刺激し、アメリカ建国の理念を支持し、強化すること。つまり、精力的で、生産的で、健康で、幸せな個人を増やし、市民社会と共和制をうまく機能させることにある。また、メディアは言論とコミュニケーションを抑え込もうとする政府の動きを暴くこともできる。ところが、メディアが特定の政党やイデオロギーのためのプロパガンダツールとして機能すると、メディアが自らの首を絞めるだけでなく、自由な共和制の存在を脅かすことにもなる。

では、どうするべきか。もちろん政府は報道をコントロールすべきではない。かといって、報道機関にも自らを監視する力はないようだ。そこで思い出してほしいのは、私たちは単なる傍観者ではなく、市民だということ。アメリカの憲法では、「われら国民」のために国家がつくられ、「より完全な連邦を形成し、正義を樹立し、国内の平穏を保障し、共同の防衛に備え、一般の福祉を増進し、われらとわれらの子孫のために自由の恵沢を確保する目的をもって」国家が存在すると謳《うた》われている。(注1) だからこそ「われら国民」は、すばらしい共和制にふさわしいメディアを求めなければならない。そうした行動をとるために、まずは私たちに情報を伝えるという尊い義務を負う報道に携わる組織や個人（とその行動や基準）について知ることから始めよう。

第1章

政治的思想が色濃く反映されるニュース

News as Political and Ideological Activism

まず、みなさんにいくつか問いかけたい。

「自由な報道」「報道機関」「報道の自由」とは何だろうか。

自由な報道の目的は、情報を伝えることか。

そうだとしたら、どんな情報を伝えるべきか。報道機関が情報を解釈したり、分析したりすべきなのか。

「ニュース」とは何か。報道する価値があるかどうかをどうやって決めるのか。

「報道機関」とは何か。個人（ブロガーなど）、集団（週刊のコミュニティー紙など）、メディア・コングロマリット（テレビ局など）は報道機関と言えるのか。

「ジャーナリスト」とは何か。ジャーナリストの資格とは何か。経験、教育、立場だろうか。

「自分はジャーナリストだ」と称すればそれでいいのか。

ジャーナリストの仕事とは何か。ジャーナリズムは「職業」か。

ジャーナリズムに基準はあるのか。

ジャーナリストは「公正」、あるいは「客観的」な立場でいられるのか。

何のために情報を伝えるのか。共和主義の基本理念を広める、官僚や公権力に異を唱える、個人、集団、理念に発言権を与える、政治や政策に影響を与える、社会の現状を変える、あるいはコミュニティーの「公共の利益」を図るためか。

では、公共の利益とは何だろうか。誰がそれを決めるのか。

報道の自由と「言論の自由」はどう違うのか。インターネットやソーシャルメディアといったテクノロジーの進歩によって起きたメディア革命によって、報道や言論の自由は変わったのだろうか。

こういう問いかけは、報道機関にとってかつてないほど重要になっている。それなのに、議論が提起されることすらほとんどない。メディアはこうした問題に及び腰で、そこに論点を絞った議論が継続的になされることもない。どうやらメディアは、自分たちについて検証することに気が進まないようだ。一方で、メディアの報道は偏り、特定の政党を代弁し、無責任だと批判されると「報道には使命がある」と反論する。では、メディアが主張する「報道の使命」

とは何か。彼らは、ニュースやそれに関連する事実を洗いざらい忠実に伝え、そして独裁的な政府から社会を守り、報道の自由を守り、社会の秩序と正義に貢献することだと言う。さらに、たいていのメディアは、「自分たちは特定の個人や政策の影響を受けずにニュースを追いかけ、報道している」と力説する。

だが、現代のメディアはそうなっているだろうか。

いまから70年以上前、メディアが真剣に自己分析をしたことがあった。タイム誌とライフ誌の創刊者、ヘンリー・ルースが1942年に設置した「報道の自由委員会」（ハッチンス委員会としても知られる）である。ルースは、報道の自由が本当に危機に瀕しているのかを調べ、現代の民主主義でメディアが果たすべき役割を探るため、この委員会を立ち上げた。その後、1947年に公表された報告書では、「確かに報道の自由は危機に瀕している」と認め、それには三つの理由があるとした。一つ目は、マスコミュニケーションの手段として報道が発展するにつれて、その重要性が飛躍的に高まったが、同時に、報道を通じて自分の意見や考えを述べられる人々の割合が大きく減少したこと。二つ目は、マスコミュニケーションの手段として報道機関を利用できる少数の者たちが、社会の要請に応じた十分なサービスを提供していないこと。三つ目は、報道機関を支配する者の多くが、社会から非難される行為、つまり、取り締まりや統制の対象となるべき行為を繰り返してきたことだ。

委員会は次のように警告した。「現代の報道はそれ自体が新しい現象であり、その代表的な組織は大規模な放送局や新聞社や雑誌社である。そうした機関は人々の思想を深め、議論を促すことができるが、同時にそれらを抑え込むこともできる。文明の進歩を後押しする反面、進歩を妨げ、人間を堕落・低俗化させ、世界の平和を危険にさらすこともあり得る。一時的に理性を失い、誤ってそういう事態を引き起こす恐れがある。また、特定のニュースとそれが持つ意味を大々的に取り上げることで人々の感情を刺激できると同時に、特定のニュースを隠蔽することもできる。自己満足のつくり話や、思わぬ見落としをすることもあれば、大げさな言葉を使ったり空虚なスローガンを掲げたりする恐れもある。新たな報道手段の誕生により、報道機関の活動範囲と権力は日に日に大きくなり、そうした手段によって、私たちの先達が合衆国憲法修正第1条に報道の自由を神聖なものとして書き込んだときには想像もできなかったスピードで、嘘をまき散らせるようになってしまった（注2）」

また、委員会はこうも述べている。「そのような自己破壊の手段が報道機関の側に握られている現在、人類は、自制心と節度を持って、相互に理解し合うことでしか生き延びられない。人間はお互いの姿を報道によって知る。報道は人を扇動し、センセーションを起こすこともできれば、無責任になることもできる。だがもしそうなれば、報道と『報道の自由』は完全に自滅するだろう。一方で、報道は、新しい世界をつくり出そうと努力することによって、自分たちの責任をまっとうすることもできる。世界中の人々に各地の情報や互いのことについて知らせ、自由な社会という目標を理解するよう促すことで、世界というコミュニティーをつくり出すことに貢献できる(注3)」

果たして、現代のメディアはそんなふうに行動しているだろうか。自制心と節度を持って注意深く行動し、人々や自由な社会に役立つ知識や知恵をもたらしているだろうか。メディア自体の個人的、政治的、イデオロギー的な嗜好や怒りにとらわれてはいないか。メディアは公平で信頼できる情報提供者として、読者や視聴者から尊敬され、評価されているだろうか。人々はメディアの報道に疑いと不信感を抱いてはいないだろうか。メディアはひそかに一方の政党（米共和党）よりもう一方の政党（米民主党）に共感することで、自滅の道を歩んでいるのではないだろうか。

実のところ、たいていの報道機関やジャーナリストは職業倫理を守っておらず、結果として報道の自由に深刻な打撃を与えてきた。大多数のアメリカ人は、そうした報道機関やジャーナリストを尊敬も信頼もせず、公平で信頼できる偏りのない情報源とは考えていない。

たとえば、調査会社のギャラップ社は2018年10月12日にこんなレポートを出した。「共和党支持者は一般に、無党派層やとりわけ民主党支持者と比べてメディアを信頼していない。共和党支持者と民主党支持者のメディアへの信頼度の差は広がり、現在、その差は55パーセントに及ぶ。これは昨年の58パーセントと同様、これまでで最も高い水準だ。ドナルド・トランプ大統領による『主流メディア』への攻撃により、メディア観がますます二極化していることが原因の一つだろう。共和党支持者は『メディアは共和党政権を不当に扱っている』という考えに賛成し、一方、民主党支持者は『メディアは何よりもまず大統領の権限を監視する組織だ』と見ている(注4)」

さらに、ギャラップ社によると、「昨年(2017年)、民主党支持者のメディアへの信頼度が急に高まり、現在は76パーセントだ。1997年の調査開始以降、ギャラップ社の政党別の数値としては最も高い。無党派層のメディアへの信頼度は現在42パーセントで、2005年以来の高水準にある。共和党支持者のメディアへの信頼度は依然としてほかの政党の支持層をかなり下回り、わずか21パーセント。だが、2016年と昨年の信頼度(14パーセント)よりは高い(注5)」。つまり、別の見方をすれば、共和党支持者のほぼ8割はメディアを信頼しておらず、民主党支持者のほぼ8割はメディアを信頼している。この状況は、民主党とメディアの間にイデオロギーや政策面で深いつながりがあり、メディアが民主党の主張をなぞっているにすぎないことを表しているように見える。

2002年から2018年までCBSニュースのジャーナリストで従軍記者だったララ・ローガンは、2019年2月15日、あるインタビューをポッドキャストにアップした。インタビユーのなかでローガンは、メディアの職業倫理が崩壊しつつあること、メディアが民主党を優遇し、プログレッシブ寄りの意見を擁護していること、報道において独自で多様なものの見方が失われていることについて率直にこう語った。

「イスラエルの嘆きの壁に行ったことがある人ならわかると思う。壁の前で祈りを捧げることができる女性用スペースはかなり狭く、それ以外はすべて男性用のスペース。これは米国メディアの現状と同じだ。つまり、女性が祈るその狭い場所に保守派のブライトバートやフォックス・ニュースなどのいくつかの報道機関があり、男性側にはCBS、ABC、NBC、ハフィントン・ポストやポリティコといったあらゆるリベラル派の報道機関がいる。これは大きな問題だ。たとえスペースの広さが逆だったとしても、こんなにはっきり分かれていること自体がおかしい。私の経験から言うと、自分の意見を持てば持つほど、あらゆる物事について多様な見方ができるようになるはずなのだが。人生においては何もかもが複雑で、すべては曖昧で、白黒はっきり区別できないので（注6）」

ローガンは、「自分にとってこの問題は、政治や政党支持に関することではない」と続けている。トランプ支持か反トランプかではなく、ニュース報道についての問題だという。「私がトランプを好きか嫌いかにはまったく関係ない。おわかりですか？　トランプの言葉を信じて共感するかどうかも関係ない。そんなことはどうでもいい。私は政治についても、ほかのテーマと同じスタイルで報道している。こういうやり方は最近のメディアでは好まれないことはわかっている。というのは、メディアは歴史的に見てずっと左寄りだったが、いまや客観的なふり、せめて客観的であろうとする努力すら忘れてしまっているので……。ニューヨーク・タイムズ紙の元編集長、ジル・エイブラムソンは、最近の著書のなかでこう書いている。『私たちは毎日トランプについて何十本もの記事を書いているが、すべて否定的な記事だ。反トランプ派の主張を記録する新聞になってしまった』。本来、それは私たちの仕事ではない。報道と政治的な立場は別もののはずだ。それなのに、私たちはまるで政治活動家になってしまった。プロパガンダを宣伝するツールになってしまったと言ってもいい。もちろん、メディアには優れた点もあり、ルールとまでは言えないが、何かを伝える際には少なくとも二つの情報源から直接情報を入手するという慣習がある。そうすることで、一定の基準を満たす報道になる。ところが、こうした基準はもはや重視されない。つまり、みなさんはたった一人の匿名の政府関係者や元政府関係者の証言に基づく報道を読んだり聞いたりしている。それはジャーナリズムではない（注7）」

とはいえ、ジャーナリストが同業者の仲間と手を切ってわが道を行くことはめったにない。そんなことをすれば、通常、そのジャーナリストのキャリアは台無しになるか、ほかの同業者から脅かされてしまうからだ。

事実、このインタビューが広まったことで、ローガンはジャーナリスト仲間から追放され、個人攻撃を受けるようになった。ローガンはのちに、フォックス・ニュースの報道番組『ハニティー』でもインタビューに応じ、次のように語った。

「中立的な声をあげる人や、周りと同じトーンや同じ主張で記事を書かないジャーナリストは、代償を払うことになる。興味深い話だが……嫌がらせをする人たちは、あなたが書いたり言ったりした内容については非難できない。大事なことは追及できないので、個人的に中傷する。あの人は不誠実だと批判し、個人としてのあなたとジャーナリストとしてのあなたの評判を傷つけようとする。連中は手段を選ばない。被害者は私だけではない。私はただ勇気を持ってメディアの現状を訴えただけ。もううんざりだ。もはや記事を書かせてもらうことはできず、仲間もかばってはくれない。耳を傾けてくれる人に声を大にして伝えたい。私は誰の言いなりにもならないし、誰にも支配されていない。左派と右派のどちらの政党にも従っていない（注8）」

確かに「報道の自由委員会」は、メディアは事実と意見の違いに特に注意を払わなければならないと強調していた。

「報道にとって正確性と同じぐらい重要なのは、事実は事実と見なし、意見は意見と見なし、両者を区別すること。これは記者が原稿を書く際にも、編集長や紙面の割付担当者や編集部にとっても、また最終的に発表される出版物においても必要なことだ。もちろん、事実と意見を完全に区別することはできない。どんな事実にも背景情報があり、記者の意見がまったく反映されていない事実報告はあり得ない。だが現代の状況を踏まえると、これまで以上に事実と意見を区別するための努力が必要だ(注9)」

現代のメディアは、委員会のこうした警鐘から目を背け、わかっていながら事実と意見を混同し、しかも民主党の方針や理念を繰り返し取り上げてきた。その結果、現代のメディアに対する米国民の考え方は、おおむねイデオロギーや支持政党によって分かれている。

2018年1月、ナイト財団（訳注＊質の高いジャーナリズムとメディア革新を目的とした非営利団体）とギャラップ社は、アメリカの成人、1万9000人を対象とした調査を発表した。調査結果によれば、「アメリカ人は、民主主義においてメディアが重要な役割を果たすと認める一方、その役割が十分に果たされているとは感じていない」という(注10)。「アメリカ人の84パーセントは、民主主義において、とりわけ国民に情報を伝えるという点でメディアが『極めて重要』、あるいは『非常に重要』な役割を持つと考えている。だがその役割は果たされていないと感じており、客観的な報道機関の名前を挙げることができる人は半分以下（44パーセント）だった(注11)」

このギャラップ社の調査で、アナリストは次のように述べている。「大部分のアメリカ人は民主主義におけるメディアの重要性をよく理解しているものの、メディアに対する考え方は民主党支持者と共和党支持者で大きく異なる。民主党支持者の54パーセントはメディアを『非常

くない』ものと見ている」(注12)

また、調査結果の報告書には、こんな記述もある。「民主党支持者の多くはメディアを信頼し、共和党支持者の多くはメディアに不信感を抱いている。報道に偏りがあると感じる割合も支持政党によって違った。報道に政治的偏向が『かなりある』と感じる人はアメリカ人の45パーセントだった(1989年の25パーセントから増加)。支持政党別では、共和党支持者が67パーセントなのに対し、民主党支持者は26パーセントにとどまった」(注13)

あとで詳しく述べるように、この調査結果は現実そのものだ。大部分のジャーナリストが「記者は事実と意見を区別するために努力すべきだ」とする委員会の警告を無視していることは間違いない。記者たちはむしろ、程度の差こそあれ、ニュースを選択し、取材し、報道するなかで、さまざまな方法でニュースを「解釈」し、「分析」すべきだと考えている。それもプログレッシブの影響を受けながら、そのフィルターを通して解釈・分析をしようとしている。

「報道の自由委員会」の報告書の内容は幅広いが、最終章は特に注目に値する。

「アメリカ人がアメリカの報道に求めるサービスの性質は、以前とは違ってきている。第一に、経済の運営や共和主義の政府にとって、報道はなくてはならない存在になった。第二に、求められる情報の量と質の両方について報道の責任が非常に重くなった。情報量の点では、複雑に結びついた現代の世界で、アメリカ人は膨大な情報を求めるようになった。工業化が進んだ自立したコミュニティーの一員として、関心の幅が広がるにつれて、報道によって身近な情報や世界の情報を幅広く知りたいと思うようになった。情報の質という点では、提供される情報のすべてが事実であり、表現が公平であることが重要だ。さらに、アメリカ人が道理と良心をもって、政府や自分たちの生活に必要な基本的な判断を下せる情報でなければならない」(注14)と書かれている。

最近では、元ジャーナリストのビル・コヴァッチとトム・ローゼンスティールが現代ジャーナリズムを定義しようと試みた。彼らは著書のなかでこう書いている。「調査の結果、私たちは明確な原則をいくつか発見した。それにはジャーナリストも同意するだろう。もちろん人々もジャーナリズムに期待している……。この原則があるからこそ、ジャーナリストも一般の人々も、複雑化する世界に自立的に対応できる。まさにジャーナリズムの原則と言える。ジャーナリズムの目的は何か。それは、人々が自由であり自立するために必要な情報を提供することだ(注15)」。コヴァッチとローゼンスティールが挙げたジャーナリズムの原則を見てみよう。

- ジャーナリズムの第一の責務は真実の追究である。

・ジャーナリズムは第一に市民に忠実である。
・ジャーナリズムの本質は自制心に基づく検証である。
・ジャーナリズムに携わる者は、報道する対象から独立している。
・ジャーナリズムは中立的な権力監視役として機能する。
・ジャーナリズムは大衆の批判と妥協を議論する場を提供する。
・ジャーナリズムは重要なことを興味深く意義あるものとして報道するよう努める。
・ジャーナリズムはどんなニュースも大局的に平等に扱う。
・ジャーナリズムに携わる者は、自制心を働かせる義務を負う。
・市民も報道に関して権利を持ち、責任を負う。(注16)

ジャーナリズムのこれらの原則は、議論の余地がないように見える。だが実際、現代の報道記者のガイドラインとして機能しているだろうか。

コヴァッチとローゼンスティールは、「現在のジャーナリズムが脅威とまでは言わないが大きな問題に直面しているのは、かつての報道そのものの変化とは異なり、報道機関の所有者の性質が変わったことだ」と懸念してこう言った。「人類の歴史上初めて、ジャーナリズムの世界に属さない営利企業がニュースをつくるようになった。この新たに登場した組織が重要である。中立的なニュースに代わって、噂や利己的な商業主義があたかもニュースのように報道される可能性があるからだ。そうなれば、社会の強い権力や組織を監視する、自由で独立した組織としての報道機関は失われてしまうだろう」(注17)。二人はこう続けた。「21世紀の民主主義社会にとって最も深刻な問題は、中立的な報道が存続できるかどうかだ。その答えは、ジャーナリストが中立的な報道とは何かをどれだけ確信を持って語ることができるか、私たちが市民としてそのことにどれだけ関心を持つかにかかっている」(注18)

報道機関の合併や買収が進むと報道の中立性が危うくなるのかどうかは、合併・買収の当事者間の関係にもよるのでなんとも言えないし、インターネットの登場が報道のプラットフォームや形式に与える影響は大きい。だが、いずれにしても、重要なのは報道の中身、つまり現代の報道現場やジャーナリズムがどのような特徴を持ち、どのような目的を掲げているかという点だ。

コヴァッチとローゼンスティールは、報道の誠実性と報道に携わる人たちの信頼性を高めるためには多様性が何よりも優先されると主張している。「まず大切なのは、報道の現場を社会と似かよった多様な構成にすること。さらに、そうした多様性がうまく機能するように、オープンで公平な報道現場にすることだ。これは私たちが知的多様性と呼ぶもので、人種や性別、イデオロギー、社会階層、経済状況などの多様性のことではない。知的多様性によって、ほか

のさまざまな多様性が意味を持つようになる」（注19）

だが今日、中立的な報道にとって最も大きな危険性をはらんでいるのは、報道現場の「イデオロギー」ではないだろうか。「知的多様性」が進んだとしても、新聞の社説やテレビ番組のコメントにイデオロギーが持ち込まれ、それに基づく報道が支配的になっていいのだろうか。「職業としてのジャーナリズム」にいったい何が起こっているのだろうか。報道機関には取材・報道に際して客観的な真実を追究するという原則があるが、いまそこに何が起きているのだろうか。

そもそも報道の客観性とは何なのかという概念から議論すべきなのかもしれない。1920年代初め、いわゆる進歩主義時代（訳注＊1890年代から1920年代にかけてアメリカの社会・政治改革が著しく進んだ時代）の改革が根づきはじめた頃、「科学的」な方法が政府内に広まり、それとともに、ジャーナリズムの世界でもこの方法が報道の現場に広まった。つまり、報道機関は職業上の規範とプロセスをしっかり守るべきだという考え方だ。

コヴァッチとローゼンスティールは、当時の優れた記者であり評論家でもあったウォルター・リップマンと、ニューヨーク・ワールド紙の副編集長チャールズ・メルツが1919年に提起した議論に触れている。リップマンとメルツは、ニューヨーク・タイムズ紙が行ったロシア革命の報道を非難して「ロシアに関する大部分のニュースは事実を書いていない。読者が読みたいと思うものを書いている」と述べた。そこで二人が主張した解決策が「科学的精神」だった。

「現代のように多様な世界で、一つだけ統一できるものがある。それは方法の統一だ。目的の統一ではない。統制のとれた手法を統一することだ」と彼らは書いた。つまり、リップマンとメルツは、当時ほとんどの分野で使われるようになった進歩主義的な方法をジャーナリズムという職業と報道全般に当てはめようとした。(注20)

コヴァッチとローゼンスティールは、こう説明する。

「客観性という概念がジャーナリズムの世界に登場したのは1920年代。当時、ジャーナリズムは、無意識のうちに偏見にとらわれているという認識が高まっていた。客観性を取り入れるため、ジャーナリストは情報を検証するための一貫した方法や根拠に基づく透明性のある手法を導入し、個人的、文化的な偏見によって仕事の正確性が損なわれないようにしたい、と願った動きだった(注21)」

さらに続けてこう言う。「19世紀のジャーナリストの間では、いわゆるリアリズムが議論されていた。記者はただ事実を明らかにし、それを整理して伝えれば、真実は自然とにじみ出てくるという考えだ。当時はジャーナリズムが政党と距離を置き、正確性を重視した時代だった。そこにリアリズムが登場した。そしてほぼ同時期に、ジャーナリストが逆ピラミッドと呼ぶ手法も登場する。視聴者に報道の内容をわかりやすく伝えるために、重要な事実をはじめに述べ、重要でないものはあとにもっていく、というやり方だ[注22]」

そもそもジャーナリストの「強い意志」や「誠実な努力」だけでは、客観性は得られない。だからジャーナリストの客観性の問題ではなく、重要なのは、ジャーナリストがニュースを取材し、整理し、報道する際の客観的なプロセスや基準だ、とコヴァッチとローゼンスティールは言う。

「当初の概念では……客観的であるべきなのはジャーナリストではなく、方法だった。重要なのは目的ではなく、報道するときのルールにあった……ところがいまや、多くの人々がジャーナリズムの客観性とは、方法ではなく目的と考えている。ジャーナリストがどんな方法を使っているのかわからないため、方法が重要と言われても信じられないのだろう。だが、統一された方法を取り入れなければ客観性は得られないという考え方は、現在でも正しい[注23]」

ではなぜ、コヴァッチとローゼンスティールは「報道現場の多様性」を避けて通れない問題として取り上げたのか。それは、報道の現場に特定のイデオロギーや政党の支持者がいたら、ニュースを精査する客観的な方法や基準が生まれにくいからだ。彼らはそれを理解していたからこそ、多様性の問題に触れたのだろう。そうすれば、漠然とした目的は具体的な目標となる。

コヴァッチとローゼンスティールはそれを十分にわかっていた。現代のジャーナリズムの少なくともある部分が「報道現場に知的多様性があるか」で評価されるとしても、ほとんどの報道機関やジャーナリストは、プログレッシブ的な思想を持ち、民主党が掲げるイデオロギーを共有している。それは明らかだ。このプログレッシブ的な思想は、過去100年の間に、アメリカの文化団体や社会組織にまん延してしまった。そういう経緯については、私の著書『アメリカニズムの再発見　リベラルによる圧政を再認識する（*Rediscovering Americanism: And the Tyranny of Progressivism*）』に詳しく書いているので参照してほしい。

ほかにも、カリフォルニア大学ロサンゼルス校の元教授で、現在はジョージ・メイソン大学教授のティム・グロースクロースは、ジャーナリストや報道機関のプログレッシブ的政治観がアメリカ人の本来の価値観をいかに歪めているかを数値で示すために、「客観的で、社会的で、科学的な手法」を考案した。グロースクロースは著書でこう述べる。

「メディアのせいで、私たちは事実とは異なる、歪められた世界だけを見ている。まるでガラスを通して世界を見ているかのようだ。そのガラス越しには、リベラル派が見せたい事実は大きく見え、保守派が見せたい事実は小さく見える。このガラス、つまりメディアは、私たちの見方だけでなく考え方にも影響を与える。メディアの偏った報道に影響され、私たちはリベラル寄りの考え方を持つようになる。さらに悪いことに、メディアの偏向報道は自然とエスカレートするものだ。つまり偏った報道によって私たちがリベラル寄りになれば、そうした偏向報道を見抜けなくなり、メディアの報道はますます偏り、私たちはますますリベラル寄りになる[注24]」

グロースクロースはさらにこうも言う。

「アメリカの報道現場は実に偏っている。私たちが新聞を読んだりテレビのニュース番組を見たりするとき、それらはほぼ間違いなくリベラル派の記者によって書かれ、つくられている。これを私は一次的問題と呼ぶ。だが偏向報道によって起こるもう一つの結果のほうが、もっと厄介だ。それは少数派の排斥であり、私はそれを二次的問題と呼んでいる。多数派のメンバーは少数派のメンバーをまるで存在しないかのように扱い、存在に気づくと、まるで悪者か劣っている人間のように扱う[注25]」

グロースクロースは「過激派の再定義」にも触れている。再定義されることで、「『主流派』と『過激派』という言葉が集団のなかで新しい意味を持つようになる。ある集団が非常にリベラルな思想を持っているとすれば、民主党の主流派の立場が中道と考えられるようになり、一般には過激な左派とされる立場が当たり前になる[注26]」

報道分野の研究を行うアメリカン・プレス・インスティテュートは、偏向報道について次のように警告している。「これらは『パックジャーナリズム』と呼ばれてきた。『集団思考《グループシンク》』と言われることもある。報道機関が一斉に繰り返し流すストーリーのことだ。最近の言葉で言うと、

『マスターナラティブ』（訳注＊社会的に機能するイデオロギー、文化的習慣やマナー、ルールを表すストーリー）である……。そのようなマスターナラティブは、一種の罠のようにもなればマンネリとなることもある。ジャーナリストはマスターナラティブやその時点のステレオタイプに沿った事実を取り上げ、そのほかの事実には触れなくなる（注27）」

グロースクロースの主張は本当に正しいのか。ここでいくつか重要な証拠を調べてみよう。現代のメディアはどれぐらいイデオロギー的で政治的な性質を帯びているのか。それらを判断するため、そして報道の多様性、客観性、公平性についての疑問を投げかけるために、さまざまな報告や調査や研究を紹介したい。

まず、インディアナ大学教授のラース・ウィルナットとデイヴィッド・H・ウィーバーが２０１４年に発表した調査結果を見てみよう。彼らは２０１３年の秋に１０８０人のアメリカ人ジャーナリストを対象に、オンラインで支持政党を尋ねるインタビューを実施した。その結果、ジャーナリストの50・２パーセントが「無党派」、14・６パーセントが「その他」と回答し、「民主党」と答えた人が28・１パーセントであるのに対して、「共和党」と答えたのはわずか７・１パーセントだった（注28）。「この調査が初めて行われたのは１９７１年（２０１３年は５回目だった）。当時、調査に回答したジャーナリストの25・７パーセントが共和党を支持していると答えていた（注29）」。さらに、ジャーナリストの約65パーセントが自分は政治的に「無党派」や

「その他」に当たると考えているが、だからといって政党やイデオロギーにまったく共感していないという意味ではない。政党やイデオロギーは、間違いなくジャーナリストの報道の動機づけになり、影響を与えている。ここ数十年間だけを見ても、選挙が次々と行われ、調査ごとにメディアは一般の人々全体よりもリベラルに偏っていることがわかってきた。(注30)

次に、2018年11月にアリゾナ州立大学とテキサスA&M大学の教授たちが経済ジャーナリスト462人を対象に行った調査結果を紹介しよう。回答者の70パーセント以上がウォール・ストリート・ジャーナル、フィナンシャル・タイムズ、ブルームバーグ・ニュース、AP通信、フォーブス、ニューヨーク・タイムズ、ロイター、ワシントン・ポストのジャーナリストだ。調査結果からは、経済ジャーナリストの大半が政治的にリベラルであることがわかる。「一般的に見て、あなたの政治的な考えはどれに当てはまりますか」という質問に対するジャーナリストたちの回答は、「非常にリベラル」が17・63パーセント、「ややリベラル」が40・84パーセント、「中道」が37・12パーセント、「やや保守」が3・94パーセント、「非常に保守」が0・46パーセントだった。つまり、調査に答えた経済ジャーナリストのほぼ60パーセントがリベラルで、保守は5パーセントにも満たなかった。(注31)

中道左派の調査団体であるセンター・フォー・パブリック・インテグリティは、次のように報告している。「従来、ジャーナリズムにおいては、記者や編集者は政治の場での審判だという考えが常識だった。中立的なよりどころであり、民主党、共和党のどちらも応援してはならない……。（ところが２０１６年の）ヒラリー・クリントンとトランプが戦った大統領選の選挙資金報告書を見ると、職業が記者、ニュース編集者、テレビのニュースキャスターとされる人々やその他の報道関係者から、39万６０００ドル以上もの資金が提供された。それらの96パーセント以上がクリントンに流れた。２０１６年８月までに、ジャーナリズムの世界で働く約４３０人から民主党の指名候補であるクリントンに寄付された金額は、合計約38万２０００ドルにのぼる（注32）」

では、ジャーナリストと前民主党政権との間の密接すぎる関係についてはどうだろうか。２０１３年９月12日、リベラル寄り雑誌のアトランティック誌は、少なくとも24人のジャーナリストが報道の仕事を辞めてオバマ政権で職を得たと報じた。

アトランティック誌のエルスプス・リーブが明かした事実の一部を紹介しよう。

・タイム誌編集長だったリチャード・ステンゲル
▼（オバマ政権下で）広報・文化交流担当の国務次官
・ニューヨーク・タイムズ紙とロサンゼルス・タイムズ紙の元記者、ダグラス・フランツ
▼広報担当の国務次官補

・ボストン・グローブ紙オンライン版政治編集者のグレン・ジョンソン
▼国務省上級顧問
・ワシントン・ポスト紙記者のステファン・バー
▼労働省広報室シニア・マネジング・ディレクター
・ワシントン・ポスト紙政治担当記者のシャイラー・マレー
▼副大統領ジョー・バイデン広報担当ディレクター、のちにオバマ大統領上級顧問
・ロサンゼルス・タイムズ紙コラムニストのローザ・ブルックス
▼政策担当国防次官
・ワシントン・ポスト紙のデッソン・トムソン
▼アメリカ駐英大使のスピーチライター
・CBSニュース調査報道記者のロベルタ・バスキン
▼保健福祉省広報担当の上級顧問
・ワシントン・ポスト紙「アウトルック」欄副編集長のウォーレン・バス
▼国連大使スーザン・ライスのスピーチライター兼上級政策顧問
・エデュケーション・ウィーク紙記者のデイヴィッド・ホフ
▼教育省

・ＣＮＮシニア政治プロデューサーのサッシャ・ジョンソン
▼運輸省、のちに連邦航空局首席補佐官
・シカゴ・トリビューン紙のジル・ザックマン
▼運輸省広報担当ディレクター
・ワシントン・ポスト紙のリック・ワイス
▼ホワイトハウス科学技術政策局広報担当ディレクター兼政策戦略責任者
・ＣＢＳニュースとＡＢＣニュースの元記者リンダ・ダグラス
▼オバマの選挙運動に参加後、ホワイトハウス医療改革室広報担当ディレクター
・ニューヨーク・タイムズ紙記者のエリック・ダッシュ
▼財務省広報室
・ＭＳＮＢＣプロデューサーのアンソニー・レイエス
▼財務省広報室
・ＣＮＮのアニーシュ・ラマン
▼オバマの選挙運動に参加後、オバマ大統領のスピーチライター
・ＡＢＣニュース元記者、ＣＮＮ国家安全保障担当記者のジム・スキアファット
▼駐中国大使ゲイリー・ロックの首席補佐官

・サンフランシスコ・クロニクル紙環境担当記者のケリー・ジトー

▼環境保護庁広報官(注33)

また、タイム誌のワシントン支局長だったジェイ・カーニーが副大統領ジョー・バイデンの広報担当ディレクターとなり、のちにオバマ大統領の報道官を務めたことはよく知られている。

こうした親密な関係は、近年の共和党政権と大手報道機関との間には見られない。それに、メディアとオバマ政権との間の親族関係も見過ごせない。2013年6月12日、ワシントン・ポスト紙のポール・ファーリは次のような記事を書いた。

「ABCニュース社長、ベン・シャーウッドは……オバマ大統領の国家安全保障分野の最高顧問を務めたエリザベス・シャーウッド・ランダルの弟だ。CBSニュース社長のデイヴィッド・ローズは、オバマ大統領の副補佐官（国家安全保障問題担当）だったベンジャミン・ローズの兄である。CNNのワシントン副支局長、バージニア・モーズリーは、かつてヒラリー・クリントンのもとで国務副長官を務めたトマス・ナイズと結婚している。また、ホワイトハウス報道官のジェイ・カーニーの妻は、ABCニュースのベテラン記者であるクレア・シップマンだ。ナショナル・パブリック・ラジオのホワイトハウス担当記者であるアリ・シャピロは、ホワイトハウス弁護団に加わったミシェル・ゴットリーブ弁護士と結婚している。バイデン副大統領の広報担当ディレクターだったシャイラー・マレーは……ウォール・ストリート・ジャーナル紙の一流の政治記者、ネイル・キングと結婚している(注34)」。もっともファーリは、「利益相反が起きないようにさまざまな対策をとっている」と話す報道機関の幹部のコメントも紹介している。

逆に民主党スタッフだった人物が現在はメディアの世界で働いていることもあれば、民主党スタッフと親子や兄弟姉妹の関係にあるメディア関係者もいる。いくつか例を挙げてみよう。

- MSNBCコメンテーターのクリス・マシューズは、かつてジミー・カーター大統領と民主党の下院議長ティップ・オニールのもとで働いていた。
- CNNニュースキャスターのクリス・クオモは、ニューヨーク州知事で民主党のアンドリュー・クオモの弟である。
- CNNのジャーナリストであるジェイク・タッパーは、かつて民主党の下院議員マージョリー・マーゴリーズ・メズヴィンスキーのもとで働き、銃規制団体ハンドガン・コントロール協会にも勤務していた。
- ABCニュースのジャーナリスト、コーキー・ロバーツの父親は、下院民主党院内総務だったヘイル・ボッグズである。

・ABCニュース・ワシントン支局長のジョージ・ステファノプロスが、ビル・クリントン元大統領に仕えていたことはよく知られている。

こうした例は共和党でも決して珍しくないものの、ワシントンの政権中枢とメディアと民主党の間に親密な関係があると感じられるのは確かだ。

また、報道に影響を与えるものはほかにもある。メディアが「地理的に閉ざされた狭い世界」にいることだ。リベラル系の報道ウェブサイトのポリティコは「全国メディアは非常に狭い世界に集約されている」とし、次のように書いている。

「2008年前後に現れたこの現象が、いまやめざましい勢いで拡大している。全国メディアの拠点は海岸沿いに集中しているため、メディアは政治的な価値観に偏りがあるだけでなく、地理的にも狭い地域に集まっている。もしもあなたがジャーナリストなら、ヒラリー・クリントンを支持する地域で働いているに違いない。それだけではない。きっとあなたが住んでいる場所も、アメリカで最もクリントン支持率の高い地域だろう」

ポリティコの特派員のジャック・シェイファーとタッカー・ドハーティは、その原因は新聞業界が不振に陥り、インターネットによるオンライン報道が伸びているためだとしている。

「これは単なるメディアの変化ではなく、社会政治的な変化だ。それも急激な変化である。新聞ビジネスは全国に広がっているが、インターネットビジネスはそうではない。現在、インターネット報道に関わる仕事の73パーセントは、ボストン、ニューヨーク、ワシントン、リッチモンドを結ぶ東海岸の細長い地域か、あるいはシアトル、サンディエゴ、フェニックスを結ぶ西海岸の三日月形の地域に集まっている。かつてメディアの中心地はシカゴ周辺と言われたが、いまやそこにはメディアの職全体の5パーセントしかない。22パーセントは別の地域に移っていった。インターネット報道の成長のほとんどは、アメリカ中部ではない場所、つまり海岸沿いの狭い都市部で起こっている。すべてヒラリー・クリントンの支持が高いエリアだ。だから、あなたの保守派の友人が『メディア』という言葉を『海岸沿い』や『リベラル』と同じ意味で使ったとしても、あながち間違いとは言えない(注35)」

シェイファーとドハーティは、次のように分析した。「インターネット報道に携わる人たちの約90パーセントは、クリントンが勝利した地域で働いている。クリントンが30パーセント以上の大差で勝った地域で働く人が75パーセントにのぼる。新聞に関わる仕事が減っていることを加味すると、インターネット報道や新聞社の職の72パーセントは、クリントンが勝利した地域にあることになる。そういう背景を踏まえると、クリントンはまさに全国メディアがつくり上げた候補者だった……ニュースを取材し、編集し、制作し、報道する人たちは、どうしても周りの環境に影響される。その影響はとても大きい(注36)」

こうしてさまざまな調査や分析結果を見ていくと、ジャーナリストがリベラルなイデオロギーの価値観や政党支持の影響を排除して客観的で公平なニュース報道ができているとは言えなくなってくる。

そもそも現代ジャーナリズムはいまもなお、客観的で公平な報道を目指しているのだろうか。答えはノーだ。ハーバード大学ケネディスクールの研究機関、ショレンスタイン報道・政治・公共政策センターが行った最新の調査によると、とりわけドナルド・トランプ大統領に関する報道は客観的でも公平でもないという。2017年5月18日、ショレンスタイン・センターはトランプ政権の最初の100日間のニュース報道について、総合的な分析結果を発表した。その結論の一部を見てみよう。

報道に関するトランプの攻撃は、いわゆる「主流メディア」に向けられている。トランプは、本調査の対象であるアメリカの七つの報道機関のうち六つ、すなわちCBS、CNN、NBC、ニューヨーク・タイムズ紙、ウォール・ストリート・ジャーナル紙、ワシントン・ポスト紙を名指しで攻撃している。これら六つの報道機関は、トランプの最初の100日間をひどく否定的な言葉で言い表した。最も容赦なかったCNNとNBCでは、トランプに関する否定的なニュースと好意的なニュースの比率は13対1と否定的が大きく上回っている。ＣＢＳでも、トランプの報道は90パーセント以上が否定的だった。ニューヨーク・タイムズ紙とワシントン・ポスト紙でも、トランプに関する記事は否定的なものが80パーセントを上回る（ニューヨーク・タイムズ紙では87パーセント、ワシントン・ポスト紙では83パーセント）。それに比べて、ウォール・ストリート・ジャーナル紙は否定的な記事の比率が70パーセントと少ないが、それは同紙が好調な経済について扱うことが多かったためと思われる。トランプに関する報道全体が好意的ともとれる唯一の報道機関は、フォックス・ニュースだ。トランプ報道の52パーセントは否定的で、好意的な報道は48パーセントである。ほかの六つの報道機関と比べて、フォックス・ニュースの報道は否定的な割合が平均34パーセント低い……最初の１００日間のトランプに関する報道は、全体として否定的だったというより、あらゆる点で否定的だった。報道で取り上げられたテーマのなかで、否定的なニュースよりも好意的なニュースのほうが多いテーマはなかった。(注37)

この結論は、なかでもフォックス・ニュースに関わる部分が印象的だ。フォックス・ニュースに対しては、特に競合するメディアから「トランプのシンクタンクのようだ」という批判が広がっている。だが、フォックス・ニュースの司会者や番組がほかの報道機関よりも大統領に好意的ではあっても、ショレンスタイン・センターが示した数値を見れば、フォックス・ニュースの報道は、否定的なニュースで埋め尽くされたほかの報道機関と比べて、全体的にはるかに公平だと言える。またフォックス・ニュースでは、CNNやMSNBCとは違い、ニュース番組と意見を論じる番組とをはっきり区別している。

そんなふうに言われると驚くかもしれない。多くの活字メディアや放送メディアで、「フォックス・ニュースの報道は不公平で、バランスがとれていない」と評されているからだ。実際、フォックス・ニュースとその幹部や司会者は、ザ・ニューヨーカー誌、ヴァニティ・フェア誌、ニューヨーク・タイムズ紙、ワシントン・ポスト紙、ポリティコ、CNN、MSNBCといった報道機関の非難の的になることが多い。これらの報道機関のジャーナリストやプログレッシブ的思想を持つコメンテーターは、フォックス・ニュースの評判を傷つけようと躍起になり、ときにはフォックス・ニュースの特定の司会者や番組に対して商業的なボイコットを呼びかけることもあるようだ。その理由は明らかだ。ほかの報道機関がトランプについて「あらゆる点で否定的」[注38]に報道するなか、フォックス・ニュースはそのイデオロギー的、政治的な結束に逆らっているからだ。

ショレンスタイン・センターは、報道の現場やジャーナリストに対して、思慮深い忠告をしている。「ジャーナリストは……ワシントンで過ごす時間を減らして、政治と人々の生活が交わる場所で過ごす時間を増やしたほうがいい。大統領選挙でそういう時間の過ごし方をしていれば、何百万もの普通の人々が『アメリカンドリームが消えた』と感じていること、それがトランプ勝利の決め手となることを見逃すはずはない。普通の人々のそういう話は、ただの泣き言ではなく現実だった。アメリカ社会は現在、崩壊には至っていないがいくつかの点では確かに分断されており、最も深刻なのはワシントンだ[注39]」

比較のために、オバマ政権の最初の100日間のメディア報道を見てみよう。世論調査機関、ピュー研究所は2009年4月28日、次のように発表した。「報道についての新たな調査結果によれば、バラク・オバマ大統領はホワイトハウスでの最初の数カ月間、ビル・クリントンやジョージ・ブッシュと比べて、はるかに好意的に報道された。全体に、オバマに関する記事、社説、論説の約40パーセントが明らかに好意的なトーンだった。ピュー研究所の『卓越したジャーナリズムのためのプロジェクト』の調査では、同じく就任後2カ月間に同じ七つの国内報道機関で調べた結果、好意的な扱いはブッシュでは22パーセント、クリントンでは27パーセントだった。オバマについては、好意的な報道と否定的な報道の比率は2対1（42パーセント対20パーセント）。中立的なものや、好意的なトーンと否定的なトーンが混じったものが全体の38パーセントだった[注40]」

メディアにプログレッシブ的政治観やイデオロギーの偏りが広く見られることは、いろいろな研究や調査結果のほか、多くの証拠からもわかる[注41]。もちろん証拠というものは、簡単に見過ごされ、却下され、操作され、訂正されることがある。しかし、報道機関やジャーナリストがイデオロギーを広める使命を持っていることは隠しようがなく、多くの人々から見て、もはや秘密でもなんでもない。そうしたメディアが特定のイデオロギーを支持し、大衆に広めることを使命としているのは明白だ。

ここ数十年の間にアメリカの報道現場で、パブリック・ジャーナリズムやシビック・ジャーナリズムと言われる考え方が広まった。目的を実現するためにコミュニティーに根差した社会運動のようなジャーナリズムを推進すべきだという考え方だ。その主導者であるニューヨーク大学のジェイ・ローゼン教授は、当時、大統領候補だったドナルド・トランプを手厳しく批判して、ワシントン・ポスト紙にこう書いた。

「有権者に情報を与える必要はない、感情のおもむくままに投票させればよいと考える候補者が、国民の混乱を招こうとしている。そういう状況でも、『みなさん、どんな立場をとりますか？』と公平に尋ねることが、ジャーナリズムの目指すべき目標なのか。インタビューを行う記者は候補者の滅茶苦茶な計画に積極的に加担してしまうのではないか。ジャーナリストたちは『私たちにどうしろと？　主要な政党の大統領候補者を報道するなというのか？　それは無責任すぎる』と言うだろう。だがそうした反応は、知的な議論を避けているだけだ。選挙報道で目にするあらゆる情報の裏には、候補者がどう行動するかについての前提がある。そこで訊きたいのは、それが今回通用するかということだ。トランプの行動は普通の候補者とは違う。まるですべての前提から解き放たれたかのように行動している。だとしたら、それに応じてジャーナリストのほうも予測しがたい行動をとり、斬新な対応を考え出す必要がある。いままでにないことをして、読者をあっと言わせる必要がある(注42)」

ローゼンは続けた。「ジャーナリストはこれまでとは違うやり方で、報道機関同士で協力し合い、いままでにない強引さで、トランプに『退場』を宣告する必要があるかもしれない。インタビューでは、礼儀正しく振る舞うことができず、ひどく気まずくなる恐れもある。いちばん難しいのは、トランプは例外で一般的なルールが当てはまらない、と読者や視聴者に説明しなければならないことだ(注43)」

確かに、「トランプ候補者」「トランプ大統領」「トランプ政権」「トランプ支持者」に関するニュース報道を見ると、ローゼンのパブリック(シビック)・ジャーナリズムのように、現在の報道現場やジャーナリストには、ジャーナリズムを社会運動ととらえる姿勢がしっかり根づいていることがよくわかる。またそうした姿勢は、メディアがどんな話題を報道するか、繰り返し報道するか、まったく報道しないかにもはっきり現れる。また、報道のやり方や、「専門家」や役人などの選定方法にもにじみ出る。

いまから25年前、教師でもありジャーナリストでもあったアリシア・C・シェパードは、ローゼンが言うジャーナリズムの手法についてこう解説していた。「パブリック・ジャーナリズムは、別名シビック・ジャーナリズム、パブリックサービス・ジャーナリズム、あるいはコミュニティー支援報道ともいう。その目的は、国民と、新聞やコミュニティーや政治プロセスとを『再び結びつける』ことだ。その場合、新聞はコミュニティーのまとめ役のような役割を果たす。パブリック・ジャーナリズムの考え方によれば、プロフェッショナルが受け身だった時代は終わった。いま求められるのは行動であり、無関心はだめだ。参加しなければならない」(注44)

同じ頃、ショレンスタイン・センターの当時の理事で元ジャーナリストのマービン・カルブは、「長い間、アメリカのジャーナリズムで最も重要なのは行動だった。これは一時的な現象ではなく、アメリカのジャーナリズムに深く根を下ろしている。だがこの問題は慎重に考えるべきだろう」と言い、続けてこう警告した。「ジャーナリストは自分が役者になると、本来の責任の範囲を超えてしまう。ジャーナリスト自身が変化をつくり出してそれを報道すれば、独立性、客観性、強さといったジャーナリズムが本来持つ性質が危うくなる……アメリカのジャーナリズムの本質はいつも、批判的な分析ができるように権威と距離を置くことだった」(注45)

このように、ローゼンや、同じようにパブリック・ジャーナリズムやシビック・ジャーナリズムの考え方を持つ社会活動家たちは、報道の自由という従来の規範や考え方を拒み、斬新な報道姿勢をとる。報道はプログレッシブ運動の重要なツールになる、と考えている。そんな彼らが強く支持するのが、社会学者のアミタイ・エツィオーニの理論だ。エツィオーニは、自らの思想について「人々は宗教や弾圧がなくても、コミュニティーの回復によって倫理的、社会的な公共の秩序をつくり出すことができる」と語っている。（注46）

そしてエツィオーニの理論も、ローゼンの説も著作も、アメリカの報道現場で広く見られるジャーナリストたちの（意識的または無意識の）行動も、その本質は1世紀ほど前にジョン・デューイが唱えたジャーナリズムの役割をそのまま受け入れたものだ。デューイは、アメリカ初期の最も影響力のあるプログレッシブの思想家で、現代ジャーナリズムの父とも言える人物である。アメリカの伝統、文化、基盤、とりわけ個人の自由や市場資本主義と決別を目指すプログレッシブ運動が、イデオロギーに基づく壮大な計画を進めるためには、マスコミという重要なツールを使わざるを得なかったのは明らかだ（だから、デューイは「コミュニタリアニズム」を重視する）。

デューイは次のように述べている。「まずは、教育で自由主義を復活させるべきだ。教育はある程度現状を踏まえて、人間の精神と性格の形成、知的・倫理的パターンの決定に貢献すべきと私は考える。以前にも話したが、現在の精神的な混乱と行動面での無気力は、私たちの外部で起こる現実の出来事と、内的な欲求や思考パターンや感情や目標との間の不一致が、その根本的な原因である。教育というものは、人間の精神に働きかけるだけでなく、制度を実際に変えるだけの行動がなければ成し遂げられない。人間の気質や態度は、人間の内部にある『倫理的』手段でしか変えられないとの考え方があるが、それこそが変えなければならない古い考えだ。思考や欲求や目標は、常に外的条件と相互に反応している。だが断固とした考えを持つことは、精神と性格のパターンに必要な変化を起こす最初の一歩となる」(注47)「つまり、自由主義はいまや急進的でなければならない。この場合の『急進的』とは、制度を根本的に変えること、あるいはそのような変革を起こすための行動を認識することを意味する。現実の状況が持つ可能性と実際の状態との隔たりは非常に大きい。その場しのぎの断片的なやり方では、それを埋めることはできない」とデューイは言う。(注48)

さらに、「自由主義」という言葉は、コミュニティーの代表者について言う場合と一般の人々について言う場合では、逆の意味になる。一般の人々には、受け取るニュースや報道の内容に影響を与えるための具体的な手段がない。そのため、一般市民を方向づけるためのプログレッシブ的思想は、専門家や行政の知恵に頼り、人間の行動に科学的モデルやアプローチを当てはめるべきだと主張する。このことは、影響力あるジャーナリストで評論家だったウォルター・リップマンが1922年に出版した名著『世論』(掛川トミ子訳、岩波書店)に詳しく書かれている。当時、リップマンは、夢破れた社会主義者で、大衆の力に幻滅を感じるようになっていた。そのため、多くのプログレッシブ主義者と同じく、巨大化した複雑な現代社会では、大衆が現状をしっかり把握できず、改革の議論や行動をとれないことが問題と考えるようになった。

世界はあまりにも複雑すぎる、怠慢な人にも仕事に追われている人にも世界の状況を理解させるのは難しい、とリップマンは書く。「全国民があらゆるメディアの報道に十分に注意を向けることができれば、個別に解決すべき膨大な数の現実問題に敏感になり、精通し、熱心に取り組めるだろう。だが、実際にはそうならない。本来、メディアは、活動家や決定権を与えられた代表者や研究活動をする研究者のための道具である。メディアは彼らの活動を大衆に知らせて、彼らが特別な存在だということを示す。メディアがその役に立たないのなら、誰の役にも立たないだろう。一般の人たちは、メディアから与えられる情報をもとに世界の状況を理解する。そのため、専門家たちは、大衆に対してこれまで以上に責任を負うことになる(注49)」

リップマンは、社会をより良くするためには、それを使命としている専門家に頼るべきだと主張した。「つまり、あらゆる問題について国民一人ひとりに専門的な意見を持たせようとするのが目的ではない。そうした重荷を国民の肩から取り去り、責任ある管理者に負わせようというのである。メディアの報道は一般情報を得るための情報源としてはもちろん、毎日のニュースをチェックするために役立つ。だがそれは二次的な価値だ。報道は、政治、産業の両方で代議制による支配と管理に役立ってこそ真の価値がある。会計士、統計学者、秘書などの専門家による助けを求める声は大衆からではなく、公共の仕事に携わる人たちから起こっている。彼らはもはや自分たちの経験だけに頼っていては仕事をすることができない。報道はその起源においても理想においても、公共の仕事をよりよく遂行するための手段であって、公共の仕事がいかにうまくいっていないかを知るための手段ではない(注50)」

さらにリップマンによれば、専門家がすべてを統合して分析するプロセスがあってこそ、国民はいろいろなことを理解できるという。「現代国家において忙しさに追われた国民は、複雑な生の情報ではなく、理解しやすいようにかみ砕いた説明を欲しいと願う。ならば誰かにその作業を託すほかない。なぜなら、たとえば政治の世界を見れば、特定の派閥に属する者が語る話は、きまって事実が複雑に入り組んでいて、話が進むにつれて感情的なステレオタイプの表現が脂肪のように大きな塊となってまとわりつくからだ。彼らは、時代の風潮にならって、自分が望むのは『正義』『福祉』『アメリカニズム』『社会主義』のような崇高な理想だと主張するだろう。そういう問題について、国民は、ときに不安や尊敬の念を呼びさまされることがあるかもしれない。だが、国民は決して判断を下すことはできない。まずはまとわりつく脂肪を溶かしてやらなければ、国民は議論に入ることもできないだろう(注51)」

ニュースの受け手である多くの人たちも言うように、こうした上から目線のエリート主義こそが、プログレッシブの基本的な特徴だ。そしてこうした考え方は、ジャーナリストの言動にも、あらゆる媒体の報道現場にも確かに浸透している。

クレアモント・マッケナ大学とクレアモント研究所に所属するチャールズ・ケスラー教授は、このようなメディアの変化を次のように言い表した。「20世紀の初め、ジャーナリズムは自分たちのことをプロフェッショナルだと考えはじめた。19世紀には、たいていの新聞は政党の機関紙のような存在だった。それがいまやジャーナリズムは、新たに登場した社会科学の一つとして、自分たちは政党とは距離を置く独立した専門家だと考えるようになった。哲学的、歴史的な手法を取るか、もっと科学的な手法を取るかにかかわらず、どちらも根っこの考え方は同じだ。こうしてメディアは、理想主義的でプログレッシブ的な理念のもとで熱心に社会変革を目指す立場と、冷静かつ科学的に社会の事実だけを追求する立場の両方を担いながら、リベラルな政治観を持つのが一般的となった（注52）」

ケスラーはこうも書いている。「また、新たなジャーナリズムは成長する過程で、自分たちのことをリベラルであると同時に『客観的』と考えるようになった。事実と意見を区別すれば客観的だ。それなら事実を報道しながら、意見は社説欄で語ればよい。そう考えていた。だが、客観的、科学的なあり方をそんなふうに決めることこそがリベラルの価値観だ。リベラル派のほとんどの人々は、そうして区別された事実が最終的に『歴史』をつくり、さらに大きな事実となって自分たちの進歩、価値観を裏づけてくれると自信を持っていた……新聞の1面を飾る事実と社説に書かれる意見は、結局のところ同時に起こっているというのに[注53]」

アメリカ国民の知性と良識に自信が持てなかったローゼンも、メディアの世界のエリートが国民を啓蒙し、操縦すべきだと主張した。「人々が無事に世の中で暮らしているのなら、メディアの仕事はわかりやすい。市民を代表してそこで何が起こっているかを教えることだ。だが、市民の生活が切迫していたらどうだろうか。人々は世の中のことに敏感になり積極的に参加するかもしれないが、同時に生活などのプレッシャーとも闘うことになり、結局はそちらを優先してしまう。その最も端的な例は、世の中の問題に無関心になること。複雑な社会問題に至っては、まるでなかったかのように隠蔽してしまう。そうなれば金の力がものを言う世の中になり、問題は大きくなり、疲弊感が漂い、思いやりが失われ、皮肉なものの見方がまん延する。このように市民が不安定な存在であるなら、メディアには別の任務が生まれる。起こるかどうかわからないことを人々に教えるだけでなく、起こる可能性を高めることだ。私が尊敬する先人、ジョン・デューイは、1927年の著書『公衆とその諸問題』(阿部齊訳、筑摩書房)でこれと似たようなことを述べていた[注54]」

ローゼンは報道に関するデューイの考え方について、情報に「意味」を与えること、つまり情報に「社会的な影響力」を持たせることだと解釈した。デューイは著書のなかでこう書いている。「『ニュース』とはいままさに起こったばかりのことを意味していて、古いことや日常を逸脱しているからこそ新しい。しかし、その意味は、それが表している事柄との関係、その社会的影響との関係によって決まる」[注55]。つまり、連続したつながりのなかで社会的な背景や過去との関係を示さずに、起こった出来事だけを報道したとしたら、つながりから切り離すことになる。デューイは続けてこう書いた。「探求を専門に行うツールとしての社会科学が現在より進歩したとしても、それらは日々のあくなき『ニュース』の収集と解釈に適用されてこそ、大衆の関心事について見解を示すことができる。社会的な探求ツールは、今日的な出来事から離れた場所と条件のもとでつくり出されるかぎり、うまく機能しないだろう」[注56]

つまりローゼンもデューイも、本当のニュースとはプログレッシブ的な社会理論が吹き込まれた情報だと言っているわけだ。

事実に基づくジャーナリズムから、社会運動のためのジャーナリズムへの変化である。これについて、シートン・ホール大学の准教授で元ジャーナリストでもあるマシュー・プレスマンが、著書のなかで詳しく説明している。

「アメリカのジャーナリズムの最大の特徴はリベラルへの偏向だという見方がある。だが、この言い方は正確ではない。なぜなら、ジャーナリズムがニュースを意図的にねじ曲げている場合もあれば、無意識のうちに報道に政治的な意味合いを込めている場合もあるからだ。現代のアメリカのジャーナリズムを特徴づけているのは、ニュースを判断する際の価値観である。たとえば、政治的な価値観だ。富裕層や権力者への不信、持たざる者への共感、社会の悪に対処する政府の責任への信頼である。ジャーナリストはこうあるべきだという価値観もある。ジャーナリストは出来事を分析し、読者の役に立ち、公平でなければならないという信念だ。これらの価値観は本来、イデオロギーの問題とは関係がない。だが実際には、こうした価値観によって、右寄りの人たちよりも左寄りの人たちを満足させるニュース記事が生まれている」（注57）

プレスマンの主張によると、１９６０年代から70年代にかけてアメリカでは政治絡みの恐ろしい事件が次々と起こり、ジャーナリストはプログレッシブ的価値観による解釈を行わずに、客観的なニュースとして事実を報道することができなくなったという。

要するに、ジャーナリストはただ事実を取材して報道するのではなく、プログレッシブ的イデオロギーによって取材の優先順位や事実そのものに手を加え、ニュースに意味や目的を持たせるべき、という考えだ。当然、そういうニュースばかりが流れると、プログレッシブ的政策や政治課題が前進するだろう。だがこのやり方では、かなりの数のアメリカ人の倫理的、政治的な価値観が考慮されず、プレスマンが言う通り、「公平」でいられない。プログレッシブ的イデオロギーに偏った報道は矛盾しており許されない、と主張できてこそ初めて公平と言える。現在、イデオロギーで歪められた報道ばかりが目立つのにはこうした背景がある。報道はあまりにも偏りすぎ、特定政党を支持しすぎ、「左寄りの人たちを満足させる」報道になってしまっている。

プレスマンによれば、報道のこうした悲しむべき状況はすでに1世紀前に起きていた。「1910年代から20年代にかけて、米大手新聞は客観性という理想を掲げはじめたため、出来事の解釈が許されたのは、社説担当記者、意見欄を執筆するコラムニスト、日曜版の特別欄の執筆記者など選ばれた少数のジャーナリストだけだった。一方、一般の記者たちは誰が（Who）、何を（What）、いつ（When）、どこで（Where）、どのように（How）という4W1Hを忠実に守らなければならなかった。なぜ（Why）という疑問は、一般の記者たちの担当範囲を超えていた。ところが、やがて解釈を伴う報道という考えが広まり、変わりはじめた（注58）」

その結果、ジャーナリストの真の目的は、客観的な真実を追究して伝えることではなく、プログレッシブ的なレンズを通して「解釈して報道すること」になった。「解釈へと向かう動きは1950年代に始まり、いまも続いている。それによって大きな影響があった。まず、ジャーナリストは客観性とは何かを定義し直し、人々は報道機関に不信を抱くようになり、報道機関の内部では編集長やデスクより記者が力を持ち、勢力バランスが変わった。とはいえ初めの頃は、ただ競争（最初はラジオ、次にテレビ、現在はインターネットとの競争）に対応しようとしただけだった。大規模な組織で大きな変化が起きるときというのは、いつもそういうもの

だ」とプレスマンは説明する。(注59)

だとすれば、ニュースの受け手がプログレッシブ的価値観に偏った報道や特定政党を支持する報道に接したとき、その内容が民主党や民主党議員の発言や政策に近いと感じたとしても、それは思い過ごしではない。メディアがリベラルなイデオロギーを体現しているなら、当然のことだからだ。

プレスマンの著書が出版される10年前、ワシントン・ポスト紙の元記者トーマス・エドサルは、この議論をさらに掘り下げた。エドサルは次のように書いている。「ジャーナリズムは、自分たちがリベラル派だと自覚し、その価値観を弱め、疑い、手放すべきだ……主流メディアはリベラル派だ。１９６５年以前、記者という職はいわゆる『労働者』の集まりで、知的な仕事や学問には向かない、レベルの低い大学の卒業生が就く職業だった。それが公民権運動や女性解放運動、文化戦争やウォーターゲート事件を境に、ワシントン・ポスト、ＡＢＣニュース、ＮＢＣニュース、ＣＢＳニュース、ニューヨーク・タイムズ、ウォール・ストリート・ジャーナル、タイム、ニューズウィーク、ロサンゼルス・タイムズ、ボストン・グローブなどの報道機関では、『新たに』登場した『クリエイティブ』な人々が働くようになった。彼らの多くはリベラル派のエリートだ。つまり男性も女性も、妊娠中絶の権利や女性の権利、公民権、同性愛者の権利を支持する傾向にある高い教育を受けた人たちだった。彼らはビル・オライリー、グレン・ベック、ショーン・ハニティー、パット・ロバートソン、ジェリー・ファルエルなどの保守派の人物をひどく軽蔑している（注60）」

確かにエドサルの言うことは正しい。現代のたいていのジャーナリストは保守派を軽蔑している。だが、それだけではない。ジャーナリストたちは、保守の立場をとるトークラジオやフォックス・ニュースといった報道機関に対して、敵意をあらわにしている。フォックス・ニュースは、自分たちは保守派ではない、ただほかのメディアと違って「公平でバランスのとれた」報道機関だと主張している。また、予想されたことではあるが、メディアはプログレッシブ的な考え方に傾き、解釈を伴う報道を始めると、文化、伝統、制度に関わるほぼすべての規範に疑問を投げかけるようになった。こうしてメディアは、プログレッシブ的なイデオロギーに基づく大規模な政治プロジェクトの副産物のような役割を果たすようになった。すると、社会に対する見方がだんだん近視眼的になっていく。報道現場やジャーナリストは、自分たちと異なるイデオロギーを持った国民に対して、おおっぴらに軽蔑や抵抗感を示すようになった。最近では、特にトランプ大統領の支持者に関する報道がその典型だ。そのことからも、メディアと民主党の間に相乗効果があることがわかる。やはり、メディアが事実を解釈する際に、最も恩恵を得ているのは民主党だという論理が成り立つのである。

ここで、ギャラップ社が2017年4月5日に発表した調査結果を紹介しよう。「アメリカの成人の62パーセントが、各メディアには応援している政党があると答えた。その割合は、従来50パーセント程度だったが上昇した。メディアはどの主要政党も応援していないと答えたのは、わずか27パーセントだ……現在、共和党支持者の77パーセントが、メディアは特定の政党を応援していると回答しているが、その割合は２００３年には59パーセントだった。一方、民主党支持者では、メディアには応援する政党があると答えたのは44パーセント。２００３年も同じ割合で変化はなかった……報道に政治的な偏りがあると答えた回答者に、メディアはどの政党を応援しているか、と尋ねたところ、ほぼ3分の2（64パーセント）が『民主党』と回答した。『共和党』と回答したのは約3分の1（22パーセント）。これは別に新たな発見というわけではない。メディアに偏りがあると考えるアメリカ人は多く、割合に変化はあるものの、『メディアは民主党支持に偏っている』という回答は常に多い（注61）」

この問題について、エドサルは「知的な保守主義者やオピニオンリーダーは大勢いるが、優れた保守派の記者はほとんどいない。保守的なイデオロギーからは優れたジャーナリストが生まれないようだ」と言う（注62）。

もちろん、調査結果からわかるように、報道の現場で多様性が失われていることを考えると、保守派の記者はごくわずかしかいないだろう。しかもジャーナリストのコミュニティーは、イデオロギーごと、地理的な立地ごとにますます内に引きこもるようになっている。だが、エドサルは次のように都合のいい主張をする。「一方、ここ半世紀の国内トップの記者を調べてみると、客観的なニュース報道という伝統のなかで、優れたジャーナリストはリベラル派から生まれていることがわかる。そう考えると、主流メディアがリベラルに偏っているのは強みと言えるだろう。近年、報道のリベラル偏向についての議論が高まるなか、メディアは対応を誤っているのではないか（注63）」

つまり、報道機関でリベラル派の記者が圧倒的に多いのは結局のところリベラル派の記者のほうが優秀だからだ、リベラル偏向の問題はメディアのブランド戦略とマーケティングの問題だ、と言わんばかりである。

ジャーナリズムはリベラルに偏った状況を正当化しながら、同時にそれを偏向と批判するのはあら探しにすぎないという、自己満足の筋の通らない理屈をこねて反論している。エドサルは、のちのプレスマンと同じく、ジャーナリズムがつくったそうした理屈に頼りきっているのだろう。エドサルは、「確かに、報道機関のスタッフはイデオロギーに基づく世界観を持っていることが多いが、多くの社員は、個人としても職業人としても客観的な情報提供を行うために真剣に取り組んでいる」と書いている。そして、こう訴える。「自社のスタッフのイデオロギーに偏りがあることを主流メディア幹部が認めようとしないために、メディアはかえって危険な過ちを犯すことになる。メディアは左寄りになるのを避けようとするあまり、中立か右寄

りの立場をとろうとする」(注64)

またメディアのプログレッシブ的な価値観は、ある意味では倫理的な改革運動につながっているようにも見える。社会のほかの領域で、前世紀の間にプログレッシブ的な価値観が押しつけられてきたのと同じだ。先に挙げたコヴァッチとローゼンスティールはこう主張する。たいていのジャーナリストは「ジャーナリズムとは倫理的行為だと思っている。ジャーナリズムを実践するうえで何をして何をしないかは、自分の経歴と価値観によって決まると考えている……多くのジャーナリストにとって、この倫理的側面が持つ力は特に大きい。そもそもこの側面に惹かれてジャーナリストになったからだ。彼らの多くは初めて報道というものに興味を持ったとき、それはたいてい青春時代や10代の頃だが、ジャーナリズムの最も基本的な要素に魅力を感じていた。体制のなかの不公正に世の中の注意を向けさせたい、人々を結びつけたい、コミュニティーをつくり出したい……彼らがジャーナリズムの倫理的側面を強く感じる理由は、倫理に関わる意思決定という曖昧な行為には指針が欠かせないと思うからだ」(注65)

私たちの人生やキャリアにとって、倫理的な義務を持つのは確かに立派なことだ。それはジャーナリズムに限らない。どんな分野のどんな仕事に就いている人も持つべきものであり、求めて努力すべきものだ。だが、その倫理観がプログレッシブ的なイデオロギーや政策や政治目的によって決められ、解釈されるとしたらどうなるだろうか。その職業に就く人たちは、押しつけがましく、思い上がって、傲慢で、自分は優れていると思い込んでいる特権階級になってしまう。そういう人たちが慎重に行動したり、向上心を抱いたりすることはめったにない。最近、とりわけトランプ大統領に関するメディア報道で見られる状況が、まさにそれだ。チャールズ・ケスラーはこう述べている。

「トランプ大統領は『フェイクニュース』を批判することで、そうした人々が持つ弱みを言い当てている。トランプは、ニュースのでっち上げ、つまり事実を間違って伝え、偏った価値観に合わせて『事実』をつくり出していることを単に非難しているのではない。メディアが不正行為を隠蔽し、正当化するための規範をつくり出していること、つまり自分たちは『客観的』で特定の政党を支持せずに社会の進歩を目指すだけだと言って掲げる『偽の権威』を非難している。2世紀前のジャーナリストがそうだったように、現代のジャーナリストは特定の政党を支持している。しかし、そのことを認めようとしない。だから、どうすれば自分の考え方を軌道修正できるのかと自問することもない。実のところ、彼らは人々を惑わしているのと同じぐらい、自分でも戸惑っているのかもしれない(注66)」。

要するに、報道機関の多くの人たちから見て、トランプ大統領はメディアの倫理的な根幹に挑戦状を突きつける存在なのだろう。

そこにこそ問題の核心がある。「ジャーナリズム」の最も重要な目的は何か、という問題だ。

プレスマン教授が言うように、現代ジャーナリズムは、プログレッシブ的な価値観を植えつけられたプロジェクトでありながら、同時に偏りのない報道をしなければならないのだろうか。ローゼン教授が求めるように、現代ジャーナリズムは、記者が社会運動や社会の見直しを促し、世論を盛り上げて改革を目指すべきなのだろうか。報道機関は頭のよい人たちだけが参加できる会員制クラブのようなもので、一般市民は彼らを通じて世界を知るべきなのだろうか。それとも、ニュースは客観的な真実や事実を集めて報道するもので、解釈や分析は読者や視聴者に委ねるべきなのだろうか。メディアは建国理念を支持することで、市民社会をうまく機能させるためのものなのだろうか。

とりわけ政治と文化の点で言えば、ジャーナリズムは明らかにリベラルの旗印を掲げるプロジェクトになってしまった。誠実さに欠ける態度をとるが「そんな態度はとっていない」と言い張り、互いにかばい合い、ときには褒めたたえながら、集団心理や集団思考、同じ主張の繰り返し、それにプロパガンダをニュースとして伝えている。だがもはや、メディアは客観性を装う気さえ失いつつある。本章で見てきたように、イデオロギーの影響を受けた報道が増えるにつれて、「プログレッシブ的な価値観に基づき報道している」ことを隠そうともしないメディアが徐々に増えている。これこそが過去1世紀の間の歩みだ。

さて、本章の冒頭でいくつか疑問を投げかけた。それらの疑問に対しては、いまのメディアが共有するプログレッシブ的な価値観、社会運動への傾倒によって、ある程度答えを見つけることができるのではないだろうか。かつて報道の自由とアメリカ独立を実現した建国初期の出版社、パンフレット制作者、新聞発行者たちは、本質的な理念や信念に突き動かされていた。いまやプログレッシブ運動の歩兵のようになった報道機関やジャーナリストたちは、そうした理念や信念を完全に失っている。

第2章 建国初期の愛国的メディア

The Early Patriot Press

本章では、アメリカのメディアがたどった建国初期の歴史をざっと振り返る。そうして得られる背景情報は、歴史の結果としてのメディアの現在の姿や規範と比べることによって、報道の自由の現状と目的を考えるうえで重要な意味を持つだろう。

アメリカのメディアの歴史は、個人の自由と報道の自由を求める闘いと切り離せない。これら二つの自由は、アメリカ独立戦争の重要な要素だ。

1810年、アイザイア・トーマスという人物が2冊組の書籍を出版した。この注目すべき本のタイトルは、『アメリカ出版業の歴史　出版と新聞の歩みを振り返る（*The History of Printing in America, with a biography of printers, and an account of newspapers*）』。出版社と新聞社を経営しつつ著作家でもあった彼は、アメリカ独立戦争の目撃者だった。トーマスは独立戦争中の出版業に関する記録を残した数少ない人物だ。著書のなかで彼は次のように書いている。「ニューイングランド地方に最初に移り住んだ入植者たちは、信心深いだけでなく、教養もあった。彼らの祖国、イギリスではヨーロッパのほかの国々よりも報道が広く認められていたため、その便利さをよく知っていた。そこで、この新天地で生きていくための備えが整うとすぐ……次に目指したのは学校と出版社の設立だった。とはいえ、最も古い植民地であるバージニア植民地では、その後何年も出版社に対して許可を与えようとしなかった」(注1)

1638年、現在のマサチューセッツ州ケンブリッジに、アメリカで初めての出版社が設立される。事業開始は1639年。トーマスは、マサチューセッツで出版業を起こした人物としてグローバー牧師をたたえ、こう書いている。「プロテスタントの聖職者だった……友人たちと一緒に入植を決意して母国を離れ、現在のマサチューセッツ州に移り住んだ。この手つかずの大地では、イギリス政府や多数派の人たちから賛同が得られないような意見でも自由に発言できたからだ」。そのため、アメリカ初期の出版物のほとんどは宗教的な議論について書かれ、やがてアメリカ原住民に（彼らの言語で）福音書などの書籍を広める役割も担うようになった。(注2)

トーマスは次のように書いている。「マサチューセッツの建国の父たちは出版物に目を光らせていた。宗教書も市民に関するものも、出版物の自由な発行を認めようとはしなかった。出版物に倫理的な制限をかけなければ、人々の間に争いや異端信仰が生まれてしまうと、教会トップや植民地の支配者たちは恐れていた。1662年、マサチューセッツ政府は出版物を検閲する担当官を任命した。1664年には、『ケンブリッジ以外の管轄都市では出版業を認めない』とする法律を可決し、ケンブリッジでも、出版の認可や権限を持つ機関を通じて政府が認めたもの以外は印刷してはならないと決めた……マサチューセッツ植民地では1755年頃まで、出版物への法律上の制限は残っていたようだ……だが1730年の数年前から、マサチューセッツ政府による制限は以前ほど厳しくなくなり、その後は、出版物に対して特別な監督権を持つ役人はいなくなった(注3)」

さらに、トーマスはこう続ける。「マサチューセッツ以外の植民地には、17世紀の終わり頃まで出版社はなかった。初めて設立されたのは、ペンシルベニア植民地のフィラデルフィア近郊。だがその出版社は、その後数年でニューヨークに移る。活字の使用は1681年にバージニア植民地で始まったが、バージニアでは1682年に出版業が禁止されてしまう。1709年にコネチカット植民地のニューロンドンに出版社が設立され、その頃からだんだんとほかの植民地にも広がっていった(注4)」。やがてアメリカ独立戦争が起こる数年前から、それまで出版業(書籍、パンフレット、新聞などを発行)に課せられていた検閲や制限はなくなっていく。「1775年まで、出版社は植民地の首都だけに存在していた。だが戦争の勃発とともに分散し、ほかの都市でも多くの出版社が設立されるようになった。1783年にアメリカが独立し平和が訪れると、出版社はたちまち増加し、海岸沿いの町だけでなく、内陸の主な町や村でも見られるようになった（注5）」

独立戦争に至るまでの時期、そして戦争が勃発し、ついにイギリスに勝利した頃、トーマスはベンジャミン・エズという人物に強く惹かれていた。ジョン・ギルと一緒にボストン・ガゼット紙という新聞を創刊・発行した出版業者である。トーマスはこう述べている。「大英帝国と植民地の間の争いが深刻な様相を呈してくると、この新聞は人々の注目を集めるようになった。自由という大義に賛同した優れた著作家たちやアメリカ国民からの支持を受け、同紙は発行部数を大きく伸ばした（注6）」。イギリス軍がボストンに大挙して攻め入ったとき、エズは「印刷物とわずかな活字を持って」脱出し、ウォータータウンで新たに出版業を始める。「1776年、イギリス軍の撤退を受けて、エズはボストンに戻ってきた。当時、ベンジャミン・エズほどアメリカ合衆国の独立に関心を寄せていた新聞発行者はおらず、ボストン・ガゼット紙はこの重要な運動を前に進める力となった（注7）」とトーマスは書いている。

イーロン大学教授のデイビット・A・コープランドは著書のなかで、次のように述べている。1768年までにエズと仲間たちは「報道の重要性を考えて、起きたことすべてを総合的に取り上げた……報道は人々の自由を守り、政府を監視する。民衆の代弁者としての報道によって、当局は支配される側の民衆の総意に従うことになる。エズたちはそう言った（注8）」。コープランドは、ボストン・ガゼット紙が「民衆（Populus）」というペンネームで掲載した宣言を紹介している。

専制君主とその手下や支持者にとって、自由な報道ほどいらだたしく、恐ろしいものはない。その理由は明らかだ。なぜなら過去の歴史にある通り……自由な報道は「民衆の自由の砦」だからだ。そのため、民衆の自由を破壊しようと企む人たちは、いつも妬みと悪意に満ちた目で報道を見張ってきた……報道は私たちに真実の言葉を語り、民衆に危険とその対策を指摘し、自由と服従を示してきた。そして神と王の名において、後世のあらゆる人々のために自由を選び、束縛を拒否するよう、説得力のある痛烈な言葉で民衆を促してきた（傍点は原文通り[注9]）。

オクラホマ・バプティスト大学のキャロル・スー・ハンフリー教授も当時のアメリカの出版業について説明している。「歴史家は長い間、アメリカが独立を成し遂げた要因を研究し、反乱の成功は出版業のおかげ、特に、戦時中の新聞の影響は大きいと考えた。終戦直後の数年間に記録を残した歴史家でさえも、出版業は最終的な勝利に大いに貢献したと書いている[注10]」

ハンフリーはこうも述べている。「19世紀前半、歴史家たちが強調したのは出版業者の愛国心だ。出版業者の取り組みは、アメリカが共和制の政府を構築する助けとなった。それも世界中の手本となるような共和制だ。こうした学者たちはその見解や結論から、ナショナリストとかロマンチストとか呼ばれることも多い。彼らにとってアメリカの植民地は、民主主義と自由を広めて世界をより住みやすい場所にするという重要な役割を果たした。そして、大英帝国との関係を断ってこうした発展をもたらすうえで、新聞は大いに役立った」[注11]。ハンフリーは続ける。「歴史家は、イギリスの圧政への反乱を引き起こしたとして、新聞の重要性を常に強調してきた。また自由と独立を求める戦いのなかで、出版業者が忠誠心と愛国心を持ち続けたことを高く評価している[注12]」

実際、独立を支持する動きは、ニューイングランドからほかの植民地へと広まった。アメリカ独立戦争を初めて研究した歴史学者の一人、デイビッド・ラムゼイが1789年に記した言葉、「アメリカ独立において、ペンと報道には剣と同じ価値あり」はよく知られている。つまり独立に至るまでの数十年間、初期の出版業者、パンフレット制作者、新聞発行者のほとんどは独立戦争を断行すべきと主張し、戦争が起こってからも独立に向けた動きを支援した。

ラムゼイの言う通り、初期のパンフレットが独立運動や開戦までの数年間に果たした役割は非常に大きかった。新聞も、1775年までに存在したのはわずか40紙足らずとパンフレットよりは少なかったものの、その影響は同じぐらい大きかった。それらは単なる情報源ではない。

アメリカを独立と建国に向けて動かした大義と理念に、思想的で現実的な議論のための主張を肉づけするという大きな役割を果たしていた。自由、独立、代表政府といったことに関してさまざまな主張をつくり出したのが、パンフレットと新聞だった。

もう一度、コープランドの著書から引用しよう。「1760年代後半までに、報道は政治的志向の強いツールとなった。記者たちはことあるごとに、自由な報道の権利を主張した。だが次第に、大英帝国からの独立を支持する愛国者たちは、反対意見の口を封じはじめる。何十年もの間、それどころかイギリスでは何世紀もの間、人々は自由に話すことを求めてきたというのに、それと矛盾するかのように、植民地ではこの時期、自由な言論が影を潜めた。独立という目的があったからだ。それでも言論の自由は、ジョン・ロックのような思想家が示した政府という概念のなかで生き続ける。やがてアメリカが独立戦争に勝利し、イギリスの圧政から自由になると、報道は政党の代弁者の役割を果たすことで生まれ変わった。新たに生まれたアメリカ合衆国の多くの国民は……『言論の自由は人間の自由の偉大な砦だ。両者はともに栄え、ともに滅びる』という言葉を受け入れた(注13)」。のちに合衆国憲法修正第1条となる理念の基礎がつくられたのである。

初期の政治パンフレットを研究した学者はほかにもいる。ハーバード大学教授で歴史学者のバーナード・ベイリンもその一人だ。この分野の第一人者であるベイリンは、こう書いている。

「アメリカ独立を成し遂げた世代の価値観はどのように形成されたのか。彼らが影響を受けたのは、合理的な啓蒙思想を謳《うた》ったパンフレットの考え方だった。そこには、自由主義的な改革の合理性だけでなく、啓蒙された保守主義の合理性についても書かれていた……アメリカで次々に発行されたパンフレットでは、自由主義のジョン・ロックを取り上げて自然権、社会契約、政府契約が語られ、保守主義のシャルル・ド・モンテスキューやのちにはジャン＝ルイ・ドロルムを取り上げて、イギリス的な自由の性質やそれを実現するために必要な制度などが語られた(注14)」

1750年から1776年にかけて、何百冊ものパンフレットが発行される。ベイリンは「独立戦争を導き、支えた人たちの信念、考え方、意欲、掲げる目標をはっきりと示し、宣言し、表現したのがパンフレットだった」と語る。そうした人たちの考えでは、独立戦争は「何よりもイデオロギーや憲法に関わる戦いだった。社会という組織のなかで無理やり変化を起こそうとする集団同士の対立ではない。パンフレットから見えてくること……それは、独立戦争までの数十年間に知的発展が進んだ結果、過去1世紀半のアメリカ人の経験が極端に美化され、正当化されたということだ。また、18世紀のアメリカでそんなふうに知的発展が進んだからこそ、独立を目指す思想が生まれ、それが独立戦争に独特な力を与えて大きな変化を起こすことになった(注15)」

つまり、アメリカ独立戦争は間違いなく大きな変化ではあったものの、バラク・オバマ元大統領が選挙で誇らしげに宣言したようなアメリカ市民社会の「根本的な変化」ではなかったわけだ。しかも独立戦争の目的と理念は、現代の進歩主義運動を支える価値観とは正反対で、相容れないものだった。ドイツの哲学者のゲオルク・ヴィルヘルム・フリードリヒ・ヘーゲルやカール・マルクス、そしてハーバート・クローリー、ウッドロウ・ウィルソン、ジョン・デューイ、ウォルター・ワイルといった、のちのアメリカのプログレッシブ派の知識人が支持した価値観とは違っていた。

ベイリンはとても重要な指摘をしている。「もともとアメリカ独立戦争の背後にあったのは、社会の混乱ではなかった。恐怖、絶望、憎しみといった感情も一切なかった。あったのは、世界の歴史のなかでアメリカがどういう運命をたどるのかという認識と理解だ。独立によってそれが実現した。フランス革命やロシア革命では、多くの人々の生活基盤を壊すような大きな社会的衝撃があったが、アメリカではそういう衝撃は、前世紀のうちに、ゆっくりと静かに、ほとんど気づかれないうちに起こっていた。突然の崩壊ではなく、たくさんの変化が個別に起こり、すり合わせが行われ、社会の秩序がだんだんと変わっていった。1763年までに、ヨーロッパ的な生活の痕跡は……アメリカのオープンで荒々しい環境にさらされて消えていく。だが1760年代に反乱が起きるまで、こうした変化は社会や政治を見直す根拠とは考えられていなかった」。1776年の末頃には、「アメリカ人は、自分たちは特別だと考えるようになった。歴史上、アメリカ人こそが人間に備わっている可能性を生かし、広げ、発揮する役目を与えられたと考えるようになった。彼らは郊外の社会で起きた変化を目の当たりにしていたが、それは逸脱や退化ではなく、改善や進歩という望ましい変化だった。原始的な社会への後戻りではなく、政治的、社会的な生活が以前よりも高いレベルに達したことを意味していた」。ベイリンはさらに、「アメリカの政治思想の歴史のなかでも、あの時代は最も創造性に満ちた時期だった。その後に起きたことはすべて、当時の結果を踏まえたものだ」と書いている。(注16)

独立戦争前や戦時中に出版されたパンフレットはとても貴重だとベイリンは言う。「当時の議論の本質的な部分がすべて書かれているからだ。原本でなくても複製でも、パンフレットの形であれば同じように貴重だ。パンフレットとして発行された論文にも、説教にも、演説にも、書簡にも、さらには非常に個人的な論争にも、こうした大きな変化についての議論が書かれている(注17)」

また、ベイリンはこうも言う。「パンフレットは当時の重大な出来事について活発に議論しながら、たいていは分別ある意見を紹介した。ときには過激な主張が飛び交うなかで発行部数を伸ばし、重要な事件が次々と起こるたびに高まる世論を世界に向けて発信した。1760年代から1770年代にかけて事態が緊迫するなか、パンフレットは毎年、さらには毎月発行された。1750年から1776年までに、イギリスとアメリカとの間の問題に関係するパンフレットは400冊以上も発行され、1783年までにその数は1500冊を超えた(注18)」

当時のパンフレット執筆者といえば、トーマス・ペインが有名だ。1774年10月にイギリスからフィラデルフィアにやって来た移民のペインは、アメリカは独立すべきだという断固とした考えを発表した。1776年1月10日にパンフレットとして出版された『コモン・センス』である。わかりやすい英語で書かれたわずか48ページのパンフレットは、またたく間に植民地全体に広まった。米国憲法センターによると、『コモン・センス』は発売後3カ月で12万部という驚異的な売れ行きを見せ、独立戦争が終わるまでに推定50万部が売れたという。入植者の約20パーセントがこのパンフレットを持っていたことになる(注19)。多くの新聞にもパンフレット全体やその一部が掲載された。

当時と現在の報道について書く場合、この大きな影響力のあったパンフレットの内容とペインが掲げた考えと理念について調べないわけにはいかない。そして、現代のメディアが持つ考えや理念、プログレッシブ的イデオロギーと比べてみる必要がある。

『コモン・センス』は、社会と政府の区別についての文章から始まる。自由な社会では政府の力は制限されるべきだという。

社会と政府とを混同し、両者をほとんど、あるいはまったく区別しようとしない著述家たちがいる。ところが、両者は違っているばかりか、起源も別である。社会は我々の必要から生じ、政府は我々の悪徳から生じた。社会は我々を愛情で結びつけることによって積極的に幸福を拡大するが、政府は悪徳を抑えることによって消極的に幸福を拡大する。一方は仲良くさせようとするが、他方は差別をつくり出す。前者は保護者だが、後者は処罰者だ。[注20]

社会はどんな状態においてもありがたいものだが、政府はどんなによい状態にあったとしても、やむを得ない悪であるのがせいぜい。最悪の状態では耐えがたいものとなる。なぜなら私たちは、政府のない国でなら不幸でも仕方がないと考えるが、政府によって不幸が生まれ、悲惨な状態になるのは我慢できない。政府をつくって苦しみの種を自らまいたことを反省し、不幸な思いが大きくなるからだ（傍点は原文通り）[注21]。

植民地の人口が増え、社会のメンバー同士の距離が離れ、人々の不安が大きくなるにつれて、小規模で限られた権限だけを持つ代表政府が必要になる。その結果、「コミュニティーのすべての構成分子と共通の利害が明確になるので、彼らはおのずと互いに助け合うようになる」とペインは書いている。「私は人為をもってしては覆すことのできない自然の一原理から、政府の形態について考えを述べてみようと思う。それは簡単であればあるほど狂いが少なく、また狂ったときには補修しやすいという原理である」(注22)

ペインは、個人の自由が最も重要だと考えていた。だから大規模な組織を嫌い、政府による課税や規制に反対していた。だが、現代のプログレッシブ運動にとって、またそういう運動を代弁するメディアや記者にとって、ペインの政府観はあまりに無秩序すぎると感じられるだろう。彼らが求める「専門家」による意思決定や、中央集権的な行政国家に必要な「科学的」な計画策定とは相容れない考え方だからだ。

さらにペインは、イギリスの王制や世襲制を批判した。

まったく自然な理由も、また宗教上の理由もつけることのできない、もう一つの非常に大きな差別がある。それは人間を王と臣民とに差別することだ。男と女は自然が設けた区別であり、善と悪は神が定めた区別である。だがどうして、ある一族がこの世の中に現れて、あのようにほかの人間の上に君臨し、新しい種族であるかのように区別されているのか、また彼らは人類にとって幸福をもたらす存在なのか、それとも不幸を招くのか。これは調べるに値する問題だ。(注23)

ペインはこう続ける。

イギリスはノルマンの征服以来、少数の善良な王を頂いたこともあるが、非常に多くの悪王のもとで苦しんできた。正気の人間なら誰でも、ウィリアム征服王を始祖とする国王たちの統治の権限が名誉あるものだとは言わないだろう。フランスの一庶子が武装した盗賊を率いて上陸し、原住民の同意も得ないで勝手にイギリス国王になった。王の起源としては、はっきり言えばあまりに軽薄である。神聖さが欠けているのは言うまでもない。しかし、世襲権の愚劣さを暴露するのに手間ひまをかける必要はない。もし王を神聖だと信じるほど頭の弱い者がいるなら、ロバとライオンとを一緒くたにして崇拝させておこう。それでいいではないか。私はその卑劣さをまねしようとも、その信仰を邪魔しようとも思わない。(注24)

もちろん、現代のプログレッシブ派メディアは、君主制と世襲制についてのペインの批判に同意するだろう。だが、終身制で任命される判事がいまや巨大な権力をふるって、社会の隅々までを管理していることや、選挙で選ばれた議員ではなく、政府機関に雇われただけの官僚が、おびただしい数の連邦規則をつくることで事実上、議員を通さずに法を定めていることに関してはどうか。あるいは、法律や政策を決める主権が国際組織に委ねられ、その結果、国を治めるための意思決定が憲法の範囲外の組織でなされているのはどうか。プログレッシブ派のメディアはそれらに同意できるのだろうか。それはペインやその同胞たちが訴えた代表政府による共和制と言えるのだろうか。しかし、これこそが、現在勢いを増すプログレッシブ派の手による統治の実態である。

ペインはまた、独立戦争に向けて軍隊を招集すべきだと訴えた。すでにマサチューセッツでは兵が集められていたものの、まだすべての入植者に対して独立の大義のために結集するような呼びかけは行われていなかった。

イギリスとアメリカの紛争については、多くの書物が出版され、あらゆる階層の人々が違った動機からさまざまな意図を持ってこの論争に加わった。しかし、すべてが無駄だった。論争の時期は終わりを告げ、最後の手段として戦いによって決着がつけられようとしている。力に訴えることは王が望んだところであり、アメリカはその挑戦に応じた……。(注25)

この大陸がいつまでも外部の権力に服従すると考えるのは理にかなっておらず、世の中の条理にもあらゆる先例にも反している。最も楽天的なイギリス人でさえ、そんなふうには考えていない。知恵のかぎりを尽くしてどんな計画を立てようとも、分離する以外、大陸においてたった1年間の安全も保証することはできない。いま、和解は間違った夢である。イギリスとアメリカがもはや理解し合えないのは自然の流れだ。人間は自然に逆らえない。なぜならミルトンが賢くも言ったように、「憎しみの傷がこんなにも深く食い込んでいるときに真の和解は生まれない」からだ。(注26)

和平のための穏健な方法はすべて無駄だった。我々の願いは軽視され、却下された。だから我々は、イギリスにいくらお願いをしても国王はますますおごり高ぶり、頑固な態度をとるばかりだ、と考えるようになった。またこういう方法こそがヨーロッパの国王たちの専制支配の一因だと思うようになった。デンマークやスウェーデンがそのよい例である。したがって、戦う以外に道はない。ここできっぱりと分離し、次の世代がイギリスとの危険な関係を引きずって苦しむことのないようにしようではないか。(注27)

建国初期の歴史家たちは、こうしたパンフレット制作者や出版業者や新聞発行者の歴史を確かな事実として描いた。だがその描き方は史実に沿うものだったが、プログレッシブ派の歴史学者たちにとっては好ましくはなかった。いったい何が問題だったのか。問題は、初期の歴史家がアメリカの独立や建国を語るとき、個人や経済や政治の自由というヨーロッパの啓蒙思想の理念や考え方が大衆を動かし、それが独立戦争を引き起こしたと説明したことだ。プログレッシブ派にとって、アメリカ建国はプログレッシブ的なイデオロギーを実現したものという解釈、あるいは、商業的な利益を求める利己的な者たちが引き起こした過ちとして非難されるべきもの、という解釈が望ましい。

先ほど紹介したキャロル・スー・ハンフリーによれば、「報道が愛国心を高める役割を果たした」という見方をした初期の歴史家とは違い、のちの歴史学者たちはやがて別の説を唱えた。ハンフリーはこう述べている。「1900年以降、（プログレッシブ派の）歴史学者たちはアメリカの歴史について新たな解釈をするようになった。20世紀に入り、アメリカ社会が不平等と連帯感の欠如に悩まされるようになると、プログレッシブ派の歴史学者は、最初に植民地がつくられた頃から現代に至るまで衝突は常にあったと強調するようになった。対立や議論の大半は、異なる階層間や植民地同士で起きていたが、独立戦争の時代には国の内外で問題が起きていたと主張した。各植民地の内部でグループ同士が分裂し、一方、植民地とイギリスの間にも分裂があった。こうしたなかで報道が重要な役割を果たし、変化を求める運動を盛り上げ、その運動を実行に導く力となった。だが植民地とイギリスの関係を変えようとするあまり、マスメディアがさまざまな違いを際立たせた結果、分裂はますます大きくなってしまった。これがプログレッシブ派の歴史学者の説である（注28）」

しかし、本当にそうなのだろうか。史実をひも解いてみると、植民地時代の報道の実態がわかる。当時の報道は、勇敢で、活気にあふれ、アメリカの政治理念を堂々と支持していた。アメリカの独立という大義と主張を鼓舞し、正当化し、独立戦争中のアメリカ人の結束の固さをよく表していた。のちにプログレッシブ派の歴史学者たちは植民地時代の報道を批判するが、それは報道が担っていた運動そのものに対してではなく、運動の方法に対してだった。ハンフリーによると、「歴史上、経済の役割への関心が高まるにつれて、近年のプログレッシブ派の歴史学者は、独立戦争時代に出版人がとった行動の動機に疑問を示すようになった。出版人は強いイデオロギーに駆られていたのではなく、金儲けをしたいという理由で愛国的な大義を支持したと断言する学者もいる[注29]」。プログレッシブ派の人たちにとって、報道は利己的な策略だった。彼らは大衆を混乱させ、人々の生活やライフスタイル、そして生命さえも危険にさらして、地球上で最も強い軍隊に挑む戦争を起こした戦犯だった。

だが、ハンフリーによれば、事実はこうだ。「ほとんどのアメリカ人は、愛国的な新聞発行者が読者に対して戦争にまつわる情報提供を続けたおかげで人々の士気が高まった、と考えている。新聞のおかげで、勝利を勝ち取るまで大義のために結束でき、ついには独立が成功したと考えている……アメリカ独立戦争に参加した愛国者にとって、アメリカ全土で毎週発行されていた新聞は、戦うためになくてはならないものだった。新聞は戦争の進展を人々に伝えることで、独立を実現した……新聞は、独立を勝ち取るための戦争にとって不可欠な存在だった。

アメリカ建国に不可欠な存在だった（注30）」

このように、建国初期の出版業者、パンフレット制作者、新聞発行者は実に勇敢な人々だった。愛国者であり、開拓者であり、起業家でもあった。入植者を率いるリーダーであり、自由と独立を求める入植者の信念を体現していた。あらゆる犠牲を払って独立国家と市民社会を実現し、守り抜いた彼らのよりどころは、古代ギリシャの哲学者アリストテレスやローマ時代の政治家キケロが示した古い真実や主張だった。彼らは、ジョン・ロックやモンテスキューの啓蒙思想の理念や理論に基づき、とりわけ自然法、自然権、個人が持つ譲ることのできない権利、自由、公正、財産権、言論の自由、そしてもちろん報道の自由といった倫理的な根拠に基づき、アメリカ独立を実現した。それらは、植民地の団結とアメリカの建国を正式に謳《うた》ったアメリカ独立宣言の最も大切な要素だった。

さて、現代のメディアも報道の自由を主張している。だが一方で、現代のメディアが持つプログレッシブ的な考え方や社会運動を目指す傾向と、独立宣言の理念とを両立させるのは難しい。なぜなら20世紀に入った頃から、プログレッシブ派の著名な知識人たちはこぞって、独立宣言は社会に関する考え方が古くて陳腐だと批判してきたからだ。彼らは「独立宣言は、産業化されていない、主に農耕文化を前提としているため、コミュニティーよりも個人、公共の福祉よりも個人の利益を重んじている。政府はよい計画を立てて社会をまとめるために専門家を使ってダイナミックな影響力を行使すべきなのに、独立宣言は課税や管理を行う政府の権限を制限してしまった」と言う。同じような理由で、かつてのプログレッシブ派の知識人たちは、合衆国憲法が政府の持つ権限と国家主権の尊重を切り離していることについても批判した。政府は集団を優先して、大衆の行動に影響を与えるべきという彼らの考え方と矛盾しているからだ。

現代のメディアのメンタリティーを理解するためには、プログレッシブ派の人たちがアメリカ初期の歴史をどれほど否定しているかを知らなければならない。たとえば1907年、プログレッシブ派の知識人であり歴史家として知られていたウッドロウ・ウィルソンの『独立宣言に関する独立記念日（7月4日）演説』には、次のような一節がある。ウッドロウ・ウィルソンは当時プリンストン大学の学長であり、のちにアメリカ大統領となった人物だ。

独立宣言は空論に近い文書と考えるのが一般的である。だが、これを読んだ者は誰一人そう考えないだろう。独立宣言は、イギリス政府への不満を力強く修辞的に表した声明だ。それは、すべての人間は平等であり、生命、自由および幸福の追求を含む不可侵の権利を与えられているという主張から始まる。こうした権利を確保するために政府が置かれ、政府は国民の合意によってのみ正当な権力を得ることができると主張する。そして、「政府がそれらの目的に反するようになったら、人民は、政府を改造または廃止し、新たな政府を樹立し、人民の安全と幸福をもたらす可能性が最も高いと思われる原理をその基盤として、人民の安全と幸福をもたらす可能性が最も高いと思われる形の権力を組織することができる」と厳粛に宣言している。しかしこれでは、政策を定めるという一般論としての政府の役割は説明されないだろう。確かに私たちは自由を与えられるべき存在だが、自由とは何かについては、それぞれの世代が考えなければならない。確かに私たちは幸福を追求する許可を得たいと常に願うものだが、どこでどんな方法で幸福を見つけられるかはわからない。私たちが知っているのは、そうした目的のために政府を自由につくり変えられることだ。しかし、独立宣言の起草者であるジェファーソン氏と大陸会議の仲間たちは、自分たち以外の世代のために、政府を変える方法を定めなかった。彼らは、私たちの安全と幸福を実現する可能性が最も高いと思われる「原則」に基づいて政府を設立し、同じような「形で」政府の権限を体系化し、それについてどう考えるかという判断を私たちに委ねた。自分たち以外の世代の目的を明確にしようとはしなかった。(注31)

ウィルソンは続ける。

独立宣言はあくまで理論でしかない。私たちはいまでもこの宣言を守っているのだろうか。独立宣言の原理は、私たちの行動原則、行動、認められる目的、選ばれる手段のなかでいまだに生き続けているのだろうか。それは忠誠の問題ではない。私たちには、独立宣言の署名者たちが考えた原理を忠実に守る義務はない。政府をつくるも壊すも、彼らと同じように自由だ。私たちは特定の人間や文書を賛美するつもりはない。ただ理論だけを述べた、批判のない賛辞を楽しむつもりもない。毎年7月4日は、私たちの安全と幸福を実現する可能性が最も高いのはどんな原則か、どんな権限形態かをあらためて判断するために、規範と目的を吟味する時間にすべきだ。それこそが、そしてそれだけが、独立宣言が私たちに課す義務である。独立宣言に執着すべきではない。その文言は、自由な人間に何かの考えを強制するものではない。単にある考えを持つ人々によって書かれたものである。その恩恵を受けようと思えば、同じように考えることを強いられる。(注32)

これまで見てきたように、プログレッシブ派の歴史学者が、アメリカ建国の歴史を乗っ取り、書き換えるという非常識な行動を取っているのは明らかだ。もっとはっきり言えば、こういうプログレッシブ的な考えを共有する現代のメディアと大部分のジャーナリストは、報道の先人たち、つまりイギリスへの反乱を呼びかけ自由な報道を勝ち取った人たちの信念までも認めなくなるだろう。報道の自由を確立した彼らの知恵に大いに感謝していることは間違いないのだが……。

では現在、報道の自由はどうなっているのだろうか。今日の報道機関やジャーナリストは、本来の目的に沿って行動しているのだろうか。次の章で見ていきたい。

第3章 現代の民主党機関紙的な報道

The Modern Democratic Party-Press

アメリカ建国からまもない1780年代から1860年代。歴史学者たちはこの時期を「党派的報道の時代」と呼ぶ。

党派的報道の時代とは何か。それは、多くの新聞が政治家や選挙運動や政党と手を結び、しかも公然とそうしていた時期をいう。カリフォルニア州立大学の准教授、チャールズ・L・ポンス・デ・レオンによると、「新たな共和国の未来がどうあるべきかについての考え方が違ったのをきっかけに、ジョージ・ワシントンの政権と議会にはさまざまなライバル派閥が登場した。1790年代半ばになると、それぞれの派閥は、支援者の援助を受けて、自分たちの意見を支持する政党色の強い機関紙を創刊した。発行部数はさほど多くはなかったものの、その記事は各方面に転載され、議論され、ついにはアメリカ初の政党である連邦党と民主共和党（すなわち共和党）の設立に貢献した[注1]」

ポンス・デ・レオンはさらに次のように書いている。「共和党を支持する記事を大々的に掲載したのは、フィリップ・フレノーが創刊したナショナル・ガゼット紙のような機関紙だ。こうした機関紙は政党色を前面に打ち出し、読者は機関紙がつくり出したフィルターを通して世界を眺めるようになった。ゴシップ、風刺、個人攻撃を繰り返すことで、読者が対立政党の考えに恐怖を抱くように仕向けた。この作戦は、政党への支援を呼びかけて、有権者の投票率を上げるためには効果的だった。結局のところ、共和国の運命はこの点に懸かっていたようだ[注2]」

バージニア工科大学の准教授、ジム・A・キュイペルスによると、ナショナル・ガゼット紙は連邦党とジョージ・ワシントンに反対し、トーマス・ジェファーソンを支持する立場をとっていた。「フレノーはジェファーソンの考え方を支持し、ジョン・フェンノが編集する、連邦党のガゼット・オブ・ザ・ユナイテッド・ステイツ紙に対抗した。フレノーは『両紙を読めばアメリカ政治の両面がわかるだろう』と語っている。のちに彼は、『ジョージ・ワシントンの葬式』というタイトルの記事を書いてワシントンを怒らせ、またアレクサンダー・ハミルトンの経済プログラムを攻撃した。ナショナル・ガゼット紙はまさしく共和党の御用新聞となった。反対にジェファーソン自身は、ジェームス・T・カレンダーというジャーナリストから同じように意地の悪い中傷を受けていたという。カレンダーは、ジェファーソンの政敵アレクサンダー・ハミルトンやジェファーソンの古い友人ジョン・アダムズをはじめとして、さまざまなタイプの政治家を悩ませた人物だった(注3)」

バージニア大学教授の歴史家、ピーター・オナフは、ジェファーソンとアダムズが戦った1800年の大統領選挙についてこう述べている。「アメリカの政治ではめったに見られないような個人同士の敵意に発展した。連邦党は57歳のジェファーソンを、アメリカに血なまぐさい恐怖を生むジャコバン派（訳注＊フランス革命期の政治結社。恐怖政治を行った）だとして攻撃する。ある新聞は、ジェファーソンが大統領になれば『殺人、強盗、レイプ、不貞、近親相姦が多発するだろう。被害者の悲鳴があがり、大地は血に染まる。犯罪がまん延する国になってしまう』と警告した。神の啓示を否定する理神論者だったジェファーソンのことを、神の教えに反する考え方だと攻撃する新聞もあった。『神の言葉が真実だと信じようとせず、キリスト教徒の団体さえもつくらない。安息日や聖域を設けず、キリスト教徒の教義や礼拝を形式的に尊重することすらしない』と非難した(注4)」

一方、「不幸なアダムズは二方向から笑いものにされた」とオナフは言う。「自分の政党内ではハミルトンが率いる一派から、政党外からはジェファーソンの共和党からだ。たとえば第3代副大統領のアーロン・バーは、ハミルトンがアダムズのことを『性格そのものに大いに難がある』と書いた個人的な手紙を受け取り、この手紙は全国紙にリークされた。これをきっかけに共和党からアダムズへの攻撃は激しさを増し、アダムズは偽善者ぶった愚か者の暴君とされた。また政敵は、アダムズが息子をイギリス国王ジョージ3世の娘と結婚させてアメリカ王朝をつくろうとしている、というストーリーも広めていた。この根も葉もない噂によれば、アダムズの陰謀を止めたのはジョージ・ワシントンの介入だった。独立戦争の軍服を身にまとったワシントンが、自分の元副大統領に剣を抜いたという(注5)」

だがその頃の最も荒れた選挙だったと言われているのは、現職の大統領ジョン・クィンシー・アダムズにアンドリュー・ジャクソンが挑んだ1828年の大統領選挙だった。ここでもまた、中心にいたのは党派的な新聞だった。

ジャクソンの邸宅だった「ザ・ハーミテージ」のウェブサイトにこんな記述がある。「1828年、ジャクソンはすでに大統領になる用意ができていた。だが、彼をまず悩ませたのが激しい選挙戦だった。この選挙戦は今日に至るまで、アメリカの歴史のなかで最も悪質な中傷合戦として知られている。アダムズの支持者はジャクソンのことを、ナポレオン的な支配欲を満たすために大統領職を利用する軍事支配者だと非難した。それを証明しようと彼らはジャクソンのあらゆる秘密を暴いた。過去に決闘や乱闘をしたこと、脱走した兵士を処刑したこと、ニューオリンズで戒厳令を宣言したこと、ハミルトンを決闘で死亡させたアーロン・バーの友人であること、1814年と1818年にスペイン領フロリダに侵攻したこと……(注6)」。さらに続く。「ジャクソンにとって最もつらい攻撃は、間違いなく妻のレイチェルとの結婚に関するものだった。厳密に言えば、レイチェルは重婚者であり、ジャクソンは彼女の内縁の夫だった。そのためジョン・クィンシー・アダムズの支持者は、ジャクソンは国の最高責任者には倫理的にふさわしくないと非難した」。ジャクソンの協力者たちは、「仕返しにアダムズ政権の役人の腐敗を攻撃し、アダムズは特権階級を利するために政府の規模と権限を広げようとするエリート主義者だ、とレッテルを貼った（注7）」

だが、このジャクソン支持者たちこそが「全国に大規模に広がる新聞システム」をつくった、と歴史学者のロバート・レミニは言う（注8）。

先ほどのキュイペルスはこう書いている。「アメリカの政治の推進力として『新聞』が登場した頃、新聞は客観的なニュースとはほとんど関係がなかった。それどころか、すべてのニュースをあえて政治的な立場と関連づけて、偏った報道をすることを目的とし、それを隠そうともしなかった。そのことは、アーカンソー・デモクラット・ガゼット紙、アリゾナ・リパブリック紙といった新聞名にも表れている……政党支持は、新聞の第一の存在理由だった。編集者は読者のことを有権者と見なし、読者を正しい考え方に導いて投票に行かせる必要があると考えた（注9）」

キュイペルスは、新聞とジャクソン支持者との間に癒着があったと指摘している。「多くの編集者は直接、ジャクソン支持者から仕事上の恩恵を受けていた……ジャクソン自身が、郵便局長などの政治的とも言える有償の役職に大勢の編集者を任命していた。全国的に見れば、政界のおいしい仕事を与えられた編集者も50人から60人はいるだろう。政党の友人に見返りを与えるのは、まったく目新しいことではない。連邦党も12年間に約1000人の編集者を郵便局長に任命している。だがジャクソン支持者は、場当たり的な任命ではなく、戦略的な計画に沿った任命をした。そうした状況では、『ニュース』の読者にとって新聞が特定の立場をとっていることは疑いようもなく、新聞が合理的な判断の材料になるような客観的な事実を伝えていると考える者もいなかった(注10)」

政党を支持するジャーナリズムには、どれほどの影響力があったのか。そうしたジャーナリズムは南北戦争までの数年間に、政治と有権者にどれぐらいの影響を与えたのか。歴史学者のハロルド・ホルツァーはこう述べている。「1850年代までに……アメリカには無党派層の有権者がほとんどいなくなった。民主党支持者とホイッグ党支持者（その大部分はのちに共和党の支持者となる）だけしか存在しなくなった。彼らのほとんどは新聞の熱心な読者だった。ジャーナリズムによって政治に目覚めた有権者は、高い関心を持ち続け、11月の第1火曜日の選挙の日だけでなく、年に何回も行われた選挙のたびに投票に行く。圧倒的に多くの人が宗教的な目覚めに近い情熱を持って政治を眺めていた。現代で言えばスポーツやエンターテインメントに対して抱くような関心だ。わずかな例外はあるものの、政党と連携していない新聞のほとんどはうまくいかなかった(注11)」

残念ながら、これは現在のメディアの環境にとてもよく似ている。

党派的な報道が、すごい勢いで戻りつつある。もちろん、昔の政党機関紙の報道と現在のメディアの姿には違いがある。とはいえ、現実を否定することはできない。

現在の編集者やジャーナリストは、郵便局からも連邦政府からも給料をもらっておらず、政党からの支援も受けていない。だが、ジャーナリストやその家族の転職先は、主に民主党政権や民主党の議員会館や民主党の選挙運動である。反対に、そうした民主党の関係者がジャーナリズムの世界に天下りしているのも事実だ。

このようにメディアがプログレッシブ的なイデオロギーを持ち、民主党に共感し、民主党を支持すると、ニュースはそれをもとに「解釈」され、「分析」され、「説明」されるようになる。また、「社会運動」(ソーシャル・アクティビズム)を盛り上げることが報道全体の根本的な枠組みになる。その結果、出版も新聞も放送も、現代の民主党の目的や政策や理念、つまりプログレッシブ的な考え方に沿った内容になってしまう。

さらに重要なのは、かつての党派的報道の時代には、各新聞はかなり均等にどれか一つの政党や候補者を支持し、そのことを堂々と宣言していたのに対し、現在の報道では、圧倒的に多くの報道機関が民主党を支持している点だ。ほどんどの報道機関が共和党、とりわけ保守派に反対し、近頃はドナルド・トランプ大統領とその支持者たちやトランプの政策に対して憎悪にも似た敵意を抱いているほどだ。

このことについて、2018年1月15日、ベテラン報道記者でありコラムニストのアンドリュー・マルコムは、「アメリカの政治ジャーナリズムの残念な現状」として、メディアは徹底的かつ明白にトランプ批判を繰り広げ、人々の感情を煽って分断を生み出していると語った。その記事のタイトルは、「トランプ批判に熱中するメディアが国民の怒りと疑いに火をつける」。記事のなかでマルコムはこう述べている。「現在の政治ジャーナリズムのほとんどは、ドナルド・トランプ大統領に反論するために、恣意的に選んだ記事や引用や背景情報を使ったり、あるいはあえて使わなかったりして、大衆を煽る報道をしている。たいていの場合、批判の中心はトランプが行ったことや行うと言ったことである。あるいは、一般的には素性を明かさない第三者が『トランプがこうするかもしれない』『する可能性がある』と言ったことだ。そしてジャーナリストたちは芝居がかった様子で、反トランプ派が予想通りに撤回を求めて怒りの言葉を吐くことを待ちかまえ、その様子を取材しようと駆けつける」(注12)

報道機関やジャーナリストたちがそんなふうに振る舞うのなら、彼らは「アメリカ国民に、広く議論すべき事実を伝えていないことになる」とマルコムは言う。「単に反トランプ派の活動のためのネタや、物議を醸すような攻撃材料を双方に与えているだけだ……ワシントンのメディアは、自分たちには大統領の発言をチェックする義務があると主張する。それは正しい。だが残念ながら、メディアはオバマ元大統領の言葉とトランプ大統領の言葉に同じ方法を当てはめるつもりはないようだ。同じ方法を当てはめていれば、オバマはもっと批判されていただろう。国民皆保険を導入すると36回も約束したこと、アルカイダが逃亡しているというもっともらしい主張を何度も繰り返したこと、ロシアがもはやアメリカの重要なライバルではないと誤った指摘をしたこと、在職していた2922日間に政権にスキャンダルが一切なかったという奇妙な主張をしたこと（注13）」

ところが、同じ報道機関や記者は、民主党の大統領とその進歩的な政策を報道するとなると打って変わった態度をとる。「なぜならワシントンのメディアは、全体としてオバマの選挙や政策に共感しているからだ。確かにアフリカ系アメリカ人の当選は歴史的な快挙だった。それに引きかえ、トランプ支持者たちがトランプに託した怒り、私たちに伝えた怒りは、歴史的に見て衝撃的というわけではなかった。ほとんどの政治ジャーナリストはその怒りが理解できず、彼らのプロ意識は打ち砕かれた」とマルコムは書いている（注14）。

また党派的な報道は、スーパーマーケットで売られているタブロイド紙のような見出しや速報ニュースであふれている。人々は毎時間とは言わないまでも毎日、「ニュース」報道や「注目情報」を知らせる誇大広告にさらされている。それらはたいてい希望的観測、憶測、政党の擁護、匿名の情報筋の話ばかり。まったくの誤りのこともある。トランプ大統領に不利な情報を明かす者なら誰でも時の人として注目を浴び、トランプ批判を放送するために、全国メディアのいろいろな媒体やプラットフォームを繰り返し与えられる。そうした例は多すぎてここですべてを紹介できないが、いくつかを挙げれば十分だろう。

たとえば、ポルノ女優のストーミー・ダニエルズは、トランプとの性的関係を告白したために一夜にしてメディアから引っ張りだこになり、ニュース番組や報道に延々と登場するようになった。ちなみに彼女の弁護士、マイケル・アベナッティは、最近ニューヨークとロサンゼルスの検察からいくつかの重大な犯罪容疑で訴追されている。リアリティー番組のパーソナリティー、オマロサ・マニゴールトは、ホワイトハウスの元スタッフで、不満を募らせて政府の職を去った人物だが、多くのメディアでトランプ政権に関する暴露本を宣伝する機会を与えられた。匿名のインタビューと疑わしい主張の多い著書を出版したマイケル・ウォルフも、多くのメディアでトランプ政権の内幕を描いた暴露本を宣伝した。ボブ・ウッドワードの著書も匿名のインタビューを多用し、ホワイトハウスのスタッフと元スタッフから公式に否定されたが、彼も暴露本を宣伝するために数々のメディアに登場した。そのほか、例を挙げればきりがない。

また、トランプ政権の崩壊が目前に迫っているとする報道も際限なく、というよりまるで崩壊を盛り上げるかのように続いている。ニュースサイトのワシントン・フリー・ビーコンのマシュー・コンティネッティ編集長はこう語っている。「うんざりするような話が何度も繰り返されるから、すっかり覚えてしまった。ドナルド・トランプは包囲されつつある、誰々がトランプを失脚させるだろう、トランプは逮捕されるか悪事を暴かれるか支持基盤を失うかして、公職を去るだろう、もはや時間の問題だ、そんな報道ばかり。テレビからは決まり文句ばかりが聞こえてくる。新聞の見出しもツイッターのタイムラインも同じだ。今度ばかりはトランプもひどすぎる、終わりは近いぞ、これでもくらえ、ドランプ！（訳注＊トランプのドイツ語読み。トランプの先祖はドイツ系）といった具合だ[注15]」

トランプが大統領になるずっと前から、メディアは民主党の政治家、職員、コンサルタント、代理人と協力して、トランプを弾劾するための運動を行ってきた。ワシントン・タイムズ紙のジェニファー・ハーパーは言う。「トランプ大統領が共和党の指名候補者になる前から、メディアはトランプの弾劾を考えていた。人々は弾劾という言葉をいったいどれだけ目にしてきたか。ポリティコは、『大統領就任直後にトランプを弾劾することは可能か？』という記事を掲載したことがある。『専門家や新聞の編集者や憲法学者、それに一部の議員たちはすでに弾劾を口にしている』という内容だ。この記事が掲載されたのは2016年4月17日。トランプが正式に指名候補者になった7月19日よりも前のことだった……ジャーナリストたちは嬉々として弾劾という言葉を口にし続け、それが当然の結末であるかのようにテレビ番組でコメントしている。弾劾の可能性を確かな事実のように報じれば、アメリカ国民が大統領は恥ずべき人物で、責められ、非難され、退場すべきだと考えるだろうと、ジャーナリストたちは信じているようだ。民主党支持者はもっともなコメントをしてそうしたメディアの努力を後押しし、メディアはトランプの本当の実績をほとんど報道しようとしない(注16)」

2018年8月のある日、非営利のメディア監視機関であるメディア・リサーチ・センターがCNNとMSNBCの放送を18時間にわたって分析した。その結果、記者や司会者や解説者は、「弾劾」という言葉をなんと222回も使ったという。「メディア・リサーチ・センターのアナリストは、8月22日午前6時から午後11時59分までのCNNとMSNBCの全番組を調べて、『弾劾』という言葉やその派生語が何回使われるかをカウントした。MSNBCでは114回、CNNでは108回、合計で222回にのぼった(注17)」

2019年初め頃の報道では、「弾劾はほぼ確実になった」と伝えられていた。ニュースには、反トランプの民主党議員、大学教授、ウォーターゲート事件の元検察官、ネバー・トランパー(何が何でもトランプを認めない人たち)など、慎重に選ばれた大勢の人たちがゲストやコメンテーターとして登場し、トランプ大統領の弾劾について重みのある「専門家」の意見や「客観的」な分析とやらを披露した。

さらに、トランプ大統領の訴追についての憶測のような報道もとどまるところを知らない。まるで訴追を支持する運動のようなありさまだ。トランプは、違反の疑いのある数々の行為について、特別検察官ロバート・モラーによって、あるいはニューヨーク州南部地区の連邦地方裁判所（ＳＤＮＹ）によって起訴されるのではないかという内容だ。元ＦＢＩ長官のジェームズ・コミーを解任したことによる司法妨害、辞任した元大統領補佐官のマイケル・フリンについてコミーと交わした議論、ヒラリー・クリントン陣営と民主党全国委員会が調査資金を提供していた怪しい調査報告書に書かれた申し立て、大統領が知らないうちにトランプタワーで行われた会合、不倫を口外しないという契約をポルノ女優のストーミー・ダニエルズやモデルのカレン・マクドゥーガルと結んだことによる選挙違反の疑い……。大統領はそれらのために訴追される可能性があるのだろうか。

もちろん、米司法省（ＤＯＪ）の二つの覚書（片方の覚書は半世紀も前にさかのぼる）には、司法省の正式な見解として、現職大統領は起訴できないとはっきり書かれている。特別検察官は司法省の規則としてこの覚書に従う必要があり、ＳＤＮＹも同じだ。だとすれば、「分析」や「解釈」という形で繰り返される報道は、民主党支持のメディアが大統領の弾劾を求める政治的な世論を盛り上げることを目的としているように見える。実のところ、最終的にモラー検察官は、トランプ大統領とロシアの共謀の証拠を見つけることができず、司法妨害の容疑につ

いても告発しなかった。これについては、あとで詳しく説明しよう。(注18)

また、トランプ大統領についで報道するメディアのトーンも、政治の世界ではめったに見られない「暴言」のレベルに達している。さまざまな報道機関やメディア・プラットフォームにおいて、ジャーナリストや雇われたコメンテーターや招待されたゲストは、大統領のことを語るのに何度もファシストの独裁者、ネオナチ、白人至上主義者、人種差別主義者、ヒトラー、スターリン、ムッソリーニを引き合いに出すか、それらの人物と暗に比較する。このようにクレイジーで恥ずべき人物描写や暴言がしきりに報道され、それらはネットで簡単に検索できる。ここでは私の主張を裏づけるために、メディア・リサーチ・センターが取りまとめた例をたっぷりとお見せしよう。

- トランプが「登場して人々を煽り立てる様子は、ムッソリーニの集会のようです。そう、それを言いたかった」――ＭＳＮＢＣの司会者、ジョー・スカーボロ（２０１８年３月12日）
- 「憲法の規範が脅かされるとき、合衆国大統領がヨシフ・スターリンになりきってメディアを『国民の敵』と呼ぶとき、私たちには声をあげる責任があります」――ＭＳＮＢＣの司会者、ジョー・スカーボロ（２０１８年３月８日）

・「ドナルド・トランプの話し方、考え方、発言の仕方は人種差別主義者のようです。白人至上主義者や白人民族主義者を支持する気持ちが感じられます……トランプのせいで白人至上主義者が勇気づけられ、堂々と名乗りをあげるようになりました」――MSNBCの政治アナリスト、マイケル・エリック・ダイソン（2018年7月5日）

・「私たちの大統領は情緒不安定な人物です。説明しがたい行動をとっています……」――ニューヨーク・タイムズ紙のコラムニスト、トーマス・フリードマン（2018年2月21日）

・「世界はこれまで見たことがないような類いの裏切りを目撃しました。アメリカ大統領は本日、敵に味方したのです」――CNNの司会者、クリス・クオモ（2018年7月16日）

・「トランプが行ったことの本質は明らかに背信です。アメリカ合衆国への裏切りです。彼はアメリカの情報機関を切り捨て、怒らせ、プーチンの操り人形のようになってしまいました……人々は、このホワイトハウスのあちこちに背信行為が認められると言うでしょう」――CNNの解説者、ダグラス・ブリンクリー（2018年7月17日）

・「暴力と死について気が触れたような言葉を吐く人が合衆国大統領なのです。アメリカ大統領よりもイランのような国のリーダーのほうが安定していて、理性的とも思えるような状況になってしまいました」――CNNのアナリスト、マックス・ブート（2018年

7月23日)

・「トランプは毎朝起きるとトイレで排泄するように、この国に倫理的腐敗を生み出す男です。これこそ彼が行ってきたことです。トランプは偏見の塊で、現職の大統領でありながら人種差別主義者です……いいですか？　何度も嘘をつき、偏見にとらわれた、不勉強な男が私たちの大統領なのです」――ＭＳＮＢＣの政治アナリスト、マイケル・エリック・ダイソン（２０１８年６月４日）

・「トランプは人間としての基本的な共感を抱くことができないのだと思います。反社会的な人と言えるでしょう」――ＭＳＮＢＣのゲスト、ドニー・ドイツ（２０１８年３月12日）

・「これはリンカーンの政党ではありません。ニクソンの政党でも、レーガンの政党でもありません。人種差別的な映画『國民の創生』の監督、Ｄ・Ｗ・グリフィスの政党であり、クー・クラックス・クランの政党です。それがトランプの政党です」――シリウスＸＭラジオの司会者、カレン・ハンターがＭＳＮＢＣの報道番組にて（２０１８年２月26日）

・「合衆国憲法第3章の第3条には、『合衆国に対する反逆罪は、合衆国に対して戦争を起こす場合、または合衆国の敵に援助と便宜を与えてこれに加担する場合にのみ成立する』と書かれています。だからこれまで大統領が反逆罪で告発されたことはありません。ダグラス、大統領の行為はこの定義に当たると思いますか？」――ＣＮＮの司会者、ドン・レ

オン（2018年7月17日）

- 「白人民族主義者であり白人至上主義者である大統領とその取り巻きが白人の偏見を煽っているだけです……彼はすべての白人民族主義者を力づけたのです……偏見を持った白人が勢いづき、この国の白人テロリズムへの締めつけが弱くなったことで、私たち全員にとって深刻な問題が生まれています」――MSNBCのゲスト、ジェイソン・ジョンソン（2018年7月29日）
- 「プーチンはどんなふうにトランプをだましているのでしょう？ トランプは譲歩しているのでしょうか？ 国民も専門家も記者も、誰もが事実関係に注目していますが、何やらおかしい、不吉とも言える状況を目にしています」――CNNの司会者、ブライアン・ステルター（2018年7月22日）
- 「トランプがウラジミール・プーチンによってつくられた効果的で破壊的なウイルスのようになってしまったことに驚かされます」――タイム誌の元編集長、ウォルター・アイザックソン（2018年7月23日）
- 「彼は大規模な集会を開いて有権者の熱気を煽り、同時にいつも嘘をついています。マイノリティーに罪を着せ、この国が直面するあらゆる問題を彼らのせいにしています。不正な力の陰謀だと主張しています……まるでヒトラーが登場した1928年頃のミュンヘン

のようです」――MSNBCの解説者、スティーヴ・シュミット（2018年6月26日）

・トランプのもとでは、「ナチスが人々をシャワーに連れていくと話したように、子どもたちはシャワーに連れていかれています。そして決して戻ってこない」――MSNBCの司会者、ジョー・スカーボロ（2018年6月15日）

・トランプが設置した国境の拘置所について「これは子どもたちの強制収容所と言えます。まさに実態はそうなのです」――MSNBCのアナリスト、マイケル・スティール（2018年6月15日）

・トランプは「意識的にメディアを国民の敵に仕立てあげています……ご存じの通り、この言葉を初めて使ったのはヨシフ・スターリンです。これはとても危険なことで、民主主義を損なうものです」――NBCニュースの特派員、アンドレア・ミッチェル（2018年7月30日）

・トランプ政権のやり方は、「口にしたくもありませんが、ヒトラーがプロパガンダを使ったのとまさに同じパターンです。ヒトラーは赤十字がアウシュビッツに立ち入ることさえ認めました。2日間にわたってアウシュビッツの体裁を整えて赤十字の視察を迎え入れた結果、赤十字はすべて問題なかったと言いました……発売されたばかりの新刊の言葉を借りれば、トランプは『したたかな悪人』なのです」――MSNBCのプロデューサー、

ミシェル・ライナー（２０１８年6月24日）

- トランプは「まったく現実離れしています……トランプと親しい人たちが言うには、彼は精神的に大統領にふさわしくありません。選挙戦のさなかに彼らから聞いた話では、認知症の初期ではないかということです」――ＭＳＮＢＣの司会者、ジョー・スカーボロ（２０１７年11月30日）
- 「ドナルド・トランプは人種差別主義者です。ただの白人至上主義者ではありません。徹底した、完全な人種差別主義者です……」――ニューヨーク・タイムズ紙の元記者、デイビット・ケイ・ジョンストン（２０１７年9月16日）
- 「あなたがトランプに投票したのなら、あなた、つまりドナルド・トランプではなく投票者であるあなたは、ナチスに足を踏み入れようとしています。『おいで、おいで』と誘われているのです……これこそドナルド・トランプの悪魔のような力です」――ＭＳＮＢＣのゲスト、ドニー・ドイツ（２０１８年6月18日）
- 「この政権は……この連中はテロリストと言っていいでしょう……子どもたちを人質にとって欲しいものを手に入れる。そんな白人民族主義者の政府です」――ＭＳＮＢＣのゲスト、ジェイソン・ジョンソン（２０１８年6月17日）
- 「いまこそ民主党陣営は声をあげて、こんなたわごとはもうたくさんだと言うべきです

……2年前に起こったことの恨みを晴らすときです」——MSNBCの司会者、クリス・マシューズ（2018年6月27日）

- 「彼は幼い子どもに精神的なショックを与えた大統領として永遠に記憶されるでしょう。これがいまの彼のブランドです。自分の政治的な利益のためにわざと赤ん坊や子どもにトラウマを与えた大統領、金正恩にそっくりな大統領です」——MSNBCの司会者、ミカ・ブルゼジンスキー（2018年6月18日）
- 「午前2時に革のブーツを履いた男たちが家にどかどか入ってくる。捕虜収容所に向かう人たちを乗せたトラックが通りを走り、照明がまぶしく光り、犬が吠えている。トランプのもとでは、そんな未来が想像できます。もっとひどいかもしれません」——ポリティコのチーフ政治コラムニスト、ロジャー・サイモン（2017年2月1日）
- 「独裁政権のもとにいる市民は、いま何が起きているのかわかっているでしょうか？ トランプ政権の最初の2日間を目にして『えっ、これがリーダーのすることなのか？』と言っているでしょう」——CNNの司会者、ブライアン・ステルター（2017年1月22日）
- 「報道機関は、トランプがいかに信頼が置けないかを伝えるために別の方法を考える必要があるのではないでしょうか……彼の言うことはインチキばかりだからです……嘘を並べ立て、間違った考えを広めています」——CNNの司会者、ブライアン・ステルター

（2018年8月26日）

●「トランプはアメリカのメディアを『国民の敵』だと攻撃していますが、これはリチャード・ニクソンのメディア攻撃よりひどい……歴史を振り返ると、『国民の敵』というフレーズは、スターリンやヒトラーをはじめとする専制君主や独裁者が使っていました」――CNNのコメンテーター、カール・バーンスタイン（2017年2月19日）

●トランプは「大統領にふさわしくないだけではなく、トランプには共感力がありません。リーダーシップも勇気もありません。人間として失格です」――CNNのコメンテーター、アナ・ナヴァッロ（2017年8月14日）

●「少なくともリチャード・ニクソン以降は、こんなふうに精神的な問題を抱えた大統領はいませんでした」――CBSニュースの元キャスター、ダン・ラザー（2017年6月1日）

●トランプは「国内のテロリスト一味の採用係であり親愛なる指導者です……アメリカで最も偏見や憎しみをかき立てる人物は大統領です。新しい白人至上主義の最高指導者です……初めてネオナチの大統領が現れたのです」――ニュー・リパブリック誌の解説編集者、ボブ・モーゼー（2017年8月14日）

●トランプは「独裁国家の国々のなかではいわば新入りです……ロシアのウラジミール・プ

ーチンやフィリピンのドゥテルテと似たような人物です。ナチスを含む枢軸国に属するような人物です……（適正な手続きを踏まずに人殺しの）罪を犯しかねません」――アメリカン・プロスペクト誌のシニア特派員、ミシェル・ゴルドベルグ（2018年8月17日）

- 「私たちは大統領執務室に国の安全を脅かす危険な人物を招き入れてしまいました。解任しなければなりません……大統領にふさわしくない以上、解任する必要がある」――MSNBCの解説者、ロン・レーガン（レーガン元大統領の息子）（2017年5月22日）
- 「トランプは気が狂っています。恥ずかしいことです……」――CNNの司会者、ドン・レモン（2017年8月22日）
- 「私たちが生きているのは、銃を無差別に発砲する輩がいる時代です。大統領が彼らを扇動している……こういう危険人物が自分は大統領の指示で動いていると思い込み、私たちやあなたの報道機関に忍び込んで人を殺そうとするのなら、殺人の責任は大統領にあります」――ニューヨーク・タイムズ紙のコラムニスト、ブレット・ステファンズ（2018年8月6日）
- 「義理の息子をクビにするのは難しい……でもムッソリーニはいい解決策を見つけました。義理の息子を処刑した……だからもし私がジャレッド・クシュナーなら、少し気をつけるでしょう」――MSNBCの司会者、クリス・マシューズ（2017年1月20日）

- 「トランプはいろいろな方法で私たち全員を殺すことができます」――MTVの特派員、ジャミル・スミス
- 「リンカーンの政党は、白人至上主義の政党、移民への強硬姿勢をとる政党になってしまいました。若い移民の国外強制退去の延期措置（DACA）を廃止し、イスラム教徒の入国を禁止しました。やり切れない気持ち、理不尽な怒りが沸きあがってきます。この政党は守る価値がありません。なくなっても仕方ありません」――ワシントン・ポスト紙のコラムニスト、ジェニファー・ルービン（2017年9月4日）
- 「手遅れにならないうちに、トランプの健康について話すべきだと人々は話しています。ユージン・ロビンソンは『トランプ大統領が完全に正気だというふりをいつまでするつもりなのか？　トランプは危険なほどに手がつけられない。その兆候が見えているのにいつまで無視するつもりなのか？』と言っています。ジェフ・グリーンフィールド、君に訊きたいのです。いまがその時ではないでしょうか？」――CNNの司会者、ブライアン・ステルター（2017年12月3日）
- 「カルト集団の教祖チャールズ・マンソンとドナルド・トランプはどのような言葉で支持者を獲得したか」――ニューズウィークの見出し（2017年11月20日）
- 「共和党はもはや政党ではありません。国内テロ集団です」――MSNBCのゲスト、フ

ェルナンド・アマンディ（2017年11月26日）

- 「驚くべきことです。ラスベガスの乱射以降、銃を使った大量殺人はアメリカで少なくとも4回目になります……ワシントンでは、礼儀という伝統的な規範に縛られない大統領が悪びれることなく人々を煽っています」――ABCニュースの番組『ジス・ウィーク』の司会者、ジョージ・ステファノプロス（2018年10月28日）
- 「これまで数年間にわたってトランプが行ってきたことは、これ（暴力）を助長することだと思います」――ニューヨーク・タイムズ紙のコラムニスト、モーリーン・ダウドがABCニュースの番組『ジス・ウィーク』にて（2018年10月28日）
- 「大統領は明らかに人種差別主義者で、扇動政治家です。明らかに反ユダヤ主義を容認し、民族主義的な憎しみをかき立てています」――NBCとMSNBCの国政アナリスト、ジョン・ハイルマン（2018年10月29日）
- 「トランプは大統領と呼ぶことさえはばかられる。扇動政治家であり、民族主義者です」――MSNBCの司会者、ジョー・スカーボロ（2018年10月29日）（注19）

このように、メディア報道はトランプ大統領と共和党への敵意にあふれている。メディアは自分たちにはプロ意識と高い倫理規範があると都合のいい主張をするが、実際の報道は大きく違う。むしろ安っぽくて下品な言葉が使われ、さらにひどい場合には、メディア自身が眉をひそめる１８００年代初頭の党派的な「ジャーナリズム」と同じ状態になっている。実のところ、トランプが大統領になってから、メディアは近代には例のない低レベルの嘘、歪曲、ずさんな取材をもとに報道を行ってきた。報道のすべてが違法行為だったことを指摘するメディアもある。たとえば、一時期ニュースサイトのデイリー・ワイヤーは、嘘が混じった報道を毎週カウントしていた。(注20)ウェブマガジンのザ・フェデラリストはフェイクニュースを独自にリスト化し、(注21)CBSの元記者のシャリル・アトキッソンはトランプ就任後の「メディアの過ち」をリスト化し、いまも更新している。(注22)ニュースサイトのデイリー・コーラーは、トランプのロシア疑惑に関するメディアの「失敗」を整理してまとめている。

こうした偏った報道は広まっている。メディアの罪は重い。たとえば２０１９年1月17日、オンラインメディアのバズフィードが投稿した記事が注目を集めた。見出しは、「トランプ大統領が弁護士に議会での偽証を指示。モスクワのトランプタワー計画で」。副題には、「トランプはこの取引をめぐって弁護士のマイケル・コーエンと10回は協議し、ウラジミール・プーチンとの面会を実現するよう伝えた」と書かれていた。この記事のポイントは、トランプ大統領が、元顧問弁護士でいまや犯罪者のマイケル・コーエンに、モスクワでの不動産開発について議会での偽証を指示したというものだ。結局、モスクワのトランプタワー計画は実現しなかった。

バズフィードはこう報じた。「ドナルド・トランプ大統領は長年にわたり顧問弁護士を務めてきたマイケル・コーエンに対し、モスクワで建設を計画していた『トランプタワー』をめぐる交渉について、議会で嘘をつくよう指示していた。捜査に関わる二人の連邦司法関係者が明かしたところによると、米大統領選挙期間中にロシアを訪問してウラジミール・プーチン大統領と面会し、タワーに関する交渉を加速するというコーエンの立てた計画をトランプは支持し、コーエンに『実現させてくれ』と伝えた。トランプはロシアとの取引はないと公の場で発言している。しかし関係者によると、トランプと娘のイヴァンカ・トランプ、息子のドナルド・トランプ・ジュニアは、建設計画に関する詳しい報告をコーエンから定期的に受けていたという。コーエンはプロジェクトを任されていた(注23)」

バズフィードの記事は続く。「二人の関係者（匿名の捜査当局者）がバズフィード・ニュースに明かしたところによると、コーエンは選挙後に大統領から嘘をつくよう指示されたと特別検察官に語ったという。トランプの関与を隠すために、実際よりも数カ月も前に交渉が終わったと主張するよう言われたという。特別検察官事務所は、トランプの企業『トランプ・オーガナイゼーション』の複数の目撃者からの聴取や、企業内部の電子メール、テキストメッセージやその他の書類から、トランプの指示があったことを知った。そしてコーエンはこれらの指示を聴取で認めた[注24]」

これが報じられた日、報道機関やジャーナリストたちは一日中、「ニュース速報」としてバズフィードの記事をひっきりなしに流し続けた。「この話が事実なら」という言葉が添えられることもあった。だがこの何気ない一言こそ、記事が正確かどうかをジャーナリストたちが独自に検証できないばかりか、検証しようともせず、そのまま伝えたことを物語っている。実際この記事は、トップニュースとして繰り返し大々的に報道されただけでなく、「ニュース」報道にもかかわらず、でたらめに近い憶測が加えられていた。ここでも民主党議員や元連邦検事やさまざまな「専門家」を名乗る人たちがプレスルームを闊歩し、テレビ放送に登場した。これはトランプ大統領の弾劾につながる爆弾ニュースだ、極秘起訴とまではいかないかもしれないが大統領は司法妨害の罪を犯した、などと憶測を交えて主張した[注25]。

ニュースサイトのデイリー・コーラーは、ニュース収集サイト、グラビエン・ニュースに掲載されたテレビニュースのクリップを調査し、「CNNやMSNBCの司会者は1日足らずの番組のなかで『弾劾する』『弾劾』『弾劾可能』という言葉を179回も使った」と伝えている[注26]。

メディア情報の真偽をチェックするサイト、ニュースバスターズは「バズフィードのニュース記事は果たして真実なのか……報道機関（NBC、ABC、CBS）は確認もせず、金曜日の朝と夕方のニュースで（オープニングの冷やかしを差し引いても）この話に27分33秒もの時間を費やした」と報告した。もちろん、「これら三つの放送局は、バズフィードの記事が本当かどうかは疑わしいと……一応は指摘した」ものの、それでも記事を繰り返し流し続けたという。(注27)
それから数日後、特別検察官事務所がついに記事を否定する声明を発表した。「当事務所への具体的な証言、当事務所が入手したという文書や証言の内容についてのバズフィードの記事は正確ではない」と語ったのだ。(注28)
さらに同じくらい目に余るのは、トランプ大統領自身を中傷する動きではないだろうか。トランプは精神的に健全ではない、ひどく情緒不安定で大統領にふさわしくないという声があがっている。トランプの政敵は「メンタルヘルスの専門家」や熱心なメディアの助けを借りて、合衆国憲法修正第25条を法的根拠として、大統領の退陣を求めている。精神的に健康な個人に対して、とりわけ合衆国大統領に対して、これほど扇動的で、下品で、悪質な主張はないだろう。彼らの目的は、国民や外国の首脳たちから見たトランプの評判を台無しにして、政権の運営をできるだけ妨害すること。だとすれば、これについても調べてみなければならない。
たとえば2017年7月3日、NBCニュースはサイトに次のような記事を好意的に掲載した。「民主党の下院議員は、修正第25条に規定されているあまり知られていない力、すなわち大統領を追放する力についてアメリカ国民に知らせなければならないと固く決意している……新人下院議員のジェイミー・ラスキン（メリーランド州）が率いる民主党議員らは、ドナルド・トランプ大統領が精神的または肉体的に健康でないと判明した場合には、強制的に大統領を引退させられるという法案を提出した。この法案への民主党内での支持は高まっている」。

さらに続く。「4月に提出された法案は、ここ数週間、トランプのツイート攻撃がますます激しくなるにつれて賛同を集めている……『ドナルド・トランプの不安定で不可解な言動が続くのなら、この法案を進める必要があることは明らかではないでしょうか』と民主党のダレン・ソト下院議員（フロリダ州）は言う。アメリカ合衆国のリーダー、自由世界のリーダーの精神的、肉体的な健康は人々の大きな関心事だ[注29]」

こうした民主党の政治家は、専門家の影響をかなり受けている。２０１７年3月、27名の精神科医、心理学者、メンタルヘルスの専門医がトランプ大統領の精神的な健康を評価するために、イェール大学で「警告の義務会議」と称する会合を開いた。会合の主催者はバンディ・X・リー教授だ。「専門家」たちは、「トランプのどこがおかしいのか?」「専門家は大統領が危険なほどに職務にふさわしくないと考える場合、国民に警告を発する義務を負うのか?」という二つのテーマについて議論した。

その結論は２０１７年10月3日、1冊の本となって公表された。タイトルは『ドナルド・トランプの危険な兆候――精神科医たちは敢えて告発する』（村松太郎訳、岩波書店）。そこでは精神科医たちのスタンスが次のように書かれている。「いまでもなお、トランプが理性の声を聴き自らの行動を改めるのではないかという希望を抱いている人がいる。精神医学・心理学の専門的見地からすれば、それはあまりに甘い観測だと言える……我々は警告する。トランプ氏のように精神不安定な人物は、人の生死を握る大統領という職責には不適格である」(注30)

リー教授とジュディス・ルイス・ハーマン博士が序章で述べていることが興味深い。「2016年の大統領選挙からまもなく、トランプ大統領の明白な精神不安定に危機感を抱く我々二人は、懸念を記した文書を精神科医や心理学者に向けて送った」。つまり、ドナルド・トランプに精神的な問題があるかもしれないと世界に警告しようという試みは、トランプがヒラリー・クリントンに選挙で勝利した直後から始まっていたわけだ。

この書籍は何人かの共著者が1章ずつ執筆している。各章のタイトルを少し紹介しよう。「刹那的快楽主義者トランプ――トランプが自由世界の指導者として不適任である証拠の数々」「病的ナルシシズムと政治――致死性毒素の発生」「社会病質」「ドナルド・トランプは、(A)悪なのか、(B)狂なのか、(C)両方なのか」「認知機能障害・認知症・アメリカ大統領」「ドナルド・J・トランプの危険性についての臨床的考察」「トランプ不安障害――アメリカ国民の半数以上が罹患」「大統領からの精神的虐待」「トランプへの父親の影――アメリカにとっての毒素」「トランプになるのは誰だ――ナルシシズムの勝利としての暴君」「彼は世界を手にし、引き金に指を掛けている――米国憲法修正第25条による解決を」……。(注31)

2018年1月3日、リー教授と民主党議員たち（共和党の上院議員も1名いた）がひそかに会合を開いた。ポリティコが伝えたところによれば、「トランプ大統領の精神状態に懸念を感じていた議員たちは、イェール大学の精神医学教授のバンディ・X・リー博士を先月2日間にわたって議会に招いて、トランプの最近の言動について説明を求めた。12月5日と6日に行われた非公式の会合で、リー教授は10人超の議員の前で説明した……彼女は専門家として、『トランプ氏の精神状態はどんどん悪化しており、その兆候が見えている』と議会に語った（注32）」。

民主党を支持する報道機関は、大統領へのこうした中傷を喜んで利用した。リー教授に何度もインタビューをしただけでなく、メディアは「心の病」という主張をスローガンのように唱える。たとえば2018年1月3日、「NBCのキャスターであるピーター・アレクサンダーは、大統領が（北朝鮮の支配者）金正恩より『私の核ボタンのほうが大きい』とツイートしたのを受けて、ホワイトハウス報道官のサラ・ハッカビー・サンダースに、アメリカ国民はトランプの精神状態を心配すべきかと尋ねた……CNNではキャスターと評論家がトランプの精神的な安定性について疑問を投げかけ、司会者のブライアン・ステルターは、大統領は『気が狂って』しまったのかと尋ねた（注33）」

こうしたメディアは、ほんの一握りの精神科医、心理学者、メンタルヘルスの専門医の支持を得て、心の病という疑惑をつくり出している。これを合衆国憲法修正第25条の発動根拠として使うのなら、非常に危険な前例となり、憲法違反ではないだろうか。メディアはトランプの精神状態が大統領にふさわしくないとする不愉快な主張を議論してきた。それなのに、1967年に批准された修正第25条の目的と適用方法を、十分かどうかは別として、あえて説明する報道機関はほとんどなかった。さらに、修正第25条が正しい状況で発動する場合でさえ政治的にとても複雑で、憲法としては実行不可能に近いことについて、どのメディアも触れなかった。修正第25条の第4節にはこう書かれている。「副大統領および行政各部の長官の過半数、または連邦議会が法律で定めるほかの機関の長の過半数が、上院の臨時議長および下院議長に対し、大統領がその職務上の権限と義務を遂行することができないという文書による申し立てを送付するときには、副大統領は直ちに大統領代理として、大統領職の権限と義務を遂行するものとする」。だが大統領にはこの行動に異を唱える権利がある。その場合、大統領が職務上の権限と義務を遂行できないと、議会に最終的に認められるためには、両議院の3分の2の投票が必要となる。(注34) 実際には、それはあり得ないだろう。だとすれば、この議論の真の目的は、トランプ大統領を個人的におとしめ、政治的にダメージを与えることに思える。

精神的に不安定という理由で政治批判のターゲットとなった共和党議員は、トランプ大統領が初めてではない。よく知られているのが、バリー・ゴールドウォーター上院議員だ。1964年、ゴールドウォーターは共和党の大統領候補に指名され、リンドン・ジョンソン大統領と選挙で戦った。ゴールドウォーターは保守派のリーダーでもあり、そのため政治の世界では本流ではないと考えられていた。

1964年の9月から10月にかけて、ファクト誌が、ゴールドウォーターの精神状態は大統領の職務にふさわしくないとする記事を掲載した。記事のタイトルは、「ゴールドウォーターは大統領に適さない！ 1189名の精神科医が語る――保守派の無意識 バリー・ゴールドウォーターのメンタル特集」。

この記事を書いたのは、編集者であり発行者でもあるラルフ・ギンズバーグだ。その一部を見てみよう。「ゴールドウォーター氏の病気は、ただの情緒的な不適応ではない。軽い神経症でもなければ、変人というわけでもない。この国の一流の精神科医の多くが断言する通り、彼の行動パターンは不気味だ。彼は子ども時代によく残酷な悪ふざけをしていたそうだが、近頃では痛烈な冗談を口にする。20代の頃にプレッシャーからノイローゼになり、最近でもいざとなると引きこもったり逃げ出したりする。若い頃には取りつかれたように銃に夢中になり、いまや敵を怖がらせるために核兵器を振りかざすことを想像する。国内では、（労働組合リーダーの）ウォルター・ルーサーやネルソン・ロックフェラーやアメリカのメディア、あるいは自分を殺そうとしている何者かといった危険な敵に囲まれていると信じており、またロシアのバレリーナは全員スパイだと思っている。間違いなく、妄想症《パラノイア》だ……妄想症は単なる精神疾患ではない。歴史上、最も強力な国を操り、最も破壊的な兵器を操るリーダーが妄想症となれば、まさに人類にとって命に関わる危険というほかない。いまから30年あまり前、聴衆にカリスマ的な影響力を与えた妄想症の人物がいた。愛国心の強い過激派グループの支援を受けて政権トップの座に民主的に選ばれた人物。その名はアドルフ・ヒトラーだ（注35）」

　ファクト誌の説明によると、全国の1万２３５６人の精神科医に「バリー・ゴールドウォーターの精神状態は、合衆国大統領を務めるのにふさわしいと思うか」という質問状を送ったという。「２４１７人の精神科医が回答した。そのうち５７１人は、ゴールドウォーターのことをよく知らないので答えられないと回答。ゴールドウォーターの精神状態は大統領を務めるのにふさわしいと答えたのは６５７人。１１８９人がふさわしくないと回答した」。またファクト誌は、何人かの精神科医にコメントを求めて「その一部」を掲載している。そして「実在の人物に対する徹底的な性格分析だ」と書いた（注36）。言うまでもなく、掲載されたコメントは悪意に満ちたものだった。

　この記事を受けて、アメリカ精神医学会（ＡＰＡ）は１９７３年、「ゴールドウォーター・ルール」として知られる規則を発表した。そこにはこう書かれている。「ときに精神科医は、公衆から脚光を浴びている人や、メディアに自身の情報を公開している人についての意見を求められる。このような状況で、精神科医は、一般的な精神医学の問題に関する専門知識を人々に提供することができる。しかし、当人を実際に診察し、かつ情報公開についての適切な許可を与えられていないかぎり、精神科医が専門家として意見を提供することは倫理に反する」(注37)

ところがゴールドウォーター・ルールにもかかわらず、イェール大学に集まり本を執筆した精神科医たちは、心理学の用語をむやみに使って公然とトランプ大統領を中傷した。民主党を応援するメディアも勢い込んで、そうした中傷を十二分に利用した。どちらかと言えば、メディアのほうが盛り上がっている。ドナルド・トランプの支持者までも、メンタル評価のターゲットとしているからだ。

2016年9月23日、ボビー・アザリアン博士が心理学専門誌、サイコロジー・トゥデイに、ある記事を書いた。アザリアンは、「ジョージ・メイソン大学の認知神経科学者であり、フリーランスのジャーナリストとしてザ・アトランティック誌、ニューヨーク・タイムズ紙、BBCフューチャー、サイエンティフィック・アメリカン誌、スレート、ハフィントン・ポスト、クオーツなどの媒体に記事を投稿している」人物だ。彼はこう書いている。「ただ一つドナルド・トランプの心理以上に理解しにくいのは、トランプを支持する人々の心理だ。彼らから見ると、トランプがすることは何でも正しい。トランプ自身でさえ、この現象に驚いているようだ」。そこでアザリアンは、サイコロジー・トゥデイでの立場を利用して、何百万人ものトランプ支持者の心理分析をするという超人的な作業を行う。「トランプ支持者の心理や神経はほかの人たちとどう違うのか。あれほど盲目的に崇拝する人々の脳では何が起きているのだろうか」(注38)。アザリアンは次の四つの可能性があると言う。

1　ダニング＝クルーガー効果　ドナルド・トランプを支持する人の多くは無知だから支持している、と考える人がいる。基本的に、トランプ支持者は議論すべき課題について知らないか、あるいは誤解している。

2　脅威への過敏反応　科学的研究から、保守的な脳では脅威に感じられる刺激を受けると恐怖反応が過剰に起こることがわかっている……こういう脳の反応は反射的で、理屈や理性には左右されない……トランプ支持者は恐怖に突き動かされて活気づき、安全性に目を向けた。

3　恐怖管理理論　人々は自分もいずれは死ぬことに気づくと、恐怖にとらわれ、自分と世界観や国・民族が同じ人を強力に守ろうとする。反対に異質な人には攻撃的に振る舞うようになる……トランプは生存の脅威を強調し続けることで、偏見に満ちた言葉や軋轢を招く発言に対して脳が否定的ではなく好意的に反応するような心理状態をつくり出している。

4　高い関心とエンゲージメント　基本的にトランプ支持者の忠誠心は、アメリカ人がエンターテインメントやテレビのリアリティー番組にのめり込んでいることからも説明できる……トランプは常に私たちを夢中にさせる。だからトランプ支持者のなかには、トランプが言うことなら何でも許してしまう人がいる。自分たちが楽しければいいと考えている。(注39)

アザリアンは、「この説明はトランプ支持者の全員に当てはまるわけではない。支持者のなかには、物事をよくわかって知性もありながら、体制に反抗して混乱を起こそうとトランプを支持する人たちもいる。エリート層やヒラリー・クリントンを嫌うあまり、ワシントンへの怒りを表すためにトランプに投票するのかもしれない(注40)」と述べている。

こうしたアザリアンの考え方からは、トランプやその支持者たちを軽蔑する姿勢が感じられる。これこそ現在、メディア全体に広がる典型的な意識だ。民主党を支持するメディアは、客観的な事実や私たちを取り巻く現実には興味を持たないどころか、それらをまったく見ようとしない。

2016年11月11日、ドナルド・トランプの大統領選挙の直後に、CBSニュース・デジタル版の政治部特派員で政治部長のウィル・ラーンが、核心をついた意見記事を書いた。「メディアの耐えがたい独善」というタイトルの記事で、彼は民主党ばかりを応援するメディアとジャーナリストを手厳しく非難した。一部を以下に紹介しよう。

首都ワシントンの記者団は重苦しい雰囲気に包まれている。それも当然だ。ごくわずかな例外はいるものの、私たちはほぼ全員ヒラリー・クリントンへの支持を表すハッシュタグ「#WithHer」に参加していたからだ。何となく参加していた者もいれば、はっきりと参加を表明していた者もいる。だからドナルド・トランプの勝利を受けて、私たちがかなりの苦悩を感じたのは無理もない。それだけではない。さらに重要なのは、私たちが状況を理解できていなかったことだ。人々のほうが、何が起こっているかをきちんと判断していた。私たちはそんな彼らを何カ月もばかにしてきた。これこそまさに、現代ジャーナリズムが倫理も知性もすっかり失っていることの象徴である。つまり耐えがたい独善だ……トランプは自分のことを報道するメディアをあざわらい、非難しながらも、聴衆を前に自分が何をしているかわかっていた。彼らは私たちを嫌っていて、それは当面続くだろう。だが彼らを非難できるのだろうか。ジャーナリストたちはトランプ支持者をさんざん軽蔑してきたのだから。

私たちジャーナリストは、トランプ支持者を人種差別主義者だと考えている。だがそれは、中世ヨーロッパの暗黒時代の聖職者が、病気は悪魔に取りつかれたせいと考えたのと同じではないか。ジャーナリストは、悪く言えば、自分たちを聖職者だと思っている。自分たちは疑う余地のない事実だけでなく、より大きな真実を知ることができ、正義をよく理解することで神の思考体系に近づく力があると思っている。そして、今回のことはまさに「ホワイトラッシュ（白人の人種差別主義者による巻き返し）」だと考えた。トランプに投票した人たちは、人種差別主義者であり性差別主義者で、そういう人々は私たちが思っている以上に大勢いる。

ジャーナリストは、自分たちとは違うけれど筋の通った意見が存在する、と考えようとはしなくなった。そのため、考え方が違う人々は悲観的な感情を抱く。

その結果、私たちジャーナリストは以前よりも頻繁に、間違った思い込みをしている。街に取材に出ても、正しい質問の仕方がわからない。何が正しい質問かを想像すらできない。強い思い込みを持って仕事に取り組むあまり、発見したことを自分たちの偏見を正当化するために使ってしまう。（注41）

残念ながら、ラーンによるメディアの仲間たちへの賢明な忠告は聞き流されてしまった。ラーンの警鐘をよそに、民主党を支持するメディアは大統領選挙時からトランプ大統領に対して恐ろしいほど容赦ない侮辱と非難を浴びせてきた。トランプを大統領の職から引きずり下ろそうとし、トランプ支持者をあからさまに軽蔑する。わずかなケーブルテレビ番組、新聞、保守派のトークラジオなどのメディアは別として、現在、民主党寄りの報道機関の由緒ある巨大なプラットフォームに対抗できる勢力はほとんど存在しない。

さらに、ジャーナリストが民主党やプログレッシブ的なイデオロギーと密接に関係することで、ジャーナリストの職業規範が低下している。民主党を擁護する記事がニュースとして扱われ、報道されている。歴史を振り返ってみると、こうしたジャーナリストの行動が印象的に描かれた書籍があった。2012年にジャーナリストのジェフ・ヒメルマンが出版した、『真実の姿　ワシントン・ポスト紙の伝説の編集者、ベン・ブラッドリーの素顔に迫る（*Yours in Truth: A Personal Portrait of Ben Bradlee, Legendary Editor of the Washington Post*）』である。(注42) 言うまでもなく、ワシントン・ポスト紙はアメリカで最も影響力のある報道機関の一つであり、とりわけFBIからの情報提供を受けて、リチャード・ニクソン大統領が失脚するきっかけをつくったことで知られる。

ヒメルマンはワシントン・ポスト紙のジャーナリストで、ひと頃ボブ・ウッドワード（訳注＊ワシントン・ポスト紙編集主幹でウォーターゲート事件の調査報道で有名）の直属の部下だった。1968年から1991年までワシントン・ポスト紙の編集主幹を務めたベン・ブラッドリーの伝記を書くに当たり、ヒメルマンはブラッドリーに接する機会を十分に与えられ、ブラッドリーと4年間一緒に働き、調査報道に携わった。またブラッドリーの私文書の閲覧も許された。ベン・ブラッドリーといえば、メディアの象徴とされる存在であり、ペンタゴン・ペーパーズ（訳注＊ベトナム戦争の経過を調査・分析した極秘文書）の公開を取り仕切り、ウォーターゲート事件を報道したことで非常に有名な人物だ。2014年10月21日にブラッドリーが亡くなったときには、メディア業界や多くの政治家から、彼のジャーナリストとしての、そして報道機関の幹部としての勇気と非凡さに惜しみない賛辞が送られた。バラク・オバマ大統領も談話を発表し、「ブラッドリーが打ち立てた、誠実で、客観的で、きめ細かい報道の規範に希望を抱いて、多くの人がジャーナリズムの世界に飛び込んだ（注43）」と述べている。

ところが、ヒメルマンが著書を出版したとき、ウッドワードをはじめとするメディア業界の面々から激しい批判を浴びた。ヒメルマンはあえて、ブラッドリーがジョン・ケネディ大統領と昵懇だったにもかかわらず、ニューズウィーク誌で記者としてケネディを取材し報道したことに対して疑問を投げかけたからだ。ケネディがまだ上院議員だった頃、大統領選を戦っていた頃、そして短期間ながら大統領を務めている間、ほんの数カ月間を除いて、ブラッドリー夫妻はケネディと親しく付き合っていた。ケネディがホワイトハウスに移る以前は近所に住み、頻繁に夕食をともにし、映画に出かけ、ダンスなどを楽しんだ。「ブラッドリーはケネディの記事を書いた。だが一般的な認識として、今日多くの編集者は、友人についての記事を記者に書かせるようなことはしないだろう」とヒメルマンは書いている。[注44] そんなことが起きないよう願いたい。

一方で、その関係が真逆の場合も、同様のことが言えるのではないか。つまり、多くの記者たちがトランプ大統領に嫌悪感を抱いているように、ジャーナリストが著名人に根深い嫌悪感を抱いているのなら、そのジャーナリストもその著名人の報道から外れるべきではないか。

しかし現在、明らかに、編集者の間にそうした懸念はないようだ。

ケネディとブラッドリーのケースについて、ヒメルマンはこう語る。「1959年5月、ベン・ブラッドリーは、リンドン・ジョンソンがペンシルベニア州ハリスバーグで行ったスピーチについてニューズウィーク誌に記事を書いた。ケネディが大統領選への出馬をまだ正式に発表していない頃のことだ。当時、ジョンソンは民主党の指名候補をケネディと争うライバルの一人と見られていた。ブラッドリーはニューズウィーク誌に記事を載せたが、『ジョン・F・ケネディ上院議員について』というコラムも書き、そのなかでジョンソンのスピーチを吟味し、批判した。記者が友人に関して行っていいことと、行うべきでないことの境界線を超えているのは明らかだ（ブラッドリーはこのコラムを書いたことについて著書やインタビューでは一度も触れていないが、ケネディ・ライブラリーに残っていた）」[注45]

ヒメルマンは続けた。「ブラッドリーはジョンソンのスピーチを『平凡のきわみ』だとして、スピーチ全体をこう分析した。『私の感覚では、スピーチ以外にも考えるべき点はあるにしても、ジョンソンはケネディには決して勝てないだろう。ジョンソンは外見がよくないし、アクセントが聞きづらい……必要な威厳が備わっていない。細かく見てみたが、ワンパターンな喋り方をするせいで、堂々としたイメージが損なわれている。テキサスのフォートワースからやって来た、やかましい従兄のようだ(注46)』」

ちなみに、この類いの言動は今日の報道現場にまん延しており、トランプ大統領とその支持者たちについて報じるニュースにも表れている。すでに書いた通り、日々のニュース番組や解説で、繰り返し目にしたり耳にしたりする。

ブラッドリーはさらに、ケネディにこう忠告したという。「念のために言うと、君はいまジョンソンのことを指名候補のライバルだと思っていて、おそらく実際にそうなるだろう……だが、ジョンソンが指名候補を勝ち取る可能性はないし、彼の影響力を他人にそのまま譲り渡すかもしれないと心配する必要もない。懸念されるのは、ジョンソンが300人以上の代議員の支持を受けてロサンゼルスの民主党全国大会に乗り込んで、彼らをつなぎ留めてしまうことだ……君は着実に前に進むだけでなく、大きく飛躍する必要もある……ジョンソンにはそういう危険性がある。ジョンソンを大統領になるかもしれない人物としてもてはやす記事が書かれているが、私から見れば、すべてこうした視点で読むべきだ。文字通りに受け取ってはならない……ジョンソンが指名候補を勝ち取るかもしれないと恐れることはない。むしろジョンソンは、ロサンゼルスの大会が終わるやいなや、君を操ろうとする勝負師になるかもしれない」(注47)

ヒメルマンは一応、読者を安心させるように「ブラッドリーはおおむね記者としての信念を貫いた。ケネディはブラッドリーにちょっとした情報は教えたものの、特に選挙期間中は、大きな特ダネを与えたわけではなかった」(注48)と述べている。だがヒメルマンが著書に書いている通り、二人が仲のいい友人同士だったのは事実だ。妻同士もそうだ。そのことが、ブラッドリーの報道やニューズウィーク誌の記事に影響を与えていたのは間違いない。

事実、ヒメルマンは「二人の関係がわかるエピソードの一つ」として、次のように書いている。「ケネディはジャッキーと結婚する以前、すでに結婚していてすぐ離婚した、という噂が一時期流れた。明らかに事実に反するものの、噂はなかなか消えなかった。おそらく、素っ裸で泳ぐというケネディの日課が広く知られていたことも、女性関係の噂と無関係ではないだろう。そこで、ケネディの報道官だったピエール・サリンジャーは、ブラッドリーにかけ合ってロードアイランド州ニューポートに来てくれないかと頼んだ（ニューポートには、ジャッキーの家族が海岸沿いに広大な屋敷、ハマースミス・ファームを所有していた）。ＦＢＩのファイルを調べて、ケネディの噂を広めた組織がいかがわしい連中であることを証明してほしい、という依頼だった。こうして、ケネディは敵対勢力の面目をつぶして、政権が望む通りの筋書きを進めることに成功した（注49）」

ケネディは自分に都合の悪い噂を広めた組織に「怪しい」とレッテルを貼るために、ブラッドリーにＦＢＩのファイルを渡したという。ヒメルマンの話はそれだけではなかった。「そのうえ、大統領はニューズウィーク誌に載せる記事について、自分の許可をとるようにと要求した」。ブラッドリーとニューズウィーク誌はおとなしく従った。「『これは大統領なら誰でも手に入れたい権利だが、普通は認めるべきではない。でも今回は、雑誌としてそうする価値があると思い、取引に応じた』とブラッドリーはのちに書いている（注50）」

要するに、ケネディはブラッドリーのニューズウィーク誌の記事に対して編集権を持っていたわけだ。だからこそケネディを助けるための記事が掲載され、ケネディはＦＢＩの情報を彼らに渡していた。

これらはすべて裏で隠れて行われた。そしてブラッドリーは従った。

本章のはじめで触れたように、昔の党派的な報道は特定の政党を支持することを正直に認めていた。そしてたいていは、人々はどの新聞がどの政党や候補者を支持しているかを知っていた。だが現代のメディアでは、そうした偏りは通常、報道機関から伝えられる内容をもとに、ニュースの視聴者や新聞の読者が判断する。もちろん、「ニュース」を見たり読んだりしたときに、鵜呑みにする人もいれば、疑いの目を向けてもつくり話が混じっていることを見抜けない場合もある。だが、報道機関が特定の政党を支持し、偏った報道をしていることを率直に認めないかぎり、私たちのほうで伝えられる内容を検討し、選別しなければならない。

メディアは非難されると反論し、あら探しをする批判者から報道の自由を守っていると主張する。だが本当にそうだろうか。メディアの自由な報道は本当に脅かされているのだろうか。

第4章 報道の自由に対する真の脅威

The Real Threat to Press Freedom

報道の自由が脅かされている——そう考えるとき、お決まりのシナリオは政府による弾圧である。報道機関やジャーナリストを脅して黙らせる、そんな政府の行動だ。現在、アメリカのメディアは、ドナルド・トランプ大統領からかつてない批判の嵐を浴びている。トランプがメディアを「国民の敵」「フェイクニュース」と呼び、記者会見や政治集会の場で個別の報道機関や記者個人への非難を叫ぶのは報道の自由に対する脅しだ、とメディアは主張する。これまでの大統領とは違い、トランプ大統領は独裁者のような言葉を使ってメディアに対する国民の敬意を損なっていると言われる。だからそれに抵抗するのは、トランプ大統領が脅かす合衆国憲法修正第1条と報道の自由を守るために当たり前だ、むしろ必要なことだとメディアは言う。

トランプ大統領の攻撃にショックを受けたメディアは、一斉に社説を掲載して反撃を始めた。

旗を振ったのはボストン・グローブ紙だ。「私たちは国民の敵ではない」と、ボストン・グローブ紙の論説副主幹でメディア・キャンペーンの責任者でもあるマージョリー・プリチャードは言う。「合衆国憲法修正第1条への攻撃は許しがたい。読者のみなさんに、それをわかってもらいたい。私たちは自由で独立した報道機関であり、報道の自由は憲法に書かれた最も神聖な原則の一つなのです(注1)」

2018年8月15日、「全米で300紙以上の新聞が、呼びかけに応じて社説を掲載した。ジャーナリストの役割を説き、社会でジャーナリズムが果たす重要な役割を詳しく説明する内容だった(注2)」。例として、ボストン・グローブ紙の社説を挙げよう。「ジャーナリストは敵ではない」というタイトルのこの社説には、次のように書かれている。「いつの時代も腐敗した政権が国を乗っ取ろうとするとき、まず手をつける仕事は、自由なメディアをつぶして国営メディアに置き換えることだった。いまやアメリカには、現行政権の政策を明らかに支持しないメディアのことを『国民の敵』と呼ぶ大統領がいる。この大統領はこれまでたくさんの嘘を口にしてきたが、その一つがこれだ。昔のペテン師が、期待する群衆に向かって『魔法』の粉や水をまいたのとよく似ている(注3)」

だが、トランプ大統領は「国営メディア」を提唱しているのだろうか。アメリカで国営メディアに最も近いのは公共放送サービスとナショナル・パブリック・ラジオだが、皮肉なことに、これらの報道機関への公的補助金の削減の動きは、とりわけほかの報道機関から強い反対が出ている。トランプ大統領自身、ジャーナリズムの国営化になど賛成していない。

では、大統領はメディアに対して自分の「政策を明らかに支持」するよう求めているのだろうか。そうではない。この社説に書かれた、トランプのメディアへの不満は間違っている。トランプ大統領は、メディア主導でいろいろな話が繰り返しつくられている状況を非難しているのである。ロシアとの共謀、トランプの精神状態に関する憶測、トランプファミリーのゴシップ、トランプは告訴されるかもしれないという予想、弾劾を求める声、トランプが人種差別主義者か白人至上主義者だという主張、移民収容施設に関する非難など、メディアはさまざまなテーマで話をつくっている。

2018年12月6日、政治専門サイトのリアル・クリア・ポリティクスは、トランプを扱ったニュースの分析結果を発表し、メディアはトランプに「執着」していると結論づけた。「ドナルド・トランプは、2015年6月にトランプタワーのエスカレーターを下りてきて大統領選への出馬を表明して以来、大きな存在としてメディアの前に立ちはだかっている。そこで報道機関は、郵便爆弾事件（訳注＊反トランプの民主党要人などに爆発物が郵送された事件）からサウジアラビアのジャマル・カショギの殺害、第41代ブッシュ大統領の死去に至るまで、トランプを特別に取り上げるような報道を行ってきた。トランプの大統領選での勝利を違法とするような報道も多い。トランプへの注目はあまりにも大きく、ある意味、トランプのおかげでアメリカのジャーナリズムはよみがえったと言えるかもしれない。メディアの大統領への執着は、想像以上に強いことがわかる」(注4)

リアル・クリア・ポリティクスはCNN、MSNBC、フォックス・ニュースに注目し、大統領を扱った放送時間を調べている。「オバマを扱ったニュースは、在任中のほとんどの期間、おおむね放送時間の3パーセントから5パーセント程度を占めていた。それに比べて、トランプに関する放送時間は常に13パーセントから17パーセント。2009年6月から2017年1月20日までを総合すると、オバマのニュースは平均で、CNN、MSNBC、フォックス・ニュースの毎日の合計放送時間の約4・9パーセントを占めた。トランプの割合は2015年6月16日から現在までで平均15パーセント。オバマの3倍にのぼる」(注5)

さらに、第1章で取り上げたショレンスタイン・センターの調査をもう一度紹介しよう。同センターが2017年5月18日に発表した調査結果である。「報道に関するトランプの攻撃は、いわゆる『主流メディア』に向けられている。トランプは、本調査の対象であるアメリカの七つの報道機関のうち六つ、すなわちCBS、CNN、NBC、ニューヨーク・タイムズ紙、ウォール・ストリート・ジャーナル紙、ワシントン・ポスト紙を名指しで攻撃している。これら六つの報道機関は、トランプの最初の100日間をひどく否定的な言葉で言い表した……。最初の100日間のトランプに関する報道は、全体として否定的だったというより、あらゆる点で否定的だった。報道で取り上げられたテーマのなかで、否定的なニュースよりも好意的なニュースのほうが多いテーマはなかった(注6)」

トランプ大統領は、自分の政策をやみくもに支持してほしいとメディアに求めているわけではない。敵意をむき出しにするメディアが自分のことを極端に否定的に報じている現状を正しく認識している。そしてそうした報道は、アメリカの報道現場が持つプログレッシブ的なイデオロギーを反映しており、メディアはトランプが大統領選に勝利したことに怒りを感じている。

ボストン・グローブ紙の社説は、次のように嘆いている。「かつてアメリカ人は支持政党も世代も超えて、メディアは民主主義において重要な役割を果たすという考えをおおむね共有していた。だがもはや、多くのアメリカ人がそうした考えを持っていない。世論調査会社のイプソスが今月行った調査によると、共和党支持者の48パーセントが『メディアはアメリカ国民の敵だ』という言葉に同意しているという。この結果は異常値ではない。今週発表された別の調査でも、共和党支持者の51パーセントがメディアについて『民主主義の重要な一部ではなく、アメリカ国民の敵だ』と考えていることがわかった(注7)」

だがボストン・グローブ紙は、報道の自由への支持と、共和党支持者のメディアへの反感をごちゃ混ぜにしているようだ。そもそも報道の自由とは、政党とは関係のない問題だ。どのような政治信条を持つアメリカ人も間違いなく支持する理念であり、とりわけ共和党の原理主義者や憲法論者は報道の自由を支持している。一方で共和党支持者は、最近のジャーナリストたちがひたすら強迫的にトランプ大統領やトランプファミリーやトランプ政権を追及していることに反感を抱いている。もっと広く考えれば、共和党支持者は、現在のニュース報道の裏にある、ものの見方に反感を抱いている。つまり、報道の自由という理念にではなく、プログレッシブ的なイデオロギーに染まって党派的な報道を行うメディアに異を唱えているのである。もちろん、ボストン・グローブ紙の社説はこの問題にまったく触れていない。だが本来、メディアの側にも、ある程度、自らを振り返って慎重に考える姿勢が必要なのではないだろうか。

2018年9月5日、非営利団体の「報道の自由のための記者委員会」が「有権者の95パーセントは報道の自由の重要性に賛成している」(注8)とする調査結果を発表した。これによると、「有権者の56パーセントは、国民に情報を伝えるという全国メディアの役割を最も評価すると回答した」。しかし、「報道が偏っていることが最大の懸念になっている。共和党支持者と無党派層の55パーセントは、全国メディアにおける最大の懸念の一つとして、ジャーナリストが『自分の政治的意見に合わせて、すべてのニュースにフィルターをかけている』ことを挙げた。民主党支持者にとっての懸念は、扇動的なニュースが多いこと。52パーセントがこれを最大の懸念と回答した」(注9)

この調査結果は、ボストン・グローブ紙や300紙以上の新聞の社説とは明らかに違っている。調査結果によると、「有権者の過半数に当たる52パーセントが、報道の自由は脅かされていないと回答した。民主党を支持するジャーナリストが思っていた危機は、実は存在しなかった。報道に対する脅威はほとんど、あるいはまったく存在しないという回答は、共和党支持者で66パーセント、無党派層で56パーセントにのぼり、民主党支持者でも38パーセントがそう答えた(注10)」と報告されている。

一般の人々が正しくて、メディアが間違っているのだろうか。トランプ大統領のメディア批判は、本当に報道の自由を脅かしているのだろうか。いや、報道の自由は脅かされてなどいない。とはいえ、過去の大統領のなかには、報道の自由を弾圧した人物が確かにたくさんいた。ボストン・グローブ紙の社説は、こうした歴代の大統領の行為についてはあえて触れていない。そういう例を挙げると、読者に一定の先入観を与えることになり、新聞が掲げる主張や反トランプのキャンペーンに悪影響があると考えたのだろう。

ボストン・グローブ紙の社説が、アメリカ建国の父ジョン・アダムズの言葉を強調しているのは興味深い。「自由を手に入れるためには報道の自由が必要だ(注11)」という言葉だ。だが奇妙なことに、同紙はアダムズ大統領が自由な報道を激しく攻撃したことにはまったく触れていない。建国からまもなく、アダムズ大統領と彼が率いる連邦党は、1798年治安法を制定した。

ウェズリアン大学のリチャード・ビュエル・ジュニアが言うように、「独立戦争のさなかに生きる人であれば、切羽詰まったあげくに信念を犠牲にしても許されるだろう。だが１７９０年代末の出来事は、それでは説明できない。報道の自由を認めた合衆国憲法修正第1条の採択から10年もたたないうちに、議会は治安法を可決し、アダムズ大統領はこれに署名した[注12]」。この法律は、次のような行為を違法としていた。「合衆国政府、連邦議会、大統領に対して、その名誉を傷つける目的で、軽蔑させるか信用を失墜させる目的で、合衆国の国民の憎悪の対象となるよう扇動する目的で、暴動を起こす目的で、政府に反対する違法な同盟をつくる目的で、政府に抵抗する目的で、または外国の敵意を助けるか、けしかける目的で、虚偽で中傷的で悪意のある文書を執筆し、出版し、公表し、それらを実施させ、実施を助けること[注13]」

ビュエルは次のように書いている。「この法律を盾に、国務長官のティモシー・ピカリングは、政権を批判する大手報道機関に対して組織的な攻撃を始めた。どう考えても、１８００年の大統領選挙に向けてメディアの口を封じるためだった。また連邦党が司法を支配する州では、共和党を支持するいくつもの出版社が起訴された。これらの起訴が共和党寄りの報道を抑えるために意図的に行われたのではないか、と本気で声を上げる者はいなかった。連邦党は、治安法にも政権にも修正第1条と矛盾する点は何もない、むしろ名誉棄損に関する法を緩和することで出版社の自由が拡大した、と主張した。彼らの言葉と行動は明らかに矛盾していたものの、メディアは権力を乱用することがあるため取り締まるべきだ、という説明に異を唱える人はいなかった[(注14)]」

アダムズ政権は実に20人以上を起訴した。そのなかには、ペンシルベニア州のノースカンバーランド・ガゼット紙の編集者でジャーナリストのトーマス・クーパー、バージニア州のリッチモンド・エグザミナー紙のライターだったジェームス・カレンダー、コネチカット州のニューロンドンビー紙の編集者だったチャールズ・ホルトなどがいる。起訴された者たちは全員、罰金を科され、懲役刑を受けた。全員がトーマス・ジェファーソンの共和党の理念に共感していたジャーナリストである[(注15)]。

アダムズと彼の政党は、流血のフランス革命とその後10年に及ぶフランス社会の混乱の目撃者だった。だから彼らは、治安法は政府へのまっとうな批判や自由な報道を止めるものではなく、民主的なルールを認めない派閥やグループによる嘘を防ぐための法律だと主張した。それに対し、ジェファーソンの共和党は、「政治批判というものは、どうしても意見と事実の両方を含む。意見が真実か嘘かなど、陪審員は判断できない」と反論する。さらにいくつかの州法では、文書による扇動罪を定めた[(注16)]。

だが1800年、より自由主義的な思想を持ったトーマス・ジェファーソンが大統領選挙に勝利する。共和党が政権を獲得し、治安法は廃止され、報道の自由が再び尊重されるようになった。「激しい挑発があったものの、共和党は1790年代末と似たような状況下にあっても、連邦党のような対応は取らなかった」(注17)

それから数十年後のこと。南北戦争が勃発し、エイブラハム・リンカーンと共和党政権は、建国以来、最も深刻な共和制の危機に直面する。南部の連邦脱退と奴隷制をめぐる戦争が国をのみ込み、最終的に死傷者の数は70万人を超えた。

歴史学者のハロルド・ホルツァーは、著書のなかでこう書いている。「第一次ブルランの戦いでの敗北を受けて、政権は兵器の製造や軍隊の招集だけでなく、国内の新聞による批判を鎮めることにも目を向けるようになった。こうした新聞の批判は反対意見として許されるレベルから、国を脅かす反逆へと変わりつつある、と大統領も内閣のメンバーも考えていた。意外なことに、北部の多くの新聞編集者もそう感じていた」。リンカーン政権は、「かつてないような反逆が起きた場合、大統領にはそれを鎮圧する権限があり、憲法による報道の自由の保護よりも軍事的な必要性のほうが優先すると信じていた……。そういう理由で、政権は政府に反対する新聞に対して弾圧を始めた。始めたというより、自然に起きたと言ってもいいだろう」(注18)。

やがて、「軍隊と政府は、戦争そのものに反対する新聞を罰するようになっていく。平和を訴える新聞を郵便サービスから追放し、新聞社を閉鎖し、印刷機材を没収した。南部に共感を示したり、合衆国復活のための戦争に反対したりする記者、編集者、発行者を脅し、ときには投獄することもあった。戦争1年目の間は、リンカーンが、反対意見を唱える新聞の口を封じるべきだと個人的に考えていたことがわかる文書は残っていない。だが閣僚や軍の幹部が弾圧を行ったとき、リンカーンはそれを制限したり禁止したりするようなことを何も言わなかった。リンカーンはメディアの弾圧を自分から始めたわけではなく、態度を決めかねていたものの、弾圧を止めるために介入することはまずなかった。

セント・マイケルズ・カレッジのデイビット・T・Z・ミンディック教授もこう書いている。「1862年、リンカーンから陸軍長官に任命されたエドウィン・M・スタントンは、大統領に1通の手紙を書き、通信を完全に自分の管理下に置くことなど、圧倒的な権限を要求した。スタントンは電信網を切り替えて自分のオフィスを経由させることで、膨大な量のコミュニケーションを監視した。ジャーナリストや政府関係者の通信もあれば、個人的なやり取りも含まれていた。スタントンの手紙の裏には、『ここに書かれた事項について陸軍長官に裁量権を認める』というリンカーンの走り書きが残っている。リンカーンは監視を認めていた……。電信線を経由させることで、スタントンのオフィスに戦争に関する情報が集まってきた。リンカーンは戦争の最新情報を知るために、ここに定期的に足を運んだという。スタントンは、将校や電話オペレーターや記者から情報を集めた。ジャーナリストが特ダネを追い求め、独裁者が情報統制にこだわるのと同じだった。ジャーナリストが何を公表するか、しないかに影響を及ぼすために、通信を掌握したのである。同じ1862年、下院の法務委員会でこの『電信検閲活動』が問題として取り上げられ、一部の行為の自制を求める要請が出された[注20]」

1864年5月18日、AP通信が大統領声明とされる文書を配信したことがあった。のちに偽物とわかったのだが、民主党を支持する新聞社や編集者、反戦を訴えるニューヨーク・ワールド紙とニューヨーク・ジャーナル・オブ・コマース紙は、その声明が偽物とは知らず、すっかりだまされて紙面に掲載した。その文書では、「感謝祭は『断食、屈辱、祈り』の日であるべきとされ、『国の全体的な状況』を悲観的にほのめかし、新たに40万人もの志願兵を募っていた。北軍のユリシーズ・S・グラント将軍がバージニア州で南軍のロバート・E・リー将軍の制圧に苦戦し、大量の死傷者が出ているなか、その声明は絶望の叫びのようだった。勝利のためには、合衆国は神の介入と膨大な兵力の投入が必要だと認めたようなものだ。大ニュースだった[注21]」。

怒ったリンカーンはすぐに行動を起こした。この文書が合衆国の取り組みを台無しにしてしまうと考え、大統領令を発表した。

ニューヨーク市で発行されているニューヨーク・ワールド紙とニューヨーク・ジャーナル・オブ・コマース紙に、今朝、合衆国への裏切りとも言える、たちの悪い記事が掲載された。大統領の署名と国務長官の連署があるとされるこの文書は偽物である。政府やその支援者や支持者が戦っている合衆国の敵を助けるための反逆行為だ。よって、この偽文書に関する本通知後に、これらの新聞の編集者や経営者や発行者、敵を支援するために偽文書を広める者を全員直ちに逮捕し、基地の収容所か軍事監獄に拘置するよう命令する。逮捕者については、軍法委員会による裁判が行われるまで拘留すること。また、軍はニューヨーク・ワールド紙とニューヨーク・ジャーナル・オブ・コマース紙の発行施設も差し押さえ、さらに命令があるまで占拠すること。これら両紙の新たな新聞発行を禁じる」(注22)

この大統領令の執行を命じられたジョン・アダムズ・ディクス将軍は、しぶしぶ従った。二つの新聞社は閉鎖され、2名の編集者が軍司令部に拘留された。まもなく、偽文書を記事にした張本人でニューヨーク・タイムズ紙の元記者、ジョセフ・ハワード・ジュニアの居場所も見つかる。とはいえ、編集者らは3日後の1864年5月21日には、新聞の業務に戻ることを許された。実は、リンカーンが二つの新聞に腹を立てた大きな理由は、偽文書のことではなかった。偽の大統領声明が発表された前の晩、「大統領は本当に声明を出そうと準備をしていたからだ。それ以上の軍隊、実に30万人も多い軍隊を……志願か徴兵で集めるための声明だった」。偽文書が出回ったせいで「ホワイトハウスは……誰かが本物の声明を漏らしたのかもしれない

とパニックになった」。事実、戦争の邪魔をしようとした者がいたのかもしれない。(注23)

こうしたメディアに対する弾圧は、歴史上ほかにも起きている。たとえば、何十年にもわたってプログレッシブ運動を主導した知識人として知られるウッドロウ・ウィルソン大統領は、第一次世界大戦中、スパイ活動法の一連の改正を支持した。この改正によって、スパイ活動法は治安法（1918年5月16日に成立）として知られるようになる。法律の一部を見てみよう。

アメリカ合衆国が戦争中、アメリカ政府もしくはアメリカ憲法、アメリカの陸軍もしくは海軍、アメリカ国旗、陸軍または海軍の制服に対して、背信、不敬、悪口または罵倒するような言葉を故意に口にしたり、印刷したり、書いたり、出版して、軽蔑、あざけり、傲慢または信用失墜を引き起こす者には……1万ドル以下の罰金と20年以下の投獄を科すものとする。ただし、アメリカ政府の職員または役人が、不誠実な行為を犯すか、愛国心のない不誠実な言葉を口にした場合、または口汚い乱暴な口調で、陸軍もしくは海軍、またはアメリカ国旗を批判した場合には、直ちに解雇されるものとする。(注24)

この法律によって、ウィルソンの戦争政策に反対する多くの人々が罪に問われ、投獄された。(注25)実はウィルソンは、それまでにも報道の自由を奪う施策を広く行っていた。ボストン大学のクリストファー・B・デイリー教授はこう書いている。アメリカが第一次世界大戦へと突き進むなか、「ウィルソン政権は国内のすべてのニュース報道を管理し、操作し、検閲する計画を実行に移し、民主主義の柱の一つである報道の自由を奪うための緊急措置をとっていた。それはアメリカの歴史のなかで例のない規模のものだった。ドイツとイギリスにならって、ウィルソンはプロパガンダと検閲を総力戦の戦略的な要素に位置づけたのである。アメリカが参戦する前から、ウィルソンはアメリカ人たるもの『忠誠心』を示してほしいと口にしていた。あくまでウィルソンが考える『忠誠心』なのだが……。ウィルソンはまず政府のプロパガンダを流しはじめた。また、戦争に反対していた民族系や社会主義系の新聞に対して、威圧とあからさまな弾圧を行った。総合すれば、こうした戦時中の行為は、報道の自由に対するかつてない攻撃だった(注26)」

ウィルソンは国内に強力なスパイ網もつくった。「ドイツからの移民とアメリカ人過激派を見張るためだった。戦争反対の演説をしたため、あるいは非公式の場で私的に口にした言葉を理由に、何百人もの人が連邦捜査員に逮捕された。たとえば4度にわたって社会党から大統領選挙に立候補したユージン・デブスは、1918年6月に演説で、若いアメリカ人男性には『奴隷や兵士よりもふさわしい役割がある』と語り、逮捕された。懲役10年の刑を受けたデブスは、それでも1920年にアトランタの獄中から大統領に立候補し、100万票近くを獲得している。戦時中、実に2000人以上の男女が『背信的』な演説をしたという理由で逮捕され、投獄された者は1200人を超えた」(注27)

さらに1917年4月13日、ウィルソンは広報委員会（CPI）を設立した。戦争に関する「マスコミ報道を政府が積極的につくり上げる」ための大規模なプロパガンダ機関である。ウィルソンが委員長に任命したのは、元ジャーナリストで彼の熱烈な支持者だったジョージ・クリールだ。「CPIはプログレッシブ的政治思想を持つあらゆる人々にとって『魅力的な存在』だった。知識人や不正を暴くジャーナリスト、それに社会主義者といった誰もが、ドイツの軍国主義によって民主主義が脅かされていると感じていたからだ」。ウィルソン政権は、報道機関を使って公式な「ニュース」を流し、「公認」の政府新聞を発行して広く流通させ、各新聞に無料の広告を掲載させた。CPIには、映画部、外国語新聞部、広告部、演説部などがあった。その一方で、政府はメディアが戦争について国民に訴えかけることや戦争報道を厳しく制限した。(注28)

CPIの活動は大がかりだった。「CPIは言葉に長けたアメリカ人専門家を15万人も動員して、アメリカの参戦はやむを得ない崇高な行為だと訴えるメッセージをつくった……。クリールと部下たちは、映写技師を駆り集めて映画をつくり、7万5000人を訓練し、4分間で戦争の重要性を訴える内容の演説をさせた。即興の演説のように見せかけて、実は慎重に練習し、完璧に時間を調整した演説だった……。クリールによれば、演説はおそらく75万5190回行われたという……。また、国中に1438枚のさまざまなポスターを貼った」(注29)

メディアとの関係では、フランクリン・ルーズベルト大統領による統制も知られている。アラバマ大学のデヴィット・T・ベイトー教授は、ニューディール政策とその後の第二次世界大戦中におけるフランクリン・ルーズベルトの「メディアとの闘い」について、「1934年の初め、連邦通信委員会（FCC）はラジオ局のライセンス更新期間を3年からわずか6カ月に短縮した」と書いている。(注30) それにより、ルーズベルトはラジオ局の生死に対して大きな支配権をふるえるようになった。「一方、ルーズベルトはFCC（およびその前身の連邦無線委員会）の委員長にハーバート・L・ペティを指名した。ペティは1932年の大統領選挙で、ルーズベルト陣営でラジオキャンペーンを展開した人物である。指名を受けて、ペティは民主党全国委員会と協力して、『ラジオ問題』に取り組んだ。ラジオのネットワークと地域のラジオ局の両方に関わる問題だ。まもなくラジオ局に政権のメッセージが伝わることになる。その結果、NBCは……『アメリカ政府の政策に反する』報道は控えると発表した。CBSの副社長、ヘンリー・A・ベロウズは、『コロンビア・ブロードキャスティング・システムでは、政権の政策に少しでも批判的な番組は認められない』と語った。また、『コロンビア・システムの運命はルーズベルト大統領と彼の政権の手に握られている。大統領が納得しない放送は認められないだろう』と話した。報道の専門雑誌であるエディター・アンド・パブリッシャー誌によると、地域のラジオ局のオーナーも大手ネットワークの幹部も、ラジオ局は『政府からライセンスを受けているのだから、政府の言いなりになるしかない』と思い込んでいた（注31）」

だがルーズベルトの報道統制は、登場したばかりの放送メディアにとどまらなかった。ベイトーによれば、「ルーズベルトのメディアに対する威圧は、ロビー活動に関する上院特別委員会を支配下に置いた時点で頂点に達する。大統領は水面下で動いてヒューゴ・L・ブラック上院議員（民主党、アラバマ州選出）を委員長に登用した。ブラックはニューディール政策の熱心な信奉者だった」。ブラックの率いる委員会は、ジャーナリストをはじめとするニューディール反対派に対して広く捜査を行った（注32）。

ブラックは「ユナイテッド・ステイツ・ニュース紙のデイビッド・ローレンスのような反対派の納税申告書を1925年までさかのぼって調べる権限」を与えられていた。やがて、ブラックは検閲の対象を私信にまで広げはじめる。「電信会社に対して、1935年の最初の9カ月間にやり取りされたすべての電報のコピーを調べさせるよう要求したという。ウエスタン・ユニオン社がプライバシーを理由に拒否すると、ブラックに促されたFCCが要求に応じるよう命令した（注33）」

政府の介入が私信にまで及んだのは、衝撃的だった。ベイトーは言う。「1935年末のほぼ3カ月間、FCCとブラック率いる委員会のスタッフは、ウエスタン・ユニオン社のワシントン事務所で大量の電報を調べた。活動にはほとんど制約がなく、さまざまなロビイストや新聞発行者、保守派の政治活動家やあらゆる議員の電報までが調べられた。ブラックへの報告のなかで、あるスタッフは『1日3万5000通から5万通の電報』を調べたと書いている。新聞各社や議員たちがのちに推計したところでは、スタッフは調査期間を通じて約500万通の電報を調べたという……。そして委員会は、発見した情報をもとに新たに1000枚以上の証拠提出命令を出した。ワシントンを経由する電報だけでなく、アメリカ北東部のW・H・カウルズにある新聞社なども対象になっていた。反ニューディール政策を掲げていたからだ」(注34)

ちなみに委員長のヒューゴ・ブラックは、ルーズベルトが初めて任命した最高裁判所判事だが、過去に一時期、白人至上主義団体クー・クラックス・クランに所属していた。

ルーズベルトによるメディアへの弾圧は、ほかにもある。ベイトーはこう書いている。「1930年代、新聞発行者のエドワード・ラムリーは、ニューディール政策に反対する仲間たちと協力関係を築いた。相手は、同じく新聞発行者のフランク・ガネットと、有名な自然保護論者で市民の自由の擁護者でもあったエイモス・ピンショー。1937年、フランクリン・ルーズベルトが裁判所抱き込み計画、いわゆるコートパッキング・プラン(訳注＊ニューディールに反対する最高裁判所に反発し、大統領権限で判事の定員増を試みた計画)を発表した日に、3人は憲法政府委員会おそらくニューディール政策の反対運動に初めて成功した団体だ。ダイレクトメールを利用した草分け的存在であり、コートパッキング・プランの廃止に尽力した」[注35]

そのため、ラムリーはルーズベルトを支持する議員たちに狙われることになる。「ルーズベルトの民主党はたちまち反撃に転じた。インディアナ州のシャーマン・ミントン上院議員は1938年、『政権の方針』に反対する団体を徹底的に捜査すると発表する。ミントンの委員会のスタッフたちは、CCGの事務所に大挙して押し寄せてファイルのコピーを始めた。しばらくそれを眺めていたラムリーは、彼らに部屋から出るように命じて、違法な『捜査』をされたと告発した。ミントンは『偽りとわかっていることを事実として報道した』としてCCGに重罪容疑をかけようとして墓穴を掘ってしまう。言論の自由への弾圧だと国民から反発が起き、捜査は失敗に終わった。それから10年にわたって、CCGは膨れ上がる公的医療保険、公営住宅、労働法といった政策を批判するパンフレットを8200万枚以上もばらまいた」[注36]

ルーズベルトはまた、ウッドロウ・ウィルソンのプロパガンダの仕掛け人、ジョージ・クリールを熱烈に信奉していた。歴史学者のグラハム・J・ホワイトは、著書『フランクリン・ルーズベルトとメディア（*FDR and the Press*）』のなかで次のように書いている。「ワシントンのメディアにはあまり知られていないようだが、ルーズベルトはたびたびクリールの言葉を使って自分の計画や目的を説明し、国民の反応を試していた……。実際、ルーズベルトの意見記事や演説は、パラグラフ全体をクリールの言葉から引用していることも多い(注37)」

ルーズベルトはほかの大統領と同じく、在任中はさまざまな論点についてメディアに毒舌をふるったことで知られる。だがそれは、メディアの所有者や発行者やコラムニストに対してだった。ルーズベルトはそういう人たちと、現場の記者を区別しようとし、その点では大成功を収めていた。これまでルーズベルトとメディアの関係について書いた著作家の多くは、両者は良好な関係を築いていたと評しているが、それは現場の記者が、ルーズベルトのプログレッシブ的な国内政策に歓迎の意を示したからだ。ルーズベルト（とウィルソン）が報道の自由を脅かしたにもかかわらず、メディアがそれを大目に見てニューディール政策の大半を支持した主な理由は、現場の記者がルーズベルトに好意を抱いていたからだった。

1947年に大統領とメディアの関係に関する著書を出版したジェームズ・E・ポラードは、ルーズベルトについてこう書いている。彼の政権は「何度も……アメリカのメディアを不安にさせた。メディアは信頼を裏切っている。国民にすべてを伝えていない。政権にとって都合のいいことは軽視し、都合の悪いことは大げさに取り上げる。反ルーズベルトのニュースをでっち上げている。弱い者を搾取して富を築いた人たちがメディアを所有し、支配している。ルーズベルトはそんな調子でメディアを非難した。同じく著述家や編集者や発行者（現場の記者で

は ない）は、政権の行動や態度に報道の自由への脅威を常に感じていた。それは大統領の振る舞いや発言からわかった。ニューディール法や、ニューディールによって設置された組織や機関の活動からも感じられた[注38]」。

実際、著名人のなかには、ルーズベルトはメディアの所有者や発行者を弾圧する決意を固めているのではないかと恐れる者もいた。ポラードはこう説明する。「誰もが最悪の事態ばかり想像した。ルーズベルトの言葉を借りれば、ひどく疑い深くなっていた。かつてルーズベルトから信頼された軍人でコラムニストのヒュー・ジョンソンは、メディアに対する政権の攻撃は『かなり長い間、一貫して続いた。弾圧しようという方針や信念は確かにあったのだろう』と言う。ルーズベルト政権は『政府の行動への批判を抑え、和らげるという隠れた目的のために、法律や威圧といったあらゆる手段を使う段階に足を踏み入れつつあった』ようだ[注39]」

とはいえ、ポラードによると、「ルーズベルトは現場の記者の扱いは上手だった。記者たちと妥協点を見いだし、記者たちの望みや問題意識をわかっていたからだった。個人対個人で向き合い、普段は遠慮のない付き合いを好んだ。記者と知恵比べをしたり、はぐらかしたりしながら、たいていの問題については非常に率直に話をした。その点でそれまでの大統領とは大きく違う。人間の心理をうまく使って幅広い広報活動を行うことにかけては達人だった[注40]」。

だからこそ、ルーズベルトのメディアへの情報操作、脅し、弾圧にもかかわらず、「アメリカの現場の記者は、長年にわたって批判をしつつも、同じ土俵に立って対応してくれたことに関して常に（ルーズベルトに）恩を感じているのだろう」[注41]。

同じことはバラク・オバマ大統領にも言える。オバマの場合は、「現場の記者」との関係に限らず、メディアの所有者や発行者、コメンテーターとの関係にも当てはまる。ルーズベルトと同様、オバマはさまざまな点でメディアに敵対する行動をとった。すでに退職したワシントン・ポスト紙の編集長が、社説で次のように書いている。「司法省は、AP通信の四つの支局の100人以上の記者が使う電話回線20回線と配電盤について、電話会社にひそかに証拠提出命令を出し、2カ月間にわたって通話記録を集めていた」。また「オバマ政権は……メディアと政府関係者がやり取りした通話と電子メールの記録を電話会社に提出させていた。ニューヨーク・タイムズ紙の何人かの記者と政府当局者、フォックス・ニュースの記者と国務省の契約アナリスト、そして2名のジャーナリストと元CIA職員との間のやり取りだ」[注42]。

たとえば2010年に、FBIは当時フォックス・ニュースの記者だったジェームズ・ローゼンを監視した。彼の携帯電話の通話記録を集めて、2日間にわたる私用の電子メールを入手し、入館バッジの利用状況を調べて国務省への出入りを確認した。FBIはある政府関係者の「協力者、教唆者、共謀者のいずれかに違いない」として、ローゼンを「1917年スパイ活動法」の違反で訴えたのである[注43]。

ニューヨーク・タイムズ紙の記者、ジェームズ・ライゼンも同じような経験をしている。ある政府関係者が機密情報をライゼンに漏らしたとして、「1917年スパイ活動法」に基づきオバマ政権から起訴された。政府はライゼンに証拠の提出を求め、ライゼンの電話やコンピューターの記録を手に入れ、起訴された政府関係者に不利な証言をするようライゼンに迫った。また何年もの間、懲役刑をほのめかしてライゼンに脅しをかけた。ライゼンはのちに、オバマ政権のことを「現代における報道の自由の最大の敵」と語っている。(注44)

AP通信はその点について、記事のなかで次のようなコメントを載せている。「オバマ政権は1917年に成立したスパイ活動法をこれまでにないほど熱心に利用した。この法律に基づき、国民に機密情報を漏らした罪で大勢の人を告発した。その数は、現代に入ってからの過去の政権を合わせたよりも多い。オバマ時代の司法省はそうした取り組みの一環として、報道機関と情報提供者の間の極秘のやり取りを詳しく調べていた」(注45)

オバマ政権の監視を受けて、AP通信CEOのゲーリー・プルイットは、「それらの記録によって、当社が2カ月の間に行ってきた取材活動のなかで、極秘の情報提供者とどんなやり取りをしていたかがわかってしまうかもしれない。当社の取材活動のやり方や業務に関する情報が明かされてしまう。政府にそれを知る権利はないはずだ」(注46)と話した。

またオバマ政権は一時期、ラジオ番組の「構造上の不均衡」、つまり政党支持の偏りを正すために番組の内容を監視することも考えていた。連邦通信委員会（ＦＣＣ）の法務部の提案書によると、放送局に政府の監視員を送り込む計画を立てていた。監視員は「ニュースがどのように選ばれているか」「報道に偏りがないか」「重要で必要な情報が伝えられているか」を判断するはずだった。もしこの計画が実際に行われていたら、「放送局だけでなく、本来ＦＣＣが管轄権を持たないはずの活字メディアにも、監視員が配置されていただろう(注47)」。

政権は情報公開法（ＦＯＩＡ）まで都合のいいように利用した。報道機関などの団体やジャーナリストは、巨大な官僚制度の業務を国民にわかりやすく伝えるために行政機関の公開情報にアクセスするものだが、オバマ政権はそれを認めようとしなかった。ポリティコのジャック・シェイファーは言う。「ＡＰ通信の最近の調査によると、オバマ政権下のアメリカ政府は情報公開法の請求を退けたという。これまでそんな話は聞いたことがない。情報公開法があるからこそ、国民やメディアは行政機関の活動についてよく知ることができる。政府の文書やデータがタイムリーに公開されなければ、重要な問題への対応も、記事を書くこともできない(注48)」

だがジャーナリストたちにとって、そんなことはどうでもよかった。ジャーナリストの大半は、変革を訴えるオバマのプログレッシブ的な政策をすばらしいと考えており、民主党を支持するメディアは、もっぱらオバマを応援する役目を担っていた。シェイファーは、優れた報道を表彰するイベントでオバマが基調講演を行い、ジャーナリストを褒めたたえたことがあると話す。「バラク・オバマ大統領には、ジャーナリズムとはどうあるべきかをジャーナリストたちに説く資格はない。世界で最もふさわしくない人物だ。だがオバマは……ジャーナリズム賞の表彰式で、自由な社会におけるメディアの役割を高らかに謳《うた》い、匿名の情報源に頼る報道の危険性を嘆き、名指しはしなかったもののドナルド・トランプをあらゆる面から攻撃した。もちろん集まった聴衆は大喜びだ。その場にいた大勢の報道関係者は……オバマの30分に及ぶスピーチに拍手喝さいし、オバマが口にした『自由なメディア』『誤った等価関係（訳注＊まったく釣り合わないものを並列に論じるような詭弁）』の危険性を、トランプ攻撃にうってつけの言葉だと歓迎した。だが本来、彼らはオバマに抗議の声をあげ、その偽善にやじを飛ばすべきなのではないか（注49）」

　ところが、彼らはそうしなかった。なぜだろうか。

　シェイファーは、彼自身はトランプを嫌っているのだがその答えを探り当てた。要するにかつて「現場の記者」がルーズベルトに賛同していたのと同じように、ジャーナリストたちはオバマの政治と政策に賛同していたからだ。シェイファーによると、「オバマはホワイトハウス内にメディアショップをつくらなかった。国民や報道機関に正規の『ニュース』を発信するためにビデオなどの媒体を提供する窓口のことである。すでに1930年代に、ジャーナリストのH・L・メンケンは、ルーズベルト政権の広報担当者がガリ版刷りの資料を配るだけで情報経路をかなり制限していることに不満を訴えていた。それをニュースとして転用する怠け者の記者もいた。だがオバマのホワイトハウスは、その方法を踏襲して改良した。14人のメンバーによるホワイトハウスデジタル戦略室を立ち上げ、ツイッター、ユーチューブの動画、フェイスブックの投稿といった方法で、報道機関を通さずに国民に情報を提供するようになった（注50）」。

こうした歴代の大統領とは違い、トランプ大統領は報道の自由を脅かしていない。トランプは報道機関やジャーナリストの立場を危うくしているわけではない。言論の自由や報道の自由を攻撃するような扇動行為は見られない。記者を投獄し、新聞社を閉鎖させるような大統領令を出してはいない。FCCは放送局を攻撃するような行動をしていない。報道機関や記者たちに前例のない罪を問うこともない。国中でプロパガンダ活動を行うこともない……。

それなのに、メディアのジャーナリストや社説の執筆者は、明らかに間違ったストーリーを読者に信じ込ませようとしている。トランプ大統領は報道の自由に対してかつてない攻撃を始めた、そして自由な報道機関の信頼性と合衆国憲法修正第1条を脅かしている、と繰り返し訴える。それこそがメディアのプロパガンダであり、メディアがつくり上げた「偽の出来事」だ。残念ながら現在、民主党を支持するメディアを通じて人々が読み、聞き、見るものの多くにそれが当てはまるのである。

第5章

ニュース、プロパガンダ、事実ねつ造

News, Propaganda, and Pseudo-Events

現代のメディアやジャーナリストは、プログレッシブ的なイデオロギーや民主党を支持し、「コミュニティー」ジャーナリズムや社会運動に傾倒している。意見とニュースを切り分けずに報道し、読者や視聴者は客観的な真実を見定めるのがますます難しくなっている。だとすれば、私たちが実際にメディアから受け取っているのは、本当にニュースなのだろうか。それともプロパガンダなのだろうか、あるいは「疑似イベント」、つまり偽の出来事なのだろうか。

この問いに答える手がかりは、「広報の父」として知られるエドワード・バーネイズから見つかるかもしれない。彼の著書に書かれた説明によると、「バーネイズは、大衆の合意形成、世論操作を行うための科学的技法を開発した。バーネイズはこの技法を『合意の製造（エンジニアリングコンセント）』と呼んだ（注1）」。ジョージ・クリールはウッドロウ・ウィルソン大統領のプロパガンダ運動のために、バーネイズの協力を仰いだ。バーネイズは精神科医のジークムント・フロイトの甥で、ボストン大学のクリストファー・B・デイリー教授によると、「人間の思考と感情を理論化した先駆者だった。バーネイズは広報委員会（CPI）に志願し、その仕事に打ち込んだ。民主主義を広めるという理念について理想を追い求めながらも、その方法には不信感を抱いていた。それは広報委員会の多くのメンバーの考えをよく表していた」(注2)。

バーネイズは近代広報活動の始祖と言われることもある。プロパガンダの力を信じ、「大衆」を操作し、洗脳すべきと考えていた。著書にはこう書かれている。「少数の人々（つまり支配者やエリート）は、大多数の人々に効果的に影響を及ぼすための方法を発見した。大衆の考えを一定の型にはめ込んでしまうことで、大衆が得たばかりの力をこちらの望む方向に向けさせることが可能になる。現在の社会ではそれが何よりも求められる。政治、金融、製造業、農業、慈善事業、教育といったどんな分野でも、今日、社会的に重要なことを行うためには、このプロパガンダの助けを借りなければならない。プロパガンダは、姿の見えない支配者が操る実行部隊と言えるだろう」(注3)

そのためには、メディアを利用するか、メディアがプロパガンダ機関として、イデオロギーに突き動かされた意志を働かせることが重要になる。バーネイズは次のように書いている。「プロパガンダがどれぐらい社会の出来事を左右しているかを知れば、専門家も驚くかもしれない。だがプロパガンダの世論に対する影響力を知るためには、新聞の紙面にヒントを探すだけでいい。たとえば、ちょうどこの文章を書いている日のニューヨーク・タイムズ紙の1面には、大きなニュース記事が八つある。そのうちの半数の四つはプロパガンダだ。それらの記事を何気なく読むと、ただ起こった出来事を書いているように受け取れる。だが本当にそうだろうか。記事の見出しはこうだ。『救済より改革が先だ。12カ国が中国に警告』『ユダヤ国家建設は失敗に終わる、とプリチェット氏』『不動産業者が輸送調査を要求』『生活水準は過去最高。フーヴァー報告書(注4)』

いったいどこがプロパガンダなのだろうか。バーネイズはこう説明する。

順番に見ていこう。最初の中国についての記事は、中国の治外法権委員会の出した共同声明の内容に関するもので、中国の混乱に対する列強各国の見解を説明するものだ。だが肝心なのは、ここで述べられている内容より事実である。これはアメリカ国民に対して国務省の立場を示すために「国務省から本日発表された」内容だからだ。情報の出所が国務省と書かれることで情報に権威が与えられ、アメリカ国民は国務省の見方を受け入れて支持するようになる。次の記事は、カーネギー国際平和財団の理事であるプリチェット博士によるアラブ諸国のなかにあるユダヤ人植民地に関する事実を明らかにしようというものだ。長い目で見れば、ユダヤ国家建設は「ユダヤ人にもアラブ人にもさらに苦痛と不幸をもたらすだろう」とプリチェット博士は調査によって確信した。そこでこの見解が、カーネギー国際平和財団の名前で報道された。そうすれば、報道を耳にした人々が信じるからだ。最後の二つの記事、ニューヨーク不動産委員会の会長による声明、フーヴァー商務長官の報告書も、同じように人々の目を一つの見解に向けようとする意図を持って書かれている。(注5)

バーネイズはプロパガンダを否定しているわけではなく、むしろ現代社会になくてはならない、便利な道具と考えていた。それまでの共和制のなかで、大衆は賢く考えて賢く判断をすることができなかった。だからそれができる一部の人たち、あるいは少なくとも自分はできると自ら主張する人たちが、大衆を導く必要がある。バーネイズはそう考えて、次のように主張した。「これらの例は、プロパガンダは悪いものだと印象づけるために取り上げたのではない。出来事の方向性が意図的に定められていて、出来事の背後にいる人々が大衆の世論に影響を与えていることを示すため、引き合いに出した。つまり、これらは現代のプロパガンダの典型である」(注6)

バーネイズによると、「現代のプロパガンダとは、大衆と、企業や政治思想や社会グループとの関係に影響を与えるための一貫した継続的な活動のことだ。特定の状況をつくり出し、何百万もの人の心にイメージをつくり出すこの活動は、ごく普通に行われている。実のところ、いまやこの活動なしにはどんな重要な事業も行えない」(注7)。バーネイズは、「新しいプロパガンダ」というものがあると言う。それは「個人や大衆の心理だけではなく、社会の構造も考慮に入れ、社会をつくるさまざまな集団やその集団の社会との関わりに注目する考え方である。個人はバラバラの存在ではなく、何らかの集団に属すると考えるわけだ。その社会で敏感な神経のような部分（集団）に刺激を与えることで、社会の特定のメンバーから自動的に望み通りの反応を得ることができる」(注8)。

つまりバーネイズは、プロパガンダを日常的に行われる正しい行為と考えていた。高い知性を持った優秀な少数の者たちが立派な目的を実現するために使う手段として、むしろ高く評価していた。だが、こうしたバーネイズの考え方には独裁的な香りがする。大衆は自分自身のためにも社会をより良くするためにも、導かれ、管理されるべきと言っているのも同然だからだ。バーネイズはこう書いている。「社会全体の構造をとらえる新しいプロパガンダは、大衆の欲求に目を向けて、それを理解するのに役立つ……。明らかに、継続して計画的にプロパガンダをつくり上げる必要に迫られているのは、少数の知的エリートたちだ。人の心を動かそうと活発に活動する少数の人間が、個人的な利害と社会全体の利害を一致させることで、アメリカという国はこれまで進歩し、発達してきた。この知的な少数の者の活発なエネルギーを通して初めて、大衆は新しい考えに気づき、それに基づいて行動する（注9）」

バーネイズは現代の新しいプロパガンダというものをこのように説明した。それが実際に行われたのが、オバマ政権によるイラン核合意の説明だ。2016年5月5日、バラク・オバマ大統領の側近、ベン・ローズ副補佐官（国家安全保障担当）は、ニューヨーク・タイムズ紙の日曜版に掲載された長文の特集記事のなかで、自分にはアメリカ国民をだます力がある、メディアと手を組んでうまくだまし通せたともとれるような発言をしている。記事のタイトルは「野心的な小説家、オバマ大統領の外交政策の導師に　ベン・ローズはデジタル時代に向けた外交ルールをいかに書き換えたのか」。執筆者のデイヴィッド・サミュエルズは、ローズのプロパガンダ技術に興味を持ち、好意的に評価しているようだった。

サミュエルズが書いた記事の一部を見てみよう。「政権は、議会と大衆に外交政策をどのように説明するか。ローズはイランとの核合意を国民に『売り込む』ために、未来の政権も採用するであろう革新的な戦術を確立した。ほとんどのアメリカ人が知っている物語は、以下のようなものだ。オバマ政権は2013年、イランの新しい政治的現実を利用して、イラン政府と本格的に交渉を始めた。その『新しい現実』は、穏健派が選挙に勝利したために生じたものだ。だがこうした物語は、国民が核合意を納得しやすくするためにつくられたものだった（注10）」

このイラン政権との交渉に関する主張は、「かなり語弊がある」ものだったが、オバマの政策を支持したいジャーナリストたちはそれをそのまま報じた。サミュエルズは次のように書いている。「ローズが組み立てたイランとの交渉という『物語』は2013年に始まった。ハサン・ロウハニ率いるイラン政権の『穏健派』は、選挙で『強硬派』政権を負かした。それから『開放』の政策を始めた。違法な核開発の放棄について新たな交渉を進める意欲もある。そういう物語だった。そしてオバマ大統領は、自ら設定した2015年7月14日を合意の日とし、このようにスピーチした。『今日、2年間の交渉の末、合衆国は我々の国際的なパートナーとともに、何十年もの敵対関係のなかではできなかったことを成し遂げた』。確かに2年間の正式な交渉を経て合意に至ったため、大統領の声明は理屈のうえでは正しかったものの、かなりまやかしもあった。なぜなら、イランとの最も重要な交渉は2012年にすでに始まっていたからだ。ロウハニ（大統領）と『穏健派』陣営がイランの最高指導者、アヤトラ・アリ・ハメネイの妨害を乗り越えて選挙に勝利する数カ月も前のことである。イランに新たな現実があると訴えることで、オバマ政権は政局を乗り切ることができた（注11）」

バーネイズがこのプロパガンダを聞いたら、きっとその効果に感心するに違いない。

サミュエルズも、オバマ政権のプロパガンダ戦略をすばらしいと考えているようだ。「イランの体制に大きな分裂があったという見解や、オバマ政権は中東の近隣諸国や米国との平和的関係を望む穏健志向のイラン人たちに手を差し伸べたという見解が、大衆に広く流布された。オバマはそういう見解のおかげで、本来なら政権が行おうとする重要な選択をめぐって世論を二分しかねない問題について、論争を避けることができた(注12)」と書いている。

軍縮を訴える専門家集団が現れたことも、イラン核合意を後押しした。彼らの登場も発言も自分が計画したものだ、とローズは自慢気に語った。記事にはこう書かれている。「あの新たに登場した専門家たちは、もしかしてイラン核合意を応援するためにローズが送り込んだのではないか？　そうした疑問をぶつけると、ローズはこう説明した。『私たちはある種の反響ルームのようなものをつくり出したのです。彼らは、私たちが大衆に流した情報を正しいと認める発言をしてくれました(注13)』」

ローズはまた、ジャーナリストを使って政権の主張を国民に吹き込んだ。一部のジャーナリストはそれを言葉通りに報道していた。サミュエルズはこう書いている。「こういう環境のなかで、ローズは一度に多くの人に向かって腹話術師のように話すことができるようになった。ローズのアシスタントのネッド・プライスは、そのやり方のコツを教えてくれた。まずは記者会見で話す人が、自分に献身的に尽くしてくれる記者団を持つようにする。そうすれば、ホワイトハウスはニュースをつくって流しやすくなるという。プライスはこう付け加える。『だがこの記者団の数が倍増している。いまや私たちにはみな、記者の親友ができてしまった。なんだったら、いま数人に声をかけてみようか。彼らの名前は教えられないけれど（注14）』」。メディアの「親友」――それは政権と同じイデオロギーを持つ、いわば心の友であり、政権のメッセージを喜んでニュースとして報道するジャーナリストのことだ。

サミュエルズとプライスは、プロパガンダのゲームがどんなふうに行われているかを内部から私たちに教えてくれる。サミュエルズはプライスにこう言った。「『その記者の名前を当ててみせようか』と私は返した。ホワイトハウスがメッセージを載せると、すぐに反応してツイートしてくるワシントンの著名な記者やコラムニストが2、3人ほど、すぐに思い浮かんだからだ。プライスは笑った。『僕ならこう言うよ。ほら見て。これが米国の弱さの象徴だと指摘する人たちがいるけど……（注15）』」

サミュエルズは面白がって、口をはさんだ。「『実際には、それは強さの象徴ってわけか！』と、私はクスクス笑いながら言った」。プライスは続ける。「『その記者たちに、ちょっと追加で情報を話してあげたとする。彼らの多くはネット上で独自に情報サイトを立ち上げていて、記事を配信するんだ。そしてすごい数のツイッターのフォロー数を誇っている。だから彼らは、自ら進んでメッセージを拡散して回ってくれるというわけさ（注16）』」

今日、バーネイズが語った新しいプロパガンダは、テレビ画面にもひっきりなしに登場する。とりわけ一方的な例を紹介しよう。2018年12月30日の日曜日の放送で、NBCの番組『ミート・ザ・プレス』の司会者でありディレクターでもあるチャック・トッドは、気候変動の特集をした。たっぷり1時間を使って、国民に向かって一方的なプロパガンダを流し続けた。トッドは番組で、人為的な気候変動は科学的な事実だと主張し、現在も今後も「気候変動否定論者」――ホロコースト（ユダヤ人大量虐殺）否定論者にちなんで生まれた言葉のため、たいていの人にとっては不愉快な言葉だ――の声に耳を貸すべきではないと言い切ったのである。トッドの言葉を以下に載せよう。

今朝、私たちはいつもと違う形で番組をお届けします。ある一つのテーマについて掘り下げてみようと思います。ご存じの通り、今年も終わりに近づくなか、このトランプの時代にこういう特集をするのはとても難しいことです。それでも私たちは、文字通り地球を変えつつあるテーマについて徹底的に深掘りしてお伝えするつもりです。

これまでテレビニュースでは、気候変動の問題が十分に議論されたことはありません。議論をすることは大切です。でも同じぐらい重要なのは、私たちは気候変動について、それが存在するのかどうかについては議論するつもりはないということです。地球はどんどん暑くなっています。その大きな原因は人間の活動。それは確かです。気候変動否定論者のために時間を割くつもりはありません。たとえ政治的な意見は違っても、科学的には決着がついています。

また、天気と気候をごちゃ混ぜにするつもりもありません。猛暑は気候変動の証拠にはなりません。猛吹雪だから気候変動は起こっていない、と言えないのと同じです。ただし、マイアミが猛吹雪に襲われるのは別ですが。

本日は専門家の方々に来ていただいていますので、科学について、そして気候変動の影響について話してもらいましょう。もちろん、気候変動に対応しようとしない政治を変えるにはどうすべきかについても一緒に考えましょう。(注17)

実はトッドもNBCのプロデューサーやリサーチャーも、人間の活動が気候変動を引き起こしたという説に懐疑的だったり、完全に否定したりする科学者や気候専門家がいることを知っている。彼らはきちんとした資格を持った、真面目な科学者や専門家だ。学者やシンクタンクの研究員もいれば、統計調査を発表し、貴重な本を執筆している人もいる。気候変動の問題には、いまださまざまな疑問がある。調査は正確なのか。地球温暖化の原因は何か。地球温暖化は本当に起きているのか。地球温暖化に人類がどのような役割を果たしているのか。実際何が問題なのか。わずかな温暖化なら（植物の成長が盛んになるなどの理由で）地球にとって実はよいことではないか、など疑問は尽きない。(注18)

たとえば全米学識者協会が発表した記事のなかに、こんな記述がある。「S・フレッド・シンガーは人間による地球温暖化（AGW）の懐疑論者の代表と言われる科学者であり、大気物理学者である。科学環境政策プロジェクト（SEPP）というシンクタンクの創立者でもある。SEPPは、1990年代に国連の気候変動に関する政府間パネル（IPCC）が発表した知見に異議を唱えはじめた組織だ。SEPPは1997年の京都議定書への反論声明としてライプツィヒ宣言を掲げ、この宣言には100人以上の科学者や気象学者が署名をしている[注19]」

シンガーは気候変動に関する非政府間パネルという団体を立ち上げた。この団体は「2009年に、『気候変動の再考』という880ページからなる報告書を発表し、人為的な地球温暖化のモデルに反論する科学調査を取りまとめた。シンガーは、地球温暖化は確かに存在するが、それに対する人間の影響は小さいと考えている。インタビューのなかでシンガーは、ここ20年間の取り組みが実り、『科学的に決着がついた』という考えが間違っていることを証明できたと思うと語った[注20]」。チャック・トッドはテレビで、シンガーのような専門家をすべて否定論者として排除したのだ。彼らが人為的な気候変動に関する知的な探求や議論に加われないよう切り捨ててしまった。だが、彼らも議論に貢献できる何らかの知見を持っているのではないだろうか。

バージニア大学の元教授のパトリック・マイケルズは次のように説明する。マイケルズは現在、ケイトー研究所科学研究センターの理事を務め、ジョージ・メイソン大学のシニアフェローでもある人物だ。「いろいろな気候モデルがあるが、過去数十年間の地球の温度上昇はまったく再現できない。そういうひどいモデルをもとに、気候について究極とも言える悲劇を聞かされても、観察ではほとんど裏づけが取れない。さらに、二酸化炭素の変化に温度がどれぐらい敏感に反応するかという視点もある。それらのモデルではこの感度が高めに想定されていて、そのことを証明した科学論文も多数発表されているのに、気候変動論者は何とかしてそれを無視しようとした(注21)」

ケイトー研究所科学研究センターの著名なシニアフェローであるリチャード・S・リンゼンも同じ立場だ。リンゼンはマサチューセッツ工科大学の気象学の名誉教授であり、以前はハーバード大学の気象力学の教授を務めていた。米国科学アカデミーの会員で、アメリカ気象学会とアメリカ科学振興協会のフェローでもある。2009年には、大気科学の「極めて重要な研究」でアメリカ気象学会からジュール・G・チャーニー賞を、技術者協議会から優秀技術業績賞を受賞している。「リンゼンは大気力学の先駆的な研究によって、大気中の二酸化炭素濃度の上昇に対して地球の表面温度がどのような感度で反応するかを調べた。そして、その感度は破滅的な気候変動を引き起こすレベルよりはるかに低いと結論した(注22)」

また、カナダの環境コンサルタントで自然保護団体グリーンピースの共同創設者であるパトリック・ムーアは、アメリカ上院の公聴会で、人為的な温暖化を疑う証言をしている。「二酸化炭素の排出と地球の温度上昇との『直接的な因果関係』を裏づける『相関関係はほとんどない』。『過去100年間に地球の大気の温度はわずかに上昇しているが、その主原因が人間による二酸化炭素の排出であることを示す科学的な証拠はまったくない。もしそんな証拠があるのなら、誰もがわかるような論文が書かれているだろう。実は科学で理解できるような証拠は存在しない』」。ムーアはまた、「国連の気候変動に関する政府間パネル（IPCC）も批判した。IPCCは、人間の活動が地球温暖化の『最も有力な原因』である『可能性が極めて高い』と主張したが、ムーアは『可能性が極めて高い』というのは科学的な用語ではないと語った。IPCCが示した数字は数学的な計算や統計分析の結果でなく、IPCCの『専門家の判断』を裏づけるために『つくり出された』ものだとムーアは注意を呼びかけた」。(注23)

次に、ロイ・W・スペンサーを取り上げよう。彼は「1981年、ウィスコンシン大学マディソン校で気象学の博士号を取得した。NASAのマーシャル宇宙飛行センターの上級科学者だった頃に、衛星を使った地球の温度観測の研究でジョン・クリスティー博士とともにNASAの特別科学業績メダルを受賞している。その後2001年に、アラバマ大学ハンツビル校の主任研究科学者となった。スペンサー博士はNASAとの共同研究を続け、NASAの人工衛星Aqua（アクア）に搭載された高性能マイクロ波放射計の米国科学チームのリーダーを務めた(注24)」。

スペンサーはハートランド研究所がラスベガスで開いた第9回気候変動国際会議でプレゼンテーションし、次のように話した。「科学のすべての分野は等しくつくられている、科学者は客観的な答えを探している、と思っている人があまりにも多い。だがそうではない。世の中には、男と女という2種類の科学者がいる。それ以外の点では、科学者はほかの人々と同じ。むしろ（気候科学の分野では）平均的な人間よりも偏見にとらわれている場合も多い……。スペンサーはさらに、アメリカ海洋大気庁（ＮＯＡＡ）の温度データは都市部のヒートアイランド現象の影響を考慮していないと批判した(注25)」

スペンサーは、気温の上昇を測るときの問題の一つとして、温度計に頼ったアルゴリズムを挙げる。「私たちはあくまで、温度計に記録される気温上昇のほとんどは、都市部のヒートアイランド現象にすぎないと考えている。ここラスベガスは、基本的に砂漠につくられているというのに……都市化によって、過去40年くらいで夜間の気温が華氏10度も上昇した。温度計の記録から、その影響を取り除くことはできない。ヒートアイランドと地球温暖化を切り離して考えることはできないため、アルゴリズムからヒートアイランドの影響を排除することはできない。都市化によって長期的に温暖化する傾向があるのなら、ＮＯＡＡのデータにはその影響が含まれてしまう。温度計の目盛りでは区別がつかないからだ(注26)」

最後にスペンサーは、地球温暖化や気候変動については実は何もわかっていない、と主張する。「これまで20年以上も地球温暖化を研究してきた末に、私たちはいま何を知っているのだろうか。長く研究するほど、答えを見つけるよりも多くの疑問が生まれてくる。いったい温暖化について何がわかっているというのか。ほとんど何もわかっていない（注27）」

人為的な気候変動についてさまざまな本質的な問題や疑問を投げかける専門家、それも高度な教育を受けた、経験豊かな専門家はほかにも大勢いる。だが今後、そういう専門家は誰一人として、NBCの『ミート・ザ・プレス』では歓迎されないだろう。

NBCだけではない。たいていの報道機関やジャーナリストはそういう専門家の意見を真剣には取り合わないだろう。なぜならメディアは、民主党やプログレッシブ的な政策を支持する信念とあえて矛盾するようなことはしないからだ。メディアが支持する価値観によれば、気候変動を「解決」するためには、その「緊急性」を訴え、政府が社会で規制と課税を行う役割を拡大する必要がある。さまざまな国の政府と合意し、国家主権を国際組織の手に委ねる必要がある。それには新しい方法が必要だ。だから一方の意見だけが客観的な真実とされ、それとは違う事実を国民に伝える人たちは、どんなに信頼できるまっとうな人でも、科学の否定論者、気候変動の詐欺師として無視されてしまう。そして政府も国民も、目の前の政治・社会運動に参加するよう迫られ、国として「グリーン・ニューディール」のような大規模な対策を求められる。報道機関やジャーナリストのなかでも特にNBCとチャック・トッドは、自分たちのプログレッシブ的な考えによって事実を「解釈」し、「分析」している。「最終結論は出た。議論は終わり」というわけだ。

きっとバーネイズはトッドのことも誇らしく思うだろう。プログレッシブ的なイデオロギーを追求して、国民を操るための努力を惜しまず、プロパガンダを駆使している、と。実際トッドは、トランプ政権の気候レポートさえも、地球温暖化の動かぬ証拠として引き合いに出している。そうすることで、自分の言葉が普遍的に正しいことを印象づけようとした。トッドは言った。「今年は気候変動に関する報告書が次々と発表されました。たとえばトランプ政権の13の連邦機関が作成した報告書です。それらに共通するのは、温室効果ガスの排出量を削減するために直ちに行動しなければ、経済的な大惨事が起こると警告していることです。それでも連邦政府は気候の危機を否定し、対応しようとしません。政治の機能不全が進んでいます(注28)」

もちろんトッドは、報告書をつくったのはオバマ政権の息のかかった人たちだとは言っていない。だがハートランド研究所のH・スターリング・バーネットは、「行政機関のウェブサイトは地球温暖化をことさらに騒ぎ立てるプロパガンダツールだ」と題した監査報告書のなかで、次のように書いている。「NASA、海洋大気庁、国立衛生研究所、地球気候変動研究プログラム、農務省、国防総省、エネルギー省のウェブサイトは……気候と環境の問題について、間違った主張を流し続けている。たとえば、人間が危険な気候変動を引き起こしているのは『証明済み』だといった主張だ。これらの行政機関は、気候変動の原因と結果をめぐる活発な議論を決して丁寧に説明しない。それだけでなく、過去の出来事について『こうであるべき』と決めつけた主張をする。それは、さまざまな技術革新について、そしてそれが人間の生活拡大と経済発展に果たした貢献について、客観的で科学的な事実を踏まえたものではない。アメリカの発展に対するプログレッシブ的でリベラルな価値観を表している(注29)」

人為的な気候変動という説に反論する専門家や研究者が大勢いることを踏まえると、彼らに真っ向から挑んで、議論の終わりを宣言したこのトッドは、いったいどのような人物なのだろうか。トッドには、否定論者として切り捨てた専門家ほどの経歴もなく、専門知識もない。大学では政治科学を専攻したものの、中退した。在学中に民主党上院議員のトム・ハーキンの大統領選挙に参加している。現在47歳。気候関連の科学についての実績はまったくない。もちろん、たいした学歴も経験もないジャーナリストはトッドだけではない。プロパガンダを進めるためには、特別な知識や才能は必要ないからだ。

さて、メディアによるプロパガンダに注目するのなら、プロパガンダと似た性質を持つ言葉も調べてみる必要があるだろう。プロパガンダと同じように詐欺的で破壊的なもの、それは「疑似イベント（偽の出来事)」、あるいはトランプ大統領が「フェイクニュース」と呼ぶものだ。およそ半世紀も前にこのやり方を明らかにして詳しく説明した有名な人物がダニエル・ブーアスティンである。ブーアスティンは広く評価された歴史家としてシカゴ大学で教授を務め、アメリカ議会図書館の第12代館長となった。

１９６１年に出版されたブーアスティンの著書、『幻影《イメジ》の時代　マスコミが製造する事実』（星野郁美・後藤和彦訳、東京創元社）を見てみよう。

「世界を面白いものにする責任は、神から新聞記者へと移ってしまった。それは私たちが神学者でなくてもわかる。私たちはかつて、世の中には数えきれないほどの『出来事《イベント》』があると信じていた。だが、たとえそのなかに興味をそそる事件や驚くような事件がたくさんなかったとしても、それは新聞記者の責任ではなかった。存在しない出来事を報道するようにと、新聞記者に期待することはできなかった。だが過去１００年の間に、特に20世紀になってから、事情は一変した。私たちは新聞がニュースを満載していることを期待している。もし肉眼で見える、あるいは普通の市民に見えるニュースがないとしても、活動的な新聞記者はニュースを持っているに違いないと期待する。成功する記者とは、たとえ地震や暗殺や内乱がなくてもニュースを見つけ出せる人間だ。ニュースが見つからなければ、つくり出さなければならない。著名人にインタビューをしたり、月並みな事件から驚くべき人間的な興味を引き出したり、『ニュースの背後にあるニュース』を書いたり、方法はいろいろある。こういう方法が全部うまくいかないときは『解説記事』を書けばよい。つまり、すでによく知られている事実の再編集、あるいはこれから起こるかもしれない大事件についての考察である」

ブーアスティンによれば、これは新しい類いの「人工的な新奇な出来事で、私たちはこうした出来事を大量に経験している」。これが「疑似イベント（pseudo events）」と呼ばれるものだ。「この『疑似（pseudo）』という接頭語は、『偽物の』あるいは『人を欺くための』という意味のギリシャ語から来ている（注30）」

ブーアスティンによると、24時間動いているメディアが登場したことで「いまではニュースとニュースとの間隔があまりにも短くなった。だから新聞の版ごと、または放送時間ごとに新しい『ニュース』を付け加えるため、すでに手もとにあるニュースをあらかじめ各段階にわけて小刻みに発表する必要が出てきた……。記事で埋めなければならない紙面が増え、（新聞記者は）もっと速いスピードで紙面を埋めなければならなくなった……。ニュースの取材はニュースの製造へと変化したのである（注31）」。

さらに、「疑似イベントは幾何学級数的に別の疑似イベントを生み出す」とブーアスティンは書いている。「その理由の一つは、どんな類いの疑似イベントも（あらかじめ計画されることで）定型化され、独自のやり方を持ち、そこから離れられなくなる傾向があるからだ。こうして疑似イベントが柔軟性を失うにつれて、もっと流動的で、刺激的で、興味深い曖昧さのある疑似イベントを派生的につくり出そうとする圧力が生まれる……。最近では、ワシントンの新聞記者は、正確で印象的な報道をする能力があるかどうかではなく、巧みに暗示するスキルを持っているかどうかで評価される。新聞記者はニュースの入手ルートを確保しておきたいと思うのなら、独特な言葉と文体を使ってニュースの出所を曖昧にしなければならない。政治家や役人が非公式に打ち明ける内容を、それが事実かどうかを微妙にぼやかしながら報道し、同時に嘘はついていないという印象を与えなければならない。最もよく使われる常套手段は、報道している現実に関する記者自身の、あるいはほかの人の推測を記事にすることだ。新聞記者は曖昧さをつくるのに一役買っている。こういう曖昧さがあるからこそ、報道がもたらす確固たる事実が意味を持つのだろう(注32)」

この疑似イベントの絶好の例が、いわゆるロシア共謀疑惑だ。まずはこの疑惑を簡単に振り返っておこう。ことの発端は、ヒラリー・クリントンとその陣営からドナルド・トランプ候補に向けられた非難だった。それを受けて民主党の上院議員と下院議員は、刑法上の要件がないにもかかわらず、特別検察官の任命を求める声を上げる。民主党を支持するメディアが特別検察官の任命を後押ししようと一斉に報道し、そうした声を盛り上げた結果、ロバート・モラーが特別検察官に任命された。その後の捜査については、リークや憶測による報道が相次ぎ、もともとの「ロシア共謀」疑惑やトランプ大統領とは無関係な者の起訴、司法取引、有罪判決が続いた。やがて捜査はモラーの捜査から分かれて広がっていく。たとえばニューヨーク州南部地区連邦検事局が捜査を始め、トランプ大統領の弁護士マイケル・コーエンとの司法取引の末、コーエンに選挙資金法違反による有罪判決を下した。また、議会での偽証罪などいくつかの罪でもコーエンを有罪とした。

こうした流れを受けて、メディアは、トランプ大統領が法律に違反していた可能性があると盛んに報道した。トランプは起訴されるだろう、いやすでに秘密裏に起訴されているのかもしれない、息子のドナルド・トランプ・ジュニアが起訴されるだろう、いや義理の息子のジャレッド・クシュナーが起訴されるだろう、とさまざまな推測が飛び交った。民主党とそのプログレッシブ的な政策を支持するメディアは、こういう疑似イベントや疑似ニュースに勢いづいた。彼らの最優先の目標である、トランプ大統領の解任に弾みがつくと考えたからだ。

こうしてついに、ロシア共謀疑惑は壮大な疑似イベントとなった。民主党を応援するメディアがアメリカ国民に対して延々と続けた、現代の報道詐欺と言えるかもしれない。結局、特別検察官の報告書は、「捜査の結果、トランプ陣営の関係者が選挙への介入についてロシア政府と共謀や協力をしたとは証明されなかった」と結論した。注意してほしいのは、報告書には、検察側は起訴に持ち込み有罪判決を勝ち取れる十分な証拠を揃えられなかった、とは書かれていなかったことだ。そうではなく、共謀の事実を確認できなかった、とはっきり書かれていた。

特別検察官は、疑惑が事実でないとわかったのだろう。司法長官のウィリアム・バーによると、「特別検察官は……19人の弁護士を雇い、約40人のＦＢＩ捜査官、情報アナリスト、法廷会計士、その他の分野の専門スタッフからなるチームの補佐を受けた……。２８００本以上の召喚状を出し、約５００本の捜索令状を執行し、２３０件以上の通信記録を押収し、発信記録の利用許可を50回ほど発行し、外国政府に証拠提出を13回要請し、約５００人の証人を聴取(注33)」するほど徹底的に調査をしたからだ。

最終的に、トランプ陣営が２０１６年の大統領選挙でロシア政府と共謀したとする、民主党を支持するメディアが流したストーリーは、完全なつくり話という結果になった。この2年半というもの、このストーリーは毎日のように朝から晩までテレビや新聞やインターネットで「報道」され、メディアが考え出したさまざまな陰謀、策略、疑惑、推測、仮定、結論が伝えられてきた。

メディアはこの疑似イベントに関する誤った情報を、いかに集中砲火のように人々に浴びせてきたか。メディア監視サイトであるニュースバスターのリッチ・ノイエスは２０１９年3月25日、これを裏づける調査結果を発表した。驚くべきデータである。

「２０１７年1月20日（大統領就任日）から２０１９年3月21日（特別検察官ロバート・モラーが司法長官に報告書を送付した日の前夜）まで、ＡＢＣ、ＣＢＳ、ＮＢＣの夜のニュース番組では、『ロシア疑惑』の話題を合計で2284分も放送した。その大部分（1909分）は2017年5月17日にモラーが任命されてからのことだ。平均すると791日もの間、毎晩かかさず約3分間放送された計算になる……。今年の1月1日から3月21日まで、夜のニュース番組でのトランプ関連ニュースの論調を調べたところ、否定的なトーンが92パーセント、肯定的なトーンはわずか8パーセントだった」(注34)

報道機関のなかで並はずれて無責任な報道をしたのは、ニューヨーク・タイムズ紙とワシントン・ポスト紙だ。とはいえ、両新聞とも「ドナルド・トランプの大統領選挙とロシアの関係についてスクープし、2016年の選挙に対して特別検察官が実施中の捜査に注目する報道をした」(注35)として、ピューリッツァー賞（訳注＊ジャーナリズム・文学・音楽などで業績のあった人物に与えられる、アメリカで最も権威のある賞）を受賞している。

ニューヨーク・タイムズ紙のディーン・P・バケット編集長は、同紙のジャーナリズムを誇りにしていたが、それは特別検察官が疑惑は事実でないと否定してからも変わらないようだ。「私たちはロシアに関する記事をたくさん書いたが、後悔してはいない。違法性があったかどうかを決めるのは、私たちの仕事ではない」(注36)と言う。だが問題は違法性ではなく、疑似イベントを本当のニュースとしてしきりに報道し続けたことだ。

テレビ業界で、この共謀疑惑をとりわけ夢中で追いかけていたのがCNNだ。2019年3

月26日、ブライトバート・ニュースのジョシュア・キャプランはこう報じている。「CNNの議会担当記者のマニュ・ラジュは昨年12月、ウィキリークスがクリントン陣営の電子メール情報を公表する2週間ほど前に、その情報へのアクセス方法をドナルド・トランプ・ジュニアに電子メールで連絡していたと報じた。だがCNNは、ウィキリークスからドナルド・トランプ・ジュニアへの電子メールの日付を確認していなかったようだ。日付は2016年9月14日。その頃には、クリントンの情報はすでに公表されていた。また6月にCNNは、ホワイトハウス報道官のアンソニー・スカラムーチがトランプ大統領の就任前にロシアの銀行家と会合を持った件で捜査を受けるもようだと報じた。スカラムーチはこれを否定し、CNNは虚偽の報道を行ったとして最終的に謝罪した。この虚偽報道をめぐっては、編集主幹のレックス・ハリス、編集者のエリック・リクトブラウ、トーマス・フランク記者が責任をとって辞職している。さらにCNNは7月、トランプ大統領の顧問弁護士のマイケル・コーエンが特別検察官の捜査で証言する決心をしたと報じた。大統領は息子のドナルド・トランプ・ジュニアとロシアの弁護士らがトランプタワーでミーティングを行うことを事前に知っていたという内容だ。コーエンの弁護士のラニー・デイビスはのちに、CNNは事実を『取り違えた』と言い、コーエンがミーティングのことを知っていたとする報道を否定した（注37）」

ところが、CNN社長のジェフ・ザッカーは誤りを認めようとせずこう言った。「私たちは調査官ではありません。ジャーナリストです。私たちの役割は知っている事実を伝えること。ただそれをしただけです。現職大統領が選挙運動で敵国と共謀した疑いを、大統領の配下にある司法省が捜査したのです。メディアが報じたから大事件なのではなく、前代未聞の出来事だから大事件なのです」(注38)。ただし、CNNが繰り返し報じたのは、事実ではなくつくり話だった。

そしてメディアはまたしても、団結して守りを固めはじめた。報道機関の幹部やジャーナリストやコメンテーターのなかには、悪びれもせず批判に反論する者が増えている。たとえば2019年3月25日、ABCニュースのホワイトハウス主任担当記者のジョン・カールは、トーク番組『ザ・ビュー』に出演して次のように主張した。

「……いくつか疑問があると思う。それに答える必要があります。確かに一部の報道には大きな過ちがありました。でも、これは大ニュースです。ウォーターゲート事件以来、大統領にこれほど重大な捜査の手が及んだことはない。大統領候補者が海外の大国と共謀した疑いがあり、これ以上重大な疑惑はありません。事実ではないという結論になったが、ここに至るまでには重大な局面がいくつもありました。大規模な犯罪捜査が行われたのだから、記者はそれを報道しなければなりません。常に積極的に報道する必要がある」(注39)

そうしたなか、おそらく最も的を射たコメントをしたのは、フォックス・ニュースのシニア政治アナリストでABCニュースの元ホワイトハウス主任担当記者のブリット・ヒュームだろう。2019年3月25日、フォックス・ニュースの番組に登場したヒュームはこう語った。「考えてもみてください……。この捜査の始まりは2016年の中頃にさかのぼる。とても長い捜査のなかで、テレビや新聞を通じて、次から次へとさまざまな憶測と非難が伝えられてきた。実に大勢の人たちが、間違った思い込みでこのニュースを報道してきました。そもそも多くの報道機関は、ドナルド・トランプが大統領に選ばれるとは思っていなかった。大きな見込み違いをしたが、私たちはそこからあまり学んでいない。あれは私のジャーナリスト人生で最悪の失敗でした。だから真剣に自分を見つめ直すべきです。ところが残念ながら……反省は見られません。司法妨害について、一部の放送局はどんどん憶測を交えて伝えるようになってしまった。ときには民主党がつくった筋書きに従って報道しているようにも見えます（注40）」

だが民主党を支持するメディアは、何も学ぼうとせず、方針を変えようともせず、疑似イベントをつくる新たな機会をもう探している。疑似イベントは別の疑似イベントを生み出すからだ。もう一度、ブーアスティンの言葉を借りれば、こういう疑似イベントは「定型化され、独自のやり方を持ち、そこから離れられなくなってしまう（注41）」。事実、メディアはバー司法長官の真意には疑問があると言いはじめ、特別検察官のスタッフ同士の軋轢について、匿名の情報筋からの情報を記事にしている。また、下院民主党議員がモラー検察官の報告書の修正前のコピーを求めて証拠提出命令を出したことを、ニュース速報として取り上げた。証拠提出命令には法的に正当な根拠がなく、それはただの民主党のキャンペーンにすぎないというのに——。

さらに広く見れば、メディアは主張や憶測をもとにした「ニュース」記事を人々に大量に流し、たいていは自分たちがつくったストーリーを裏づけ、補強するような「匿名の情報」や「出所不明の情報」や「リーク」から記事を書いている。調査報道で有名なジャーナリストのボブ・ウッドワードが書いたトランプ政権の暴露本をはじめとして、大統領や彼のマネジメントスタイルを批判したほとんどの書籍は、かなりの部分を匿名の情報に頼っている。こういう書籍やその著者たちはニュースバリューがあるとされ、出版後はたびたび「ニュース」として報道される。一方、一般の人々は、こうした報道や書籍が真実かどうかを合理的に判断できない。なぜなら人々は、ジャーナリストや著者に情報を提供したと思われる人物を特定できないうえ、その人物が信頼できるのか、何かに恨みを抱いているのか、それとも隠れた思惑があるのか、見極められないからだ。

たとえば2018年9月5日、ニューヨーク・タイムズ紙は「匿名」の人物による意見記事を掲載した。記事のタイトルは、「私はトランプ政権内のレジスタンス（抵抗勢力）の一員だ。大統領のために働いているが、同じ考えの同僚たちとともに、トランプの一部の政策や特にひどい意向を阻止しようと誓っている」。同紙はこの異例の決断について、こう説明する。「ニューヨーク・タイムズ紙は、匿名の意見投稿を掲載するというめったにない決断を下しました。

この措置は、トランプ政権内の高官である筆者の希望に応えたものです。私たちは筆者が誰なのかを知っていますが、名前を公表すれば、その方の仕事が脅かされかねません。この重要な視点からの意見を読者に届けるには、匿名での掲載が唯一の方法と考えています(注42)」

この匿名の人物の主張をいくつかここに挙げてみよう。

- 大統領自身はわかっていないようだが、最大のジレンマは、政権内の高官たちの多くが、トランプ大統領の一部の政策や特にひどい意向を懸命に止めようとしていることだ。
- ただ、私たちは何よりもまず国に対して職務を果たす必要があると考える。大統領はアメリカという共和国の健全性に有害な言動を続けている。
- 問題の本質は、大統領の道徳観念の欠如にある。彼と働いたことのある人間なら誰でも、彼が何か明確な原則に沿って物事を決断するタイプの人間ではないことを知っている。
- 多くの人が不安定な状況を目の当たりにしたため、閣僚の間では当初、大統領の弾劾を求める憲法修正第25条を発動させ、大統領の罷免に向けた複雑な手続きを始めるべきではないかとささやかれた。ただ、憲法の危機を引き起こすことを望む者はいなかった。だから、何らかの形で政権が終わるまで、私たちは政権を正しい方向に導くためにできるだけのことをする。

・懸念されるのは、トランプ氏が大統領として行ってきたことだけではない。私たちアメリカ国民が、彼に好きにさせてしまっていることのほうが問題だ。私たちは彼と一緒に地に堕ちてしまった。私たちの言説からは礼儀正しさが失われてしまった。(注43)

ニューヨーク・タイムズ紙がこの論説を発表した瞬間から、このたった一人の匿名の投稿をめぐって、トランプ政権の何人もの現職の高官または元高官の間でその内容や証拠について議論が起きた。メディアは大げさに騒ぎ立て、盛んに「ニュース」が報道され、それが何週間も続いた。まさにニューヨーク・タイムズ紙が期待していた状況だろう。民主党を支持するほかのメディアは、喜んで期待に応えたのである。

疑似イベントが狂ったように報道された。

またブーアスティンによれば、疑似イベントによって生じる影響はもう一つあるという。新聞記者の公的人格の形成だ。「ニュース記事に個人的な意見や判断を入れないという新聞記者の職業倫理が生まれた時期と、疑似イベントが増加した時期が歴史的に一致したのは、一見奇妙に感じられるかもしれない。だが新聞記者はいまや疑似イベントをつくり出すことで、自分の個性と創造力を十分に発揮することができるようになった(注44)」

この描写によく当てはまるのが、CNNホワイトハウス主任担当記者のジム・アコスタではないだろうか。2018年11月7日、アコスタはトランプ大統領の記者会見で、中米諸国から北上してアメリカの国境を越えて入ってこようとしている集団について大統領に議論をふっかけ、質問者の立場を利用して記者会見を乗っ取ろうとした。そのやり取りの動画を国中の人々が目にしている。実はアコスタは質問したのではない。質問という形で自分の考えを主張した。そしてマイクを奪われそうになっても抵抗し、主張を繰り返した。大統領と報道官たちに無礼を働き、さらに大統領との議論では重要な事実をいくつか誤解していた。

まずアコスタは、大統領と対峙して挑発的な口調で言った。

「大統領、あなたの中間選挙終盤での発言について説明を求めたいと思います……」

バラク・オバマ大統領はどんな記者会見でも、民主党を支持するメディアからこのようなやり方で議論をふっかけられたことはなかった。当然だ。ジャーナリストが大統領に対して、記者会見でこんなふうに振る舞っていいはずがない。敬意を持って質問だけをするべきだ。

アコスタは続けて、大統領は嘘をついた、人種攻撃だ、とあくまでも非難した。

アコスタ　この移民キャラバンは侵略だ、とあなたは発言しました。大統領、ご存じの通り……

トランプ　私は侵略だと考えている。

アコスタ　大統領、キャラバンは侵略ではありません。移住者のグループが中米諸国からアメリカの国境に向かって移動しているだけなのです。そして……

トランプ　教えてくれてありがとう。感謝するよ。

アコスタ　……大統領、なぜキャラバンを侵略だと述べたのですか。

トランプ　私は侵略だと考えているからだ。君と私は意見が違うということだ。

アコスタ　でもあなたはこの選挙で、移民を悪者に仕立て上げたと思いませんか。(注45)

その当時、アコスタは、違法な入国をしようと国境に向かっている集団について直接取材をしていたわけではなかった。集団がメキシコの国境の町ティファナにたどり着いたこと、そこで起きた混乱について、よく知っていたわけではなく、(注46)移民キャラバンを支援する組織や資金源について調査もしていなかった。(注47)アコスタの知っていることは一般の人々とたいして変わらず、現地で報道に携わる人たちと比べればごくわずかだった。大統領が国土安全保障省から毎日報告を受けている情報さえも知らなかった。

大統領の記者会見でのアコスタの言動は、いつもこんな感じだ。横柄で芝居がかっている。彼は今回、自分が主役を演じて疑似イベントをつくり出した。この疑似イベントは国民に何か役に立つ情報を伝えるどころか、さらに疑似イベントを生む結果となった。ホワイトハウスがアコスタの記者証を取り上げて出入り禁止にしたため、CNNは多くのメディアの支援を受けて記者証を取り返そうと裁判所に訴えたのである。国境での最近の出来事を見れば、かつてないほどの数の移民がアメリカに流れ込み、法的処置や行政裁判所や収容施設も間に合っていない。アコスタの主張が間違っていたのは明らかだ。

アコスタはまた、この騒ぎのおかげで夜のトーク番組で人気者となり、まるでハリウッドの有名人のような扱いを受けている。

その後アコスタは、出版社のハーパーコリンズと出版契約を結んだ。ホワイトハウスでCNNのために取材をしながら、自分の著作のための情報やメモを取り、大統領とスタッフに関する噂話を商売に利用している。彼が大統領やスタッフを挑発して口論となったのは、自分の著書のネタにするため、あらかじめ仕組んだパフォーマンスの一面もあったのではないだろうか。

これがニュース報道のあるべき姿なのか。

人々のためになるのだろうか。

アコスタの著書のタイトルは、『国民の敵　真実を語るのが危険な時代が来た（*The Enemy of the People: A Dangerous Time to Tell the Truth in America*）』。出版社のプレスリリースによると、「真実を認めないホワイトハウスの初めて明かされるストーリー。

事実に反感を抱くトランプの危険性を描き、民主主義に対するかつてない脅威を明らかにする」[注48]という。

アコスタの著書は、プレスリリースで大々的に宣伝された。「トランプ大統領と彼のスタッフ、そして言うまでもなく一部のトランプ支持者は、過去に例を見ないやり方でメディアを黙らせようとしている。誰もが目の当たりにしているが、私は直接の目撃者だ。この国ではいま、自由な報道は難しい。それでも私たちはニュースを伝える仕事を続けなければならない。真実は戦う価値があるからだ[注49]」

アコスタはまさに現在のメディアの考え方を体現している。盛んに自分を売り込み、ヒステリーと言えるぐらい、主張と情報操作を繰り返す。自分に注目を集めて、特定の出来事や政策を強調し、ニュースをつくり出そうとする。プレスリリースにさえも、プロパガンダと不合理な主張が散りばめられている。メディアを黙らせようとするトランプ政権から「かつてない」攻撃があったとアコスタは自らを美化するように言うが、これもプロパガンダの一つと言えるだろう（プロパガンダについては第4章も参照してほしい）。

では、こうした現代のメディアとジャーナリストによって何が生まれているのか。あらためてブーアスティンの著書を見ると、こう書かれている。客観的な真実を伝えるジャーナリズムが失われることで「アメリカのような民主主義社会では、人々は疑似イベントの洪水に直面する。教育水準が高く、裕福で、競争が盛んで、しかも技術が高度に進んだ社会では、なおのことそうだ。言論、新聞、放送の自由には、疑似イベントをつくり出す自由も含まれている。互いに競争する政治家、新聞記者、報道機関は、みなこの創造的行為に参加している。世界についての魅力的で『有益な』ニュースと幻影《イメジ》を提供するために、激しく競い合っている。彼らは事実を推論し、新しい事実を生み出し、自分たちでこしらえた質問に答えを要求する自由を持っている。私たちが『思想の自由市場』と呼ぶのは、競って生み出される疑似イベントに人々が直面し、それらを判断する自由を持つ場所のことだ。これが人々に『情報を与える』ことの本当の意味である（注50）」。

結果として、私たちは目覚めている時間のほとんどを、メディアがつくり出した虚構の世界で生きている。ブーアスティンはこう言う。「アメリカ国民が現在住む世界では、空想のほうが現実そのものよりも現実的であり、幻影のほうがその実物よりも重々しい。私たちにはこの困惑に正面から立ち向かう勇気がない。なぜなら曖昧な経験は心地よい色彩に富んでいて、つくられた現実を信じることで、現実的な慰めを感じることができるからだ。私たちは自ら進んで現代のひどいねつ造の片棒をかつぎ、自分自身を欺いているのである（注51）」

ブーアスティンの忠告は鋭い。「私たちを最も苦しめるものは、私たちがアメリカに対して何をしたかではなく、アメリカをどう変えてしまったかということだ。自分たちの欠陥や弱さのせいではなく、自分たちの幻影のせいで苦しんでいる。現実ではなく、現実の代わりに据えた幻影に取りつかれている。幻影の正体を発見しても、世界の問題を解決することにはならない。だがそれを発見しなければ、本当の問題が何なのかは決してわからないだろう。私たちがつくり出した世界に住む幽霊を追い払っても、現実の世界にいる現実の敵を征服する力や現実の世界をつくり直す力は手に入らない。だが、幻影通りに世界をつくることはできないということは発見できるかもしれない。そうすれば私たちは解放され、視界がクリアになるだろう。もやが消えて、全人類と分かち合うこの世界を正視することができるようになるだろう」(注52)

貴重な忠告だ。しかし、民主党を支持するメディアがこれを受け入れる兆しはあるのだろうか。残念ながら、いまはない。彼らは相変わらず破滅の道を進んでいる。

実際、報道が批判されると、メディアや記者たちは団結して「報道の自由を守っているのは我々だ」と反論する。だがブーアスティンは、「報道の自由とは、かつてコミュニティーの利益のために保たれていた制度だった。だが今日では、人工的な『商品』をつくる新聞記者の特権の遠回しな言い方にすぎない」(注53)と書いた。

メディアは日常的にプロパガンダを使い、疑似イベントを広めるばかりでなく、ほかにも情報操作を行っている。あるストーリーを広めるため、あるいは現実のニュースを握りつぶすために、ある情報や出来事を報道しない選択をしたり、完全に隠蔽したりすることがある。こういう誠実さに欠ける行動は、これまで実際に行われてきた。特に忌まわしい例が、1930年代から40年代にかけてヨーロッパでナチスが行ったユダヤ人大量虐殺と、1930年代初めにスターリン政権が起こしたウクライナの飢餓に関わる報道だ。

信じられないかもしれないが、ニューヨーク・タイムズ紙をはじめとするアメリカのほとんどのメディアは、意識的にこの大量虐殺と大飢饉を軽視し、無視した。そのため、多くのアメリカ人はしばらくの間、何が起こっているのか気づかなかった。

第6章 ニューヨーク・タイムズの裏切り

The New York Times Betrays Millions

イギリスのジャーナリスト、クラウド・コックバーンはかつてこう書いた。

「すべてのニュース記事は順番が逆だ。本来はまず事実があり、そこからニュースが生まれるはずだ。それなのに実際は、まずジャーナリストの見方や考えがあり、それをもとに事実が組み立てられている(注1)」

ユダヤ人大量虐殺（ホロコースト）に関する報道についてもこれが当てはまる。ジャーナリストが集団思考に陥り、メディアによる隠蔽や徹底的な自主規制といった不当な行為が重なった結果、何百万ものヨーロッパ系ユダヤ人とアメリカ国民をひどく裏切ることとなった。これはアメリカの報道機関がこれまでに犯した軽率で詐欺的な行為のなかで、最大のものである。

ホロコースト研究者のデイビット・S・ワイマン博士は、1984年の著書『ユダヤ人は見捨てられた（*The Abandonment of the Jews*）』のなかでこう書いている。「（ホロコーストが行われている間）ヨーロッパ系ユダヤ人の惨状に対するアメリカの一般市民の反応は、ほかの国の人々と比べて薄かった。それは多く（おそらく大部分）のアメリカ人が、１９４４年以降までヒトラーのユダヤ人絶滅計画のことを知らなかったからだ。市民には情報が十分に提供されなかった。なぜならマスメディアは、何百万ものユダヤ人の組織的な抹殺を小さなニュースであるかのように扱ったからだった[注2]」

１９４２年11月24日、ナチスがヨーロッパ系ユダヤ人を殺害している明らかな証拠が公になったものの、ほとんどのメディアはこのニュースに見向きもしなかった。「（11月24日から）数週間たっても、その事実がしっかりとした記事で報じられることはなかった……。その歴史的なニュースは、最初は取り上げられることなく見過ごされた[注3]」

最近公表された文書によると、連合国は１９４２年12月には、ユダヤ人大量虐殺についての情報を直接入手していたという。２０１７年４月18日、イギリスのインディペンデント紙は初めて次のように報じた。「国連がホロコーストに関する資料を新たに公表した。実に約70年間、人目に触れることなく保存されていた文書だ。それによると、アメリカ、イギリス、ソビエト連邦の政府は１９４２年12月という早い段階で、少なくとも２００万人のユダヤ人が殺害され、さらに５００万人が殺される危険性があることを把握しており、訴追の準備をしていたことが明らかになった。だが連合国は、命の危険にさらされているユダヤ人を救い出すために、保護の手を差し伸べようとはしなかった……。1942年12月の末、当時イギリスの外務大臣だったアンソニー・イーデンは、イギリス議会で『ヒトラーはユダヤ人を絶滅させる計画をたびたび掲げてきましたが、ドイツ当局はいまやその計画を実行しています。彼らの野蛮なルールが及ぶ領土からユダヤ人を追放するだけでは満足していないようです』と発言している(注4)」

ではアメリカではどうだったのか。ワイマンはこう主張する。「フランクリン・ルーズベルト大統領がそのニュースを2、3回でも発言していれば、世間の注目が集まり、しばらく話題になっていただろう。だがルーズベルトはユダヤ人の境遇にあまり関心がなく、ワシントンの記者たちもあえて指摘しようとはしなかった。いまにして思えば、ルーズベルトが記者会見(通常1週間に2回行われていた)で、ほぼ1年後までヨーロッパ系ユダヤ人の大量虐殺について一言も発言しなかったのは信じられない気がする。大統領はその問題について記者たちに何も話さず、記者からも質問はなかった(注5)」

ルーズベルトも国務省も、ホロコーストに世間の注目を集めたいとは思っていなかった。国務省の役人たちは、ヨーロッパ系ユダヤ人の運命について、控えめに言っても「無関心」か、あるいは徹底的な反ユダヤ主義のどちらかだった。アメリカのメディアは、ユダヤ人に関するルーズベルトのこの方針に手を貸した。戦争中のほとんどの期間、報道機関やジャーナリストたちは、ユダヤ人大量虐殺の情報を自ら報じないようにしていた。あるいは、たまに思い出したように記事にしても、ほかの膨大なニュースに埋もれてしまっていた。「通信社（AP通信やUP通信など）のニュース配信や自社の特派員から、デスクには（最終的には）詳しい情報が届いていたにもかかわらず、多くの新聞はホロコーストについて、ほとんど報道しなかった」とワイマンは言う。（注6）

だが、きっとニューヨーク・タイムズ紙なら、あらゆる手を尽くしてユダヤ人の大量虐殺を調査し、報道したのではないだろうか。当時から広く読まれていた新聞で、大勢の記者を抱え、外国からの情報も手に入る。アメリカで最も影響力ある新聞としての評判を誇り、ユダヤ人の読者も多く、所有者もユダヤ人だったからだ。ところが、現実はその逆だった。

「当時アメリカで最も有名な新聞だったニューヨーク・タイムズ紙は、所有者がユダヤ人だったが、ユダヤ人偏重と思われるのを懸念していた。そのため、ホロコーストに関して、ある程度報道していたものの、たいていは1面以外のページで小さく扱うだけだった……」

ではワシントン・ポスト紙はどうだったか。ワイマンによると、「同じくユダヤ人が所有するワシントン・ポスト紙は、ユダヤ人の救出を主張する社説をいくつか掲載したものの、ヨーロッパ系ユダヤ人の実情についての報道はあまりなかった。ワシントンのほかの新聞も同じように、ユダヤ人の大量虐殺に関するニュースはわずかしか載せていない（注7）」。

そのほかのメディアはどうだろうか。「ニューヨークとワシントン以外の地域では、報道はさらに少なかった。すべての主な新聞がホロコーストに関するニュースを掲載はしたが、紙面の目立たない場所に、小さな扱いでたまに報道されるだけだった……。アメリカの大衆雑誌に至っては、ホロコーストを無視したも同然だった……。ラジオでもほとんど扱われなかった」(注8)

エモリー大学のデボラ・E・リプシュタット教授は、著書『信じがたい真実（*Beyond Belief*）』で、ホロコーストが起きていた当時、メディア自らがその事実を報道しなかったのは報道機関の組織全体に関わる問題だ、と書いている。リプシュタットの著書の一部を紹介しよう。

「戦時中の悲劇（ナチスのユダヤ人大量虐殺）が広範囲に起きていたことを疑わしく思う人もいれば何も知らない人もいた。そのことに関するメディアの責任は大きい。おそらくメディアの報道の仕方によって、人々に疑いが芽生え、それが大きくなったのかもしれない。読者の心に疑いの種をまいたのがメディアでなかったとしても、メディアはそういう疑いを正すためにほとんど何もしなかった。戦時中、ジャーナリストは、実情を直接目にした現地の情報筋からの情報ではユダヤ人が移送され処刑されているというニュースを確認できない、だから大量虐殺のニュースに疑いを持たざるを得ない、と何度も話していた。だがこの説明には誤りがある。なぜなら、彼らは実は情報の大部分をドイツの声明や放送や新聞から手に入れていたからだ。

そういう情報源はもちろん、ユダヤ人大量虐殺のようなニュースを否定しがちだし、それが事実だとは決して言わないだろう。中立的な情報筋も、ドイツの報告は信頼できると見ていた。またメディアは仮に目撃者に会えたとしても、『信頼性』や『中立性』がないという理由で、そうした目撃者の話に耳を貸さないことが多かった（注9）」

　リプシュタットによると、確かに１９４３年（いまでは１９４２年だとわかっている）になる頃には、「ユダヤ人を『絶滅させる』というナチスの脅威は、文字通りの意味として理解されていたはずだ。数々の証拠を踏まえると、大勢のユダヤ人が絶滅計画に沿って殺されたことを認めない理由はほとんどなかった。だがさまざまな情報にかかわらず、一部の記者たちは、ヒトラーと部下たちがユダヤ人の組織的な絶滅キャンペーンを行っているという報告は正しくないと感じていた。なかでも最も知られた人物が、ニューヨーク・タイムズ紙のビル・ローレンス記者である。ローレンスは、ヒトラーが『ユダヤ人にひどい仕打ちをして、大勢のユダヤ人がドイツ西部の保護施設に避難させられた』ことは疑っていなかった。だが１９４３年10月（連合国がナチスのユダヤ人絶滅政策を事実として発表してから10カ月後）の時点になっても……彼はナチスが『何百万ものユダヤ人、スラブ人、ロマ族……そして知的障害の可能性のある人たち』を殺害したとは信じていなかった（注10）」。

　リプシュタットの調査によると、戦争中のほとんどの間、ルーズベルト政権はナチスのユダヤ人絶滅計画を隠蔽し、軽視したことがわかっている。そしてマスメディアは政権に従い、政府のそういうプロパガンダを鵜呑みにし、証拠をあえて発表しなかった。リプシュタットはこう説明している。「（ルーズベルト）政権の意向をくんで動く戦争情報局は、（ユダヤ人大量虐殺に）国民の注意が向かないように情報を厳しく制限しようとした。いわゆる『ユダヤ人問題の最終的解決』、つまり大量虐殺がドイツの『戦略と原則』を実現する重要な手段だったことは事実だが、戦争情報局は、報道機関にそれを報じないでほしいと要望した。戦争プロパガンダのなかでもそのことに触れなかった……。メディアは政権の方針に従ってユダヤ人の話題を報道せず、あるいはほかのさまざまな民族が経験している一般的な苦難として報じた」(注11)

ウィンストン・チャーチル、フランクリン・ルーズベルト、ヨシフ・スターリンはナチスの残虐行為を非難する正式な宣言を発表したとき、巧妙にもユダヤ人の大虐殺についてはあえて触れなかった。リプシュタットは、「このユダヤ人の悲劇を無視するという明確な方針は、1943年秋のモスクワで、実に理不尽な形で現れた。チャーチルとルーズベルトとスターリンは会談し、モスクワ宣言として知られる文書に署名をした(注12)」。この宣言はこう警告している。

イタリア人将校の大量射殺とフランス人、オランダ人、ベルギー人、ノルウェー人の人質やクレタ島の農民の処刑に参加したドイツ人、またはポーランドやソビエト連邦の人々

の殺害に加担したドイツ人は……犯罪現場に連れ戻され、自分が攻撃を加えた人々によって現地で裁かれるだろう。(注13)

「宣言のどこにも、遠回しにもユダヤ人のことは書かれていない。だがメディアはそれをあっさり無視した(注14)」とリプシュタットは言う。

驚くべきことに、こうしたメディアの隠蔽は戦争が終わる頃まで続いた。リプシュタットによると、「戦争が実質的に終結して（死の）収容所が解放されたときでさえ、記者たちはユダヤ人の悲運を、収容所に監禁されて殺害されたほかの多くの民族の運命と同じように位置づけていた」。ユダヤ人を標的にした残虐行為とヒトラーによる『ユダヤ人問題の最終的解決』をなるべく小さく扱うためだった。(注15)

そうしたなか、ニューヨーク・タイムズ紙に直接狙いを定めて、細かく調べ上げた人物がいる。ノースイースタン大学教授で元ジャーナリストのローレル・レフだ。彼女はホロコーストが行われている間にメディア全般が果たした役割だけでなく、とりわけニューヨーク・タイムズ紙が果たした役割に注目した。そして、「1939年から1945年にかけて、なぜニューヨーク・タイムズ紙はヨーロッパ系ユダヤ人の悲劇を報道しなかったのか」を詳しく論じた。(注16)著書『ニューヨーク・タイムズ紙の隠蔽（*Buried by the Times*）』のなかで、レフは次のように問いかけている。「アメリカで最も有力な新聞が今世紀で最も重要なニュースを取り上げなかった。それはなぜだろう。一般に広まっていたメディアの規範なのか、それともニューヨーク・タイムズ紙の方針なのか、記者個人の問題なのか……。ニューヨーク・タイムズ紙は独特な存在だった……。ニュースを総合的に伝え、アメリカの世論をつくる担い手として大きな影響力を持っていた……。長年、国際問題に熱心に取り組み、紙面が不足すれば記事ではなく進んで広告を犠牲にし、ユダヤ人読者も多い。だからニューヨーク・タイムズ紙は、ほかの主な新聞と比べてもニュースが充実していた。ニューヨーク・タイムズ紙がホロコーストのニュースを大きく取り上げなかったことで、政治家はもちろん、同紙のことを信頼に足る新聞と考えていたほかのジャーナリストたちも大きな影響を受けた。ニューヨーク・タイムズ紙の所有者がドイツ系ユダヤ人だったことも、当時のホロコースト報道を方向づけるうえで重要な意味を持った。当然、ヨーロッパの同胞たちの悲劇にはもっと敏感に反応するだろうと思われていたからだ(注17)」

レフは同紙をこう断罪する。「ニューヨーク・タイムズ紙が、何百万ものユダヤ人の虐殺はさほど重要なニュースではないと判断したことで、さまざまな方面に影響があった。ニュースの価値を判断しようとしていた他社のジャーナリストたち、世論を動かしたいと思っていたユダヤ人団体、アメリカの対応を決めようとしていた政府高官への影響は大きかった(注18)」

実はニューヨーク・タイムズ紙の発行人アーサー・ヘイス・サルツバーガーは、ホロコーストのニュースを、紙面で意図的に、繰り返し、握りつぶしたり完全に無視したりした。レフはこう書いている。「確かに戦争は重要なニュースだったが、1面には戦争のニュースだけを載せる必要はなく、実際ほかのニュースも載っていた。ニューヨーク・タイムズ紙の1面には毎日12本から15本ほどの記事が掲載されていたが、戦争に関するニュースはたいていそのうち半分にも満たなかった……。ニューヨーク・タイムズ紙がナチスのユダヤ人迫害の記事を初めて載せたとき、『史上最大の大量虐殺』という見出しで記事が載ったのは5面だった。たくさんの記事の列のいちばん下に掲載された。一方、100人に満たない市民が殺されたというニュースが定期的に1面に踊っていた（注19）」

サルツバーガーがヨーロッパ系ユダヤ人の苦難から距離を置き、冷たい態度をとったのは、ユダヤ教への彼自身の考え方が大きく関係していた。レフはこう書いている。「サルツバーガーの場合……自分がユダヤ人だからといって特別にユダヤ人救出を訴えたり、ユダヤとアメリカへの二重忠誠を示すべきではないと懸念していた。それは純粋に実利的な計算によるものではなかった。サルツバーガーの心に深く根づいた、宗教や哲学の信念によるものだった。状況が変わっても、彼は価値観を変えようとはしなかった。ユダヤ人であることは単に宗教の問題であって、人種や民族の区別ではない、だから仲間のユダヤ人を助ける義務はないと彼は考えていた。ドイツで、そしてドイツに比べれば穏やかではあったもののアメリカでも、反ユダヤ主義が盛り上がるにつれて、サルツバーガーは、ユダヤ人はほかの国民とまったく同じだ、と少々激しすぎるほど反論した。ユダヤ人だからといって迫害されるべきではないし、反対にユダヤ人だからといって救出すべきでもないと主張した。実際、アメリカ系ユダヤ人のうち仲間のユダヤ人を助けた者たちは、アメリカ人としての立場が悪くなる恐れがあるとサルツバーガーは信じていた。だからこのニューヨーク・タイムズ紙の発行人は、冷静に考えた末に、ドイツ占領下にあるヨーロッパでのユダヤ人の異常な迫害を取り立てて強調しようとはしなかった。信念を持ってそうしたわけだ。ニューヨーク・タイムズ紙がユダヤ人のニュースを目立たない形で掲載し、社説や1面で（特別に取り上げるので）はなく一般的なニュースとして伝えたのには、一部にはそういう理由があった[注20]」

信じられないことだが、サルツバーガーは、一部のユダヤ人リーダーを個人的に嫌っていた。祖国（ホームランド）の地にユダヤ人国家を築こうとする彼らの運動にも反対していた。こうしたサルツバーガーの感情がニューヨーク・タイムズ紙のホロコーストの扱いに影響したのは確かだろう。レフは次のように述べている。「サルツバーガーがユダヤ人の迫害を紙面であえて小さくしか扱わなかったのは、アメリカ系ユダヤ人コミュニティーとの関係によるものでもあった。彼はアメリカやパレスチナのユダヤ人リーダーに反感を感じていた。そういう気持ちもあって、ヨーロッパで迫害されているユダヤ人への共感がやや薄れてしまったようだ」[注21]。サルツバーガーは、パレスチナの地にユダヤ人国家を建設することに反対していた。「それについて、アメリカのユダヤ人リーダーたちと公の場で激しい論戦を繰り広げた。そのため、彼はユダヤ人国家を目指す彼らの活動だけでなく、ヨーロッパ系ユダヤ人のための彼らの取り組みにも反感を覚えるようになった」[注22]

レフの調査でも、ワイマンとリプシュタットの調査と同じことが明らかになっている。ニューヨーク・タイムズ紙をはじめとするほとんどのメディアは、ホロコーストについて知った事実の大部分をアメリカ国民に報道せず、隠蔽していた。レフによると、「メディア全般の、とりわけニューヨーク・タイムズ紙の事実の伝え方を見ると、情報を入手することとそれを報道することには隔たりがあることがよくわかる……。ニューヨーク・タイムズ紙もほかのマスメディアもホロコーストのニュースを報道したものの、それは世論を動かす可能性のある伝え方ではなかった……。ニューヨーク・タイムズ紙は、ホロコーストを重要なニュースとしては扱わなかった。車の運転者に、自動車登録番号を取得していないのなら価格管理局に行ってガソリン配給券に書いてもらいなさい、と伝えるのと同じ程度にしか扱わなかった。1944年3月2日の1面には、役所に混乱が起きるかもしれないという記事が載っているが、その同日、『絶望からの最後の声』というユダヤ人の記事は4面に追いやられていた」[注23]

またメディアの報道姿勢に大きな影響を与えた要素として、ルーズベルト政権にも注目しなければならない。ルーズベルト政権は、メディアにユダヤ人の悲劇に直接関わるニュースを取り上げてほしくなかった。レフは言う。「政府は新聞発行者や編集者に特別な指示を出す必要はなかった。政府は情報の流れを管理した。特定のテーマについて発言し、ほかのテーマについては口をつぐみ、戦争の一部を大きく取り上げ、ほかの部分を軽く扱うことによって、メディアの報道に影響を与えた。政府の行為こそがニュースだと考えがちな報道機関は、政府の意向に従ったのだろう。物わかりのいいジャーナリストたちは、ユダヤ人を救うために特に何もしなくていい、という政府のメッセージを受け入れた（注24）」。ちなみにニューヨーク・タイムズ紙には、「サルツバーガーのほかにも、一歩踏み込んで政治問題に大きな影響を与えた人物がいる。ワシントン支局長でコラムニストのアーサー・クロックは、国務省の役人と手を組み、ユダヤ人救出の動きを抑え込むために力を尽くしていた（注25）」。

2001年11月14日、レフの著書はまだ出版されていないが、ワイマンとリプシュタットの著書が出版されてから数年後のこと、マックス・フランケルがニューヨーク・タイムズ紙にある意見記事を書いた。フランケルは同紙に50年間勤め、1986年から1994年まで編集長を務めた人物だ。記事のタイトルは、「創刊150周年記念　1851年から2001年。ホロコーストから目を背けた過去」。ニューヨーク・タイムズ紙は初めて、過去の過ちに徹底的に向き合おうとしたようだ。フランケルはこう書いている。「ヒトラーによるユダヤ人の組織的な虐殺を、第二次世界大戦の最も恐ろしい恐怖として報道しなかったことは……痛恨の汚点だ。私たちは戦争について伝えるとき、ナチスの罪に光をあてるべきだった（注26）」

フランケルはこう問いかけている。「では、なぜこの恐ろしいニュースを紙面のうしろのほうに隠してしまったのか。すべてのメディアとは言わないまでもアメリカの大部分のメディアや、ワシントンの大半の役人と同じように、私たちはユダヤ人の運命に関するニュースを次々と流れる戦況ニュースのなかに紛れ込ませてしまった……。ヒトラーがユダヤ人だけを狙って絶滅させようとしている事実を1面で扱ったのは、6年ほどの間にわずか6回。社説のトップでユダヤ人のことを取り上げたのは1回だけだった。彼らの救出を熱く訴えたのは、日曜版で2回だけだった（注27）」

フランケルがワイマンやリプシュタットらの学問的な研究に目を通していたのは間違いないだろう（彼自身がリプシュタットの本を読んだことを認めている）。こう書いているからだ。「私たちの新聞がこのように事実を語らなかったことを、多くの学者たちが研究対象にしてきた。さまざまな憶測や非難も浴びてきた……。わが社の社長や経営陣は『ユダヤ人であることを自己嫌悪し、反シオニズムの立場を取っている』と非難されてきた。一方で擁護してくれる人たちもいた。東ヨーロッパの死の収容所に関する情報の多くは不完全だった、何百万もの無実のユダヤ人を機械的に毒ガスで殺して骨や毛髪や靴や指輪の山を築くなど、戦前の世代には理解できない、と(注28)」

フランケルは過去の学者たちが論じてきたいろいろな説を調べた結果、「20世紀最大のジャーナリズムの失敗をしっかりと理解するには、どの説明も不十分なようだ」と書いている。そしてニューヨーク・タイムズ紙が「紙面のうしろのほう」に掲載したいくつかの記事にも注目したうえで、こう指摘した。「ユダヤ人の苦難に関するどの記事も、その日のトップニュースにするほどの記事ではなかった。1週間や1年間の重大ニュースにするにもふさわしくなかった。それらを読んだ普通の読者がナチスの非道な罪を理解できなかったのも無理はない(注29)」

フランケルは記事の最後に、読者を安心させるように、サルツバーガー家とニューヨーク・タイムズ紙は教訓を学んだと書いている。「戦争の終結とともにナチスのユダヤ人虐殺が明らかになると、わが社の経営者一族の有名な娘であり妻であり母であるイッフィゲーニ・オークス・サルツバーガーは、ユダヤ人国家は必要だと考えを改めた。そしてイスラエルとその友好的なリーダーたちの考え方を受け入れるよう、夫のアーサー・ヘイス・サルツバーガーを説得した。やがて、会社は二人の息子のアーサー・オークス・サルツバーガーと孫のアーサー・サルツバーガー・ジュニアへと引き継がれ、ユダヤ人のルーツへの無関心は過去のものとなった。いまはユダヤ人も編集者の地位につくことができ、私たちは社説でたびたびイスラエルを熱心

に支持するようになった」(注30)

だがこのように漠然と、やや自分勝手にフランケルが語った以上に、サルツバーガー家は、はるかに多くのことを知っていた。フランケルは、ショレンスタイン・センターの公表文書に書かれた事実に触れていない。その事実とはこうだ。「ニューヨーク・タイムズ紙はユダヤ人がナチスの残虐行為の被害者となった事実を滑稽なほど小さくしか報道しなかった（ワルシャワ・ゲットー蜂起（訳注＊1943年にゲットーのユダヤ人が起こしたナチスへの武装蜂起）に関する社説でも、どういうわけかそれがユダヤ人隔離地域であることを書かなかった）。一方で、アーサーとイッフィゲーニは、まだドイツに残っていた遠い親戚をアメリカに移住させようと精力的に動いていた。こうした人たちはヒトラーによって虐殺される危険があったが、それは単に宗教の問題ではないこと、彼らがルター派ではなくユダヤ教を信じることを『選択』したからではないことを二人はよく理解していた」。つまりニューヨーク・タイムズ紙の発行人夫妻は、個人的な情報と活動から、ヨーロッパ系ユダヤ人の悲惨な状況をよく知っていたわけだが、それでもホロコーストのニュースをリアルタイムで大きく取り上げようとせず、ユダヤ人国家の建設計画に反対していた。(注31)

実はシオニスト運動は、少なくとも19世紀後半から続いていた。その間ずっとニューヨーク・タイムズ紙は発行されていた。1945年に第二次世界大戦が終わり、ルーズベルトが死去すると、アメリカはユダヤ人国家の建設に支持を表明した。そして、何十年にもわたる戦いの末、1948年5月14日にユダヤ人の手によってイスラエル国が建国される。こうしたすべての出来事は、ニューヨーク・タイムズ紙の報道やサルツバーガー家の指示とは何ら関係なく起こった。

フランケルは次のように断言して記事を結んでいる。「アメリカのメディアがヒトラーの狂った残虐行為に注意を向けなかったことで、その後何世代にもわたる記者や編集者たちは、今日に至るまで罪の意識を感じている。だからこそ、ウガンダ、ルワンダ、ボスニア、コソボといったはるか遠い地で民族に起きた蛮行に敏感に反応してきた。大虐殺を目の当たりにしてジャーナリズムは手をこまねいているわけにはいかない、と固く決意している」(注32)

とはいえ、当時ニューヨーク・タイムズ紙の多くの報道現場、ジャーナリストやコメンテーターの間に広まっていた、ホロコーストに関する報道姿勢やユダヤ人への反感は、まったく消えてしまったわけではないようだ。イスラエルは1967年に第三次中東戦争に勝利し、国の生き残りをかけた戦いに勝てること、いずれ勝つことを証明してみせたが、それ以来、繰り返しメディアの標的になってきた。

たとえば2006年6月1日、元ニューヨーク市長のエド・コッチはニューヨーク・タイムズ紙に、「ニューヨーク・タイムズ紙の反イスラエル偏向」というタイトルの記事を書いている。コッチは、「英国放送協会（ＢＢＣ）とニューヨーク・タイムズ紙は一貫して、イスラエルに不利になるような、そしてパレスチナ当局とハマスに同情するようなニュース記事や社説を載せている」と主張する。とりわけニューヨーク・タイムズ紙を批判して、こう書いた。「ニューヨーク・タイムズ紙はなんと愚かなのだろう。パレスチナの人々が自分たちで選挙によって決めた（テロリスト集団のハマスにガザ地区の支配権を与えたこと）のだから自業自得であることは確かだ。だが、そう考えてメディアが批判もせず行動も起こさないという事態は、１９３２年以降、ヒトラーが合法的にドイツ首相の座について民主的に勝利し、ユダヤ人とのちにはヨーロッパ諸国を相手に戦争を始めてからも広く見られた。もし、１９３２年にドイツ国民がヒトラーを選んだことをメディアから批判され責められていたら、ナチスが５０００万人を殺害するのを防げたかもしれない。殺された人の６００万人はユダヤ人だった。ニューヨーク・タイムズ紙もＢＢＣの司会者も、こうした歴史的な背景には目を向けず、『イスラエルは新たなハマス政権を認めていません。一方、ハマスもイスラエルの存在を認めていません』とだけコメントした」。コッチは記事をこう締めくくっている。「ニューヨーク・タイムズ紙は第二次世界大戦後に自ら報告して認めたように、１９３０年代と40年代に、ヒトラーとナチス政権によるユダヤ人への残虐行為を十分に報道しなかった。重大な過ちを犯した……。ユダヤ人国家をつぶすというハマスが掲げる目標に気をとめない最近の記事は、１９３０年代と40年代に戻ってしまったかのようだ（注33）」

ＡＰ通信の元特派員で、しばらくの間イスラエル報道に携わっていたマッティ・フリードマンは、かつてのジャーナリスト仲間たちのイスラエル報道のやり方について語ったことがある。２０１４年11月30日、フリードマンがアトランティック誌に寄稿した「イスラエルに関するメディアの過ち――ニュースが伝えるのはイスラエルについてではなく、書き手の記者についてである。ＡＰ通信の元記者が語る」である。フリードマンはこう書いている。「ジャーナリストは特定の社会環境のなかで判断をしている。たいていの社会集団と同じく、ジャーナリストの集団にも、態度や行動や服装さえもどこか画一性が見られる（参考までに最近のファッションを紹介すると、余計なポケットのついたベストよりも、余計なボタンのついたシャツを着ている者が多い）。彼らは互いに知り合いで、頻繁に顔を合わせて情報を交換し、互いの仕事をよく見ている。特定の日に、ある地域でいくつかの大手報道機関が書いた記事を見ると、まったく違う記者や報道機関が作成し、編集しているのに、同じような内容の記事が目立つのはそういうわけだ（注34）」

どこかで聞いたことがないだろうか。まさにかつてのホロコーストの報道のときとそっくりだ。フリードマンは次のように言う。「私の経験では、ジャーナリストの社会ではイスラエルへの嫌悪は偏見として認められているだけでなく、参加資格のようになっている。イスラエルの政策や現在イスラエルを支配する不器用な政府を批判しているわけではない。私が批判しているのは、イスラエルのユダヤ人たちを世界の諸悪のシンボルとする考えだ。特に、ユダヤ人をナショナリズム、軍国主義、植民地主義、人種差別と結びつける考え方だ。この考え方はまたたく間に西洋の『プログレッシブ的』な時代の潮流になり、ヨーロッパの左派からアメリカの大学のキャンパスやジャーナリストをはじめとする知識人の間に広まった。ジャーナリストの社会では、この感情はイスラエル報道を行う個々の記者や編集者の手によって、ニュースを伝えるときの判断に反映されている。そしてニュースを受け取った一般の人々の間で自己増殖していく(注35)」

みなさんは、アメリカや世界中の報道でテロリスト集団のハマスが好意的な扱いを受けていることを不思議に思ったことはないだろうか。フリードマンはこう説明する。「イスラエル報道を読んだり、視聴したりする人の多くは、記事がどのようにつくられているのか知らない。だがハマスは知っている。2007年にガザで権力を掌握して以来、イスラム抵抗運動（ハマス）は、多くの記者が『イスラエル人は迫害者だ。パレスチナ人は正当な目標を掲げた被害者だ』というストーリーを信じており、それと矛盾する情報には関心がないことを知った。それがわかっているからこそ、ハマスの報道官は欧米のジャーナリストに対して、ハマスは好戦的な発言をしているが、実は現実的な考えを持った団体だと打ち明ける策を取っている。私はハマスからこうした話を聞かされたジャーナリストを個人的に何人も知っている。一方ジャーナリストたちは、そういう話を信じたがり、大衆は賢くないから鵜呑みにするだろうとばかりに、この偏った見方をスクープニュースとして取り上げてきた」(注36)

つまりコッチが苦言を呈したように、メディアはまたしてもニュースのもみ消しとプロパガンダの普及に加担している。「単にメディアにまん延する興味深い心理だったものが、ガザではいまや大きな問題となりつつある」とフリードマンは書いている。「ハマスの戦略は、パレスチナ市民のシェルターのうしろから攻撃してイスラエルを挑発し、イスラエルの攻撃で市民が亡くなるように仕向け、世界の大手報道機関の記者に犠牲者の写真を撮らせること。そうすれば海外諸国が怒りをあらわにし、イスラエルの反撃が鈍ることを理解している。残酷だが効果的な戦略だ。問題は、報道機関の側にある。私がこれまで述べてきたようなジャーナリズムの心理があるからこそ、そういう戦略が可能になってくる。ハマスがメディアを手なずける戦略をとっているとするなら、ここで難しい問題がいくつか浮かび上がる。メディアとハマスの関係はそもそもどうなっているか。両者の関係はメディアを腐敗させているのだろうか」(注37)

2018年5月、ハマスのイスラエル攻撃に関するメディア報道があまりにも偏っていたため、駐イスラエル米国大使だったデヴィッド・フリードマンは、報道を非難する意見記事を発表せざるを得なくなった。次のような記事だ。「何週間もの間、ハマスはイスラエルに対して、直接的で明らかな軍事行動を行ってきた。毎週金曜日には、ガザで礼拝に来た人々の感情に訴えかけ、イスラエルとの国境に押し寄せて暴力的な抗議運動をするよう扇動した。国境を打ち破り、イスラエルの市民を殺し、イスラエルの兵士を捕虜にせよと煽ったのである。さらに、この作戦が失敗に終わる見込みが高くなると、ハマスはかぎ十字を描いた『凧爆弾』をつくり、それをイスラエルの方向に放った。風向きがよければイスラエルにたどり着くというわけだ。また、ハマスの指示でガザ地区の住民60人ほどが集団自爆テロを行い、命を落としている。彼らのほとんどは、ハマスのテロリストだった。つまりハマスは盛んに宣伝されているような英雄でもなければ、平和的な抗議者でもない。少なくともリベラル派のメディアが現場に乗り込むまではそうだった（注38）」

フリードマン大使は、騒ぎ立てるばかりで本当の事実を報道しないメディアに反感を覚え、彼らを断罪した。「在イスラエル米大使館をエルサレムに移すというトランプ大統領の決断を非難するためのストーリーを求めて、メディアは必死になっている。それで開館セレモニーの中継を伝えるときに、テレビ画面を分割して、片方にガザの抗議暴動の様子を映し出した。テレビではまるで隣で起きているように見える惨事に、セレモニーの参加者がいかに無神経かを非難したのである。だが、実際は60マイルも離れたところで起きていた。翌日、リベラル派のメディアは大使館の移転に関わった全員を批判し、ハマスの哀れなテロリストを称賛した。

それまでこの地域に平和と安定をもたらすことができなかった大勢の外交官の名を引っ張り出しては、自分たちの凝り固まった考えを繰り返した。トランプ政権のせいで罪もない人々が命を落としている、と狂ったように責める者もいた。だが、メディアに登場した評論家たちは、パレスチナから流れ込む殺人者からイスラエルを守り、イスラエルの兵士たちを拳銃や爆弾や火炎瓶から守るためにはどうしたらよいか、死傷者を減らすにはどうすべきかを提案しようとはしなかった」(注39)

さらに2018年のクリスマスイブに、ニューヨーク・タイムズ紙は、レバノンを拠点としてイランの支援を受けるテロ組織、ヒズボラが偽りの融和を演じようと開いたイベントをニュースとして報じた。ヒズボラはテロリストをイエス・キリストになぞらえていたが、それはまったくのプロパガンダだった。その「ニュース」記事を紹介しよう。

イランの文化担当官がステージ上のマイクに向かって歩いている。ステージはイラン随一の二人の宗教権力者の顔が描かれたバナーで飾られていた。イラン・イスラム共和国の建国者であるアヤトッラ・ホメイニと、現在のイラン指導者であるアヤトッラ・ハメネイである。

アヤトッラ・ハメネイの顔の左側には光輝くクリスマスツリーがあり、ツリーのトップには金色の星が光っていた。天使の飾りや小さなサンタクロースの帽子が枝の間に見え隠れしている。つくり物の雪がモミの葉に薄く積もっている。

「本日はキリストの誕生を祝う日です」と文化担当官のモハメド・メヘディ・シャリタムダーはマイクに向かって宣言し、「それにイラン・イスラム共和国の40周年記念日です」と言った。

「神をたたえよ！」と別の人物が叫んだ。イライアス・ハッシャムである。彼はその日のために自作した詩を読み上げた。「救世主イエスが生まれた。平和の王であり、マリアの息子。奴隷を解放し、人々を癒やした。天使がイエスを守る。聖書とコーランが手をたずさえる」

「我々は反逆者をたたえる」と三人目の人物が宣言した。レバノン・シーア派の新たな宗教指導者である。彼が言う反逆者とはイエスのことだ。

イスラム宗教指導者のアハメド・カバランが宗教と政治の新しい考えを話しはじめた。「キリスト教徒とイスラム教徒は一つの家族です。社会正義をもって堕落に立ち向かい、レバノン軍とともに抵抗し、権威に、イスラエルに立ち向かうのです」(注40)

つまりヒズボラは、ユダヤ人を攻撃する理不尽で残虐なテロリストを、イエスの命とキリスト教の誕生になぞらえている。宗教指導者が言う「宗教と政治の新しい考え」は決して新しいものではない。ニューヨーク・タイムズ紙や報道関係者、その出版物をターゲットとした意図的なプロパガンダである。ところがニューヨーク・タイムズ紙は、それをニュースとして好意的に記事にした。

のちにニューヨーク・タイムズ紙は、アメリカ政府がヒズボラをテロ組織に指定したことを痛烈に非難した。ヒズボラのそれまでの行動に触れて、彼らは宗教的にキリスト教徒に寛容だとしてこう書いた。「アメリカはシーア派の政治運動を担う武装組織ヒズボラをテロ組織と指定しているが、そんなヒズボラも喜んでクリスマスの鐘を鳴らしている。数年前、レバノンはベイルート南部の郊外でプレゼントを配るサンタクロースの習慣を取り入れたという。土曜日に、ヒズボラの代表たちはイランのクリスマスコンサートに参加した。コンサートにはイランの芸術家の手工芸品も出展される。今年は予算が足りず、サンタクロースの登場は見送られたらしい(注41)」。同紙はまた、「アナリスト」の言葉を借りながらとんでもない説明をした。ヒズボラは伝道を行う団体で、まっとうな政治組織だとして、「アナリストによると、このようにクリスマスの精神を取り入れていることは、ヒズボラがレバノン社会の重要な政治、軍事勢力として開放的な組織である証拠だという。キリスト教系の政党との政治的な連携を強調していることがわかる(注42)」と断言したのである。

だが、ヒズボラはそのような団体ではない。非営利組織の反過激派プロジェクト（Counter Extremism Project）が言うように、「イランと同じく、ヒズボラもアメリカとイスラエルを最大の敵と考え、これら両国に対して世界中でテロ活動を起こしている。2001年9月11日までに、ヒズボラの関与で殺害されたアメリカ人の数は、ほかのどのテロ組織よりも多い。死者が出たヒズボラの攻撃を挙げると、1983年のレバノンで起きた海兵隊兵舎への攻撃、1992年のアルゼンチン・ブエノスアイレスのイスラエル大使館で起きた自爆テロ、1994年のブエノスアイレスのアルゼンチン・イスラエル相互協会で起きた自爆テロ、2012年のブルガリアで起きたイスラエルの観光バス爆破事件や、2005年2月のベイルートでの自爆テロへの関与も疑われている。この事件では、レバノンのラフィーク・ハリーリー元首相を含む23人が亡くなった（注43）」

ここまでニューヨーク・タイムズ紙やほかのマスメディアがユダヤ人国家に反感を抱いていることを、例を挙げて説明してきた。1930年代と40年代のヨーロッパ系ユダヤ人の惨劇の頃と同様、これは無関心というレベルではない。民主的な同盟国イスラエルは、テロ組織や、核兵器に執着するイランのような周囲のテロ国家によって破滅の恐怖に日々直面しているというのに、メディアは頻繁に、イスラエルへのあからさまな反感を積極的に示している。アメリカ中東報道の正確性委員会（CAMERA）のギリアド・イニは、ニューヨーク・タイムズ紙の直近1年あまりの記事を調べたところ、同紙は「報道倫理をいつも軽視している。反イスラエルの活動家を守り、世論を反ユダヤ人国家の方向に導くための運動に参加している」(注44)と結論づけた。

ところが驚くことに、ニューヨーク・タイムズ紙などのメディアがホロコーストを報道しなかったのは、ユダヤ人の場合が初めてではない。大量虐殺が起きているのを知りながら、その恐ろしい事実を報道しなかったことがかつてあった。1932年から1933年にかけて、ソビエト連邦の独裁者だったヨシフ・スターリンが大飢饉を起こし、ウクライナの人々を餓死させた事件である。何百万ものウクライナ人に対する大量虐殺だった。アメリカの歴史家ブルース・バートレットは、政治関連サイトの『ヒューマン・イベント』に、このホロドモール(ウクライナ大飢饉)についてこう書いている。「1932年から1933年にかけての出来事は、長期にわたる対立の結末だった。ソビエト連邦と、ウクライナ人のようなロシア国籍以外の人々、そして歴史的に独立心が強いというのに無理やり集団農場で働かされた農民たちとが長い間敵対していた。また、スターリンが工業化のために欧米の機械を購入する外貨を必要としていたことも原因の一つだった」(注45)

バートレットは続ける。「スターリンは1932年の末に、すべての穀物を強制的に取り立てる、邪魔をする者は全員、国家の敵と見なすという命令を出した。その結果、5000人以上が死刑となる。ウクライナの田園地帯や穀倉地域では、飢餓が始まった。食べ物がなくなりつつある土地から農民が離れないようスターリンは軍隊を送り込んだ。食糧支援を求める訴えに対し、スターリンは、飢饉は『わが国の体制のささいな不都合の一つ』にすぎないとした(注46)」

イギリスのマンチェスター・ガーディアン紙（現在のガーディアン紙）のマルコム・マゲリッジ記者は、何が起きているのかを自分の目で確かめようとウクライナに渡ったという。イギリスの作家サリー・J・テイラーは、著書『スターリンの擁護者（*Stalin's Apologist*）』のなかで、次のように記している。「1933年3月末にガーディアン紙に掲載された一連の記事で、マゲリッジは大規模な飢饉が起きている事実を彼自身が目にしたと明らかにした。記事によると、多くの農民が飢えに苦しんでいた。『栄養不足ではなく、完全に飢餓である……。何週間もほとんど食べ物がない状態だ……。事実だった。飢饉は組織立った犯行だった。いや、犯行どころではなく、これは侵略戦争だ(注47)』」

ニューヨーク・タイムズ紙は、マンチェスター・ガーディアン紙のようなほかのメディアの報道からも、ウクライナで起きている飢饉に関する真実を当然知っていたはずだった。さらに、スタンフォード大学フーヴァー研究所の歴史学者ロバート・コンクエストは、著書『悲しみの収穫　ウクライナ大飢饉――スターリンの農業集団化と飢饉テロ』（白石治朗訳、恵雅堂出版）のなかでこう述べている。「まず、西ヨーロッパでも非常に広く真実が伝えられていた事実を指摘しておこう。イギリスのマンチェスター・ガーディアン紙とデイリー・テレグラフ紙、フランスのル・マタン紙とル・フィガロ紙、スイスのノイエ・チューリヒャー紙とガゼット・ド・ローザンヌ紙、イタリアのラ・スタンパ紙、オーストリアのライヒポスト紙など、西ヨーロッパの多くの新聞に、詳しい、完全な記事が載った。アメリカでは、広い読者層を持つ一般紙がウクライナ系アメリカ人ら訪問者の生々しい体験を記事にしていた（だがこれらの話は、右派の雑誌に対するように、かなり割り引いて受け取られた）。クリスチャン・サイエンス・モニター紙やニューヨーク・ヘラルド・トリビューン紙、それにニューヨークのユダヤ人新聞のフォアウァート紙なども、特別記事を載せていた(注48)」

ところがニューヨーク・タイムズ紙は、当時モスクワ支局長を長年務めていたウォルター・デュランティが、ほかのメディアとは違った報道をした。デュランティは1917年のロシア革命やのちのスターリンとその恐怖政治を礼賛していた人物だが、ニューヨーク・タイムズ紙は彼を高く評価していた。1932年には、ニューヨーク・タイムズ紙に連載した、スターリンの残虐行為をテーマとした記事でピューリッツァー賞を受賞している。だが1932年から1933年にかけて、デュランティはウクライナで起きていた最悪の飢饉の事実を否定し、それればかりでなく、何百万ものウクライナ人の餓死にスターリンが果たした役割も報じなかった。マンチェスター・ガーディアン紙では、ガレス・ジョーンズ記者もウクライナ飢饉の記事を書いている。マゲリッジと同じく、ジョーンズも大規模な飢餓の発生地域に足を運び、辺りを約40マイルも見て回っている。そして目にしたこと、耳にしたことに驚愕し、それを詳しく記事にした。だがデュランティは、ジョーンズの話は信頼できないとすぐに攻撃した。ニューヨーク・タイムズ紙での立場を利用して、紙面上でジョーンズと彼の報道の正確性を酷評した。

1932年3月30日、デュランティはニューヨーク・タイムズ紙に、「ロシア人は空腹だが、飢えてはいない」というタイトルの記事を書き、ジョーンズの目撃談を否定し、嘘の情報だとこう反論した。「ジョーンズと話してから、私はこの飢饉とされる事態を徹底的に調べてみた。ソビエト連邦の人民委員会に問い合わせ、在外大使館に領事のネットワークを使って調査を依頼した。スペシャリストとして働くイギリス人や私がロシア内外で持つ人脈から聞いた情報を整理した。こうしたすべての情報は、ある地域に少しの間滞在して得られる情報よりも信頼できると思われる。ソビエト連邦は非常に広いため、短時間で調べるのは難しい。外国特派員の仕事は一部ではなく全体像を描くことだ（注49）」

デュランティは続けて、こう熱心に主張した。「これが事実である。国中で深刻な食料不足が起きているのは確かだ。管理の行き届いた国家でも集団農場でも、こういうことはときに起きる。大都市や軍隊には十分な食料が行き渡っている。飢餓や餓死は起きていないが、栄養失調による病気により、国中で多くの死者が出ている。ウクライナ、北コーカサス、ボルガ川下流などの一部の地域では極めて悪い状況だ。ほかの地域では、食料は不足していてもそれほど状況は悪くない。事態は厳しいが、飢饉ではない（注50）」

もちろんこれは真っ赤な嘘だった。

1933年の夏、飢饉はピークに達した。驚くべきことに、デュランティは1933年9月17日にまた攻撃を仕掛ける。ロシアからの新たな報告として、ウクライナの事態は収束しており、収まっていないという情報はでたらめだと伝えたのである。読者を安心させるように、ニューヨーク・タイムズ紙にこう書いた。「ウクライナの中心部を車で200マイル走ってきたばかりだ。すばらしい豊作で、いまや飢饉の噂はくだらない冗談のようだ。どこに行っても、共産党員も役人も田舎の農民も、会う人ごとに口を揃えてこう言う。『もう大丈夫だ。冬に向けても安心だ。すぐに収穫できる穀物がまだたくさんある（注51）』」

しかし、デュランティは都合の悪い事実を知っていた。カナダ王立軍事大学のルボミール・ウーチュク教授がこう明かしている。「1933年9月26日、モスクワのイギリス大使館で、デュランティは外交官のウィリアム・ストラングに、ソビエト連邦では昨年1000万人もの人が飢饉によって直接または間接的に亡くなったとひそかに打ち明けている。だが一方、デュランティは公の場では、集団農場の強制という残酷の仕打ちやそれによる大量餓死に関して勇気を持って報じたジャーナリストに敵意をむき出しにし、彼らをメディアから追放しようとした。ターゲットになったジャーナリストの一人がマゲリッジ記者である。かつてはヨーロッパの穀倉地帯と言われた肥沃なウクライナが、現代のゴルゴタの丘のように『されこうべの場所』になったというのに、デュランティは真実を覆い隠してしまった。ソビエト連邦による実験的な試みのために人命が失われたことを追及されると、デュランティは話をすり替え、『卵を割らずにオムレツをつくることはできない』と綺麗ごとを語った[注52]」

　確かにコンクエストも、「デュランティは個人的にはユージン・ライオンズ（ユナイテッド・プレスのモスクワ特派員）たちに、自分は飢饉の犠牲者を約700万人と見積もっていると漏らしていた……。だが、アメリカの大衆に伝えられたのは、ありのままの情報ではなく、嘘の報告だった。その影響力は計り知れず、そして長く続いた[注53]」と書いている。

　ところで、ニューヨーク・タイムズ紙の幹部は、デュランティの報道が信頼性に欠けるどころか、完全な嘘であることを知っていたのだろうか。おそらく知っていたはずだ。経営陣にそう思われるだけの理由があり、実際、彼らはそういう目で見ている。一つには、彼らは飢饉が起きていたときに、ほかの新聞記事を読むことができたからだ。だがニューヨーク・タイムズ紙は、それでもデュランティの記事を報道し続けた。ジャーナリストで学者のアーノルド・バイクマンの説明によれば、「ニューヨーク・タイムズ紙の上層部は、デュランティがスターリン主義のプロパガンダを書いているのではないかと疑っていたが、何もしなかった……。編集長のカー・ヴァン・アンダと編集次長のフレデリック・T・バーチャル、のちの編集長のエドウィン・L・ジェームズは、デュランティのモスクワでの報道に困惑していたが、手をこまねいていた。バーチャルはデュランティを異動させようと進言したが、『その進言は却下された』という（注54）」

それでもニューヨーク・タイムズ紙は嘘を重ねた。ジャーナリスト向けの学術誌『コロンビア・ジャーナリズム・レビュー』の2003年11月〜12月版で、編集者のダグラス・マコラムはこう批判している。「1934年にウォルター・デュランティがニューヨーク・タイムズを退社してロシアを離れると、同社は、デュランティがモスクワで12年間に手がけた仕事は『新聞社が長期間にわたって一人の記者に任せるにはこれ以上ないほど重要な業務だった』とコメントした」。要するに、ニューヨーク・タイムズの経営陣は、デュランティの「ジャーナリスト」としての業績に非常に満足していたというわけだ。マコラムはこう書いている。「その頃には、デュランティはジャーナリズムの世界で名声を得ていた。ジャーナリストの社交サークルだったアルゴンキン・ラウンド・テーブルのメンバー（ただし出席はしなかった）であり、ダンサーのイサドラ・ダンカンや文学者のジョージ・バーナード・ショー、小説家のシンクレア・ルイスとの親交も厚かった。そんなふうに尊敬されていたからこそ、大統領候補のフランクリン・ルーズベルトは、ソビエト連邦を正式に認めるべきかの議論にデュランティを参加させている。1933年に（アメリカがソビエト連邦を）承認すると、デュランティはソ連の外務大臣マクシム・リトヴィノフとともに調印式に参加し、ルーズベルトと内密に話をしている。国交樹立を祝ってニューヨークのウォルドルフ＝アストリアホテルで開かれた晩さん会で、デュランティは『現代の最も優れた外国特派員の一人』と紹介され、1500人の要人が彼に総立ちで拍手喝さいしたという」[注55]。デュランティはジャーナリスト仲間の間でも高く評価されていた。

ニューヨーク・タイムズ紙で長年ロシア特派員を務めたデュランティが、残酷なソビエト政府に、政府の代弁者として長く重用されていたのは間違いない。ソビエト連邦に関する彼の記事は、10年以上にわたってニューヨーク・タイムズ紙の紙面を飾り、彼はスターリンからその見返りを受けていた。マコラムは言う。「デュランティはモスクワで『外国特派員の長老』として知られ、贅沢な暮らしをしていることで有名だった。この質素な都市で、広い家に住み、豪華な食事を楽しんでいた。アシスタント、運転手、料理人、秘書、愛人を兼ねてカーチャという女性を雇い、彼女は二人の息子マイケルを生んだ。列車事故で左脚を失っていたデュランティは木の義足をつけ、いつも大型の車で移動していた。車は、ソ連の秘密警察が使うクラクションを搭載したビュイックだ。ソビエト政府と癒着《ゆちゃく》しているからそういう特権を与えられる、とライバルたちは噂した。ユナイテッド・プレスの特派員ユージン・ライオンズも、デュランティティはソビエト政府から報酬をもらっているかもしれないと疑っていた。もっとも、そのような証拠はないようだが——。とはいえ、当時もその後も多くの人が、デュランティはモスクワで高いステータスを享受する代わりにソビエト連邦への取材を控えたのではないかと考えていた。ガーディアン紙のマルコム・マゲリッジ記者は……のちにデュランティのことを、『50年におよぶ私のジャーナリスト生活のなかで出会った最大の嘘つき』と称した。著名なジャーナリストのジョゼフ・アルソップは、デュランティを共産主義者に『魂を売った高級志向の男』と呼んだ（注56）」

いまから10年以上前、亡きデュランティのピューリッツァー賞を剥奪しようという運動が盛り上がった。2003年10月23日、ニューヨーク・タイムズ紙はそのニュースを報じる記事を載せ、「ニューヨーク・タイムズ紙は1930年代に同社の特派員がソビエト連邦で行った報道について、コロンビア大学の歴史学教授に中立的な評価をしてほしいと依頼した」と書いている。結果はどうだったのか。「マーク・ヴォン・ハーゲン教授は、ニューヨーク・タイムズ紙への報告書のなかで、デュランティ氏がピューリッツァー賞を受賞した記事、つまりウクライナ飢饉が始まる前年の1931年に書かれた記事を『ソビエト側からの情報をほとんど無批判に書き写したような退屈な記事』と明言した。ソビエトは残酷で破滅をもたらす政権を自ら正当化していたが、バランスを失ったデュランティは、それを無批判に受け入れた。これはニューヨーク・タイムズ紙のアメリカの読者への裏切りであり、アメリカ国民が認める自由な価値観、ロシアやソビエト連邦の人々が紡いできた歴史、よりよい生活を得ようとする彼らの努力にひどい仕打ちを与えるものだった」[注57]

のちにインタビューを受けたヴォン・ハーゲン教授は、「(ピューリッツァー賞の選定委員会は)ニューヨーク・タイムズ紙の栄誉と誇りのために賞を取り消すべきです。デュランティ氏はニューヨーク・タイムズ紙の歴史において不名誉な存在でした」と語った。

だがニューヨーク・タイムズ紙の発行人アーサー・サルツバーガー・ジュニアは、ピューリッツァー賞の剥奪に反対した。「彼は、第一にそうした行為は、『粛清した人物を正式な記録や歴史から抹殺し、いなかったことにするというスターリン時代の慣行』を思わせるものだと書いている。『選定委員会は、何十年もさかのぼって受賞決定を再検討するという前例をつくってしまうかもしれない』という懸念についても書いていた」[注58]

ニューヨーク・タイムズ側の反論はかなり無茶なものだったが、結局、デュランティのピューリッツァー賞は剥奪されなかった。

ところで、ほかのメディアはどうだろう。スターリンが意図的に引き起こした飢饉とその結果起きた大虐殺について、どのように報道したのだろうか。ジェームズ・ウィリアム・クロールは著書『スターリンの楽園の天使たち（*Angels in Stalin's Paradise*）』に、次のように書いている。

「モスクワの報道機関の間では、飢饉の情報は広く知られていたようだ。西のほうを訪れた者たちはモスクワに戻ってくると、目にした光景を語り、特派員たちは、主要都市の郊外や鉄道駅を確認すればそういう話の真偽を確かめられることに気づいた。当局の取り締まりはあったが、農民たちはそうした場所に集まっていたからだ。それだけではない。移動は禁止されていたものの、電車に飛び乗って飢饉に見舞われている地域に入り、数日、あるいは数週間、見て回ることもできた。1933年の初めに、ニューヨーク・ヘラルド・トリビューン紙のラルフ・バーンドも……マンチェスター・ガーディアン紙のガレス・ジョーンズも……マルコム・マゲリッジも、そういう取材旅行で飢饉の実態を知った。こうして、飢饉に関する情報はモスクワの記者たちの間で広まったようだ。飢饉の発生に気づかない記者がいたとはとても考えられない。ユージン・ライオンズ（1928年から1934年までユナイテッド・プレスのモスクワ特派員）によると、『ホテルや家での何気ない会話のなかで、飢饉のことは当然のこととして話題になっていた』。またウィリアム・ヘンリー・チェンバレン（クリスチャン・サイエンス・モニター紙のモスクワ特派員）は、『1933年にロシアに住んでいて、周りの出来事に注意を払っていた者にとって、飢饉が歴史上の真実であることに疑問の余地はない』とさらに踏み込んだ発言をしている……。だがたいていの記者は、（ソビエト政府の）検閲を受けて、飢饉については口をつぐんでいた」(注59)

イェール大学のティモシー・スナイダー教授も著書『ブラッドランド　ヒトラーとスターリン大虐殺の真実』（布施由紀子訳、筑摩書房）のなかで、モスクワのほとんどのジャーナリストは大規模な飢餓が起きていることを知っていた、と書いている。「大量餓死や大量死にまつわる最低限の情報は、ヨーロッパやアメリカの新聞でも時折報じられたが、疑いの余地のない現実であることをうかがわせる明快な記事は見られなかった。スターリンがウクライナ人を意図的に餓死させようとしたと言う者はほとんどいなかった……。ジャーナリストは外交官ほどには情報を持っていなかったが、ほとんどの者が、数百万人の餓死者が出ていることを察していた」(注60)

さて本章では、巨大メディアがユダヤ人とウクライナ人の大量虐殺を前にして、誠実さ、倫理、職業規範を失ってしまったさまを見てきた。だがそれによって、ニューヨーク・タイムズ紙をはじめとする報道機関の評判と立場が永遠に傷ついたわけではない。メディア業界では、慎重に報道しようという改善の動きさえも生まれなかった。なぜそんなことがまかり通るのだろうか。数百万人の大量虐殺を隠蔽するためにメディアが果たした役割は許しがたい。その罪ほろぼしをするかのように、メディアは何十年もたってから、見え透いた言い訳や説得力に欠ける説明をしているが、それがいったい何の役に立つというのか。

そんな過ちはなかったかのように、横柄で独善的な態度とは言わないまでも、平気で活動を続ける業界がほかにあるだろうか。亡くなった人たちが口をきけるのなら、非人道的で残酷な行為に加担したニューヨーク・タイムズ紙などの報道機関は「国民の敵」だ――きっとそう言うに違いない。

第7章

共謀、権力乱用、人格についての真実

The Truth About Collusion, Abuse of Power, and Character

トランプ大統領と同政権に対するメディアの主張は、そのほとんどが感情的なもので、実にいい加減なものもある。トランプを毎日のように猛攻撃するメディアの記事を読めば、読者はこう思うだろう。トランプは過去の大統領や政権からは想像もつかなかったやり方で大統領の職務と行政権限を不正に利用している、と。

だが実のところ、トランプはそんなことはしていない。

トランプはウラジミール・プーチンとロシアの宣伝係で、二重スパイのような存在、あるいは、わいせつ行為で大統領という職を汚してしまったと思っている人がいるかもしれない。

民主党支持のメディアがつくるこうしたストーリーは、トランプが大統領候補だった頃から始まっていて、メディアの非難の嵐はその後も止むことなく続いている。それを踏まえて、私たちは事実を解き明かす必要がある。今日の報道現場やジャーナリストたちが全体に客観性を失い、プロパガンダのツールのようになっている実情をあらためて示すためには、そうした作業が必要だ。

本章では、トランプ大統領への非難を大きく三つにわけて見ていきたい。

共謀

ドナルド・トランプが大統領になってから、マスメディアは、トランプが2016年の大統領選挙でヒラリー・クリントンを倒すために「ロシア人」と共謀したという、根拠のない筋書きに固執してきた。だが今日に至るまで、議会や検察やメディアの調査では証拠が見つかっていない。民主党を支持するメディアによる揶揄《やゆ》、推測、ごまかしだけが続いていた。

2019年2月7日、特別検察官ロバート・モラーは、トランプ陣営とロシアの間に共謀はなかったと結論を出した。さらに上院情報特別委員会の委員長を務めるリチャード・バー上院議員は、CBSニュースで、「明らかになった事実をもとに報告すると、トランプ陣営とロシアの共謀を示唆するものは何も見つかっていないということです（注1）」と話した。数日後、バー上院議員はNBCニュースであらためて結論を繰り返した。「トランプ陣営とロシアの間に共謀があったという証拠はありません（注2）」

ここで強調しなければならないのは、この共謀疑惑は、ヒラリー・クリントン陣営と民主党全国委員会が、オバマのＦＢＩと司法省の力を借りて起こしたものだということだ。ウェブマガジンのザ・フェデラリストが、その経緯を明らかにしている。「国際法律事務所のパーキンス・コーイーは２０１６年４月、民主党全国委員会とヒラリー・クリントン陣営の指示を受けて、当時のドナルド・トランプ候補の醜聞を探り出そうとした。そこで、ワシントンの調査会社フュージョンＧＰＳに調査を委託した。フュージョンＧＰＳが雇ったイギリスの元諜報部員クリストファー・スティールは、トランプ陣営が２０１６年の選挙中にロシア政府と積極的に共謀した疑惑について文書をまとめた。だがこの文書に書かれた主張の多くには直接反論が集まり、ロシア疑惑の情報は客観的には検証されていない。スティールの弁護士は昨年４月、裁判所に提出した書類で、スティールの文書には事実の裏づけがなく、そもそも公表するために作成されたものではないと認めた[注3]」

政治専門紙ザ・ヒル紙のジョン・ソロモンが記事で明らかにしたところによると、スティールの文書はヒラリー・クリントン陣営の６名以上の関係者からＦＢＩの手に渡ったという[注4]。この文書の情報や、スティールがヤフーニュースのマイケル・イシコフ記者に吹き込んだニュース記事は、トランプ陣営とトランプのビジネスに捜査を拡大し、外国情報監視法（ＦＩＳＡ）に基づき裁判所から令状を得るために利用された。ＦＢＩ高官は、「この文書は政治的な性質を持つので気をつけたほうがいい」と注意されていたというが、外国情報監視裁判所は文書の資金源や作成目的に注意を払わなかったようだ。(注5)やがてさまざまな出来事があり、特別検察官ロバート・モラーが任命され、犯罪捜査に発展した(だがモラーの任命が正当化されるような、犯罪があったという根拠はなかった)。結局、2年近くの調査の末、共謀の事実は発見されなかった。

2018年12月に、ヤフーのイシコフ記者は、ポッドキャストのインタビューで信じられないコメントをしている。イシコフ記者は2016年9月23日にスティールの文書に関する記事を「速報」として報じた人物だ(記事はマザー・ジョーンズ誌のデビッド・コーンとの共同執筆だった。コーンは文書のコピーをFBIに渡した左寄りの記者である)。イシコフはこう語った。「スティール文書の詳細や具体的主張を実際に詳しく調べても、それらを裏づける証拠は見つからない。とてもセンセーショナルな内容だが、その一部は決して証明されないし、虚偽である可能性が高いと考えるだけの十分な根拠がある」。「真実と嘘が入り混じったものだ。ただし状況は変わる。モラーは現時点の公文書をもとに、この状況を覆すような証拠を見つけるかもしれない。ただ私が言いたいのは、具体的主張のほとんどは証明されていないということだ」(注6)

メディアはこの疑惑を熱心に取り上げた。捜査にも積極的な役割を演じた。FBI捜査官たちは倫理に反して、メディアに指示を出し、言うことを聞くメディアを頼みにしていた。

2018年9月5日の記事で、ソロモン記者はメディアと政府の共謀の例をいくつか挙げている。そして「この捜査では初めから、主な関係者たちはメディアと深くつながっていた」(注7)と書いた。

ソロモンが挙げた例を見てみよう。

- すでに解雇されたFBI捜査官ピーター・ストラーゾックと彼の愛人とされる元FBI弁護士のリサ・ペイジは、メディアに情報を流せば案件にどんな影響があるかについて、頻繁にテキストメッセージのやり取りをしていた。情報漏洩がFBIの仕業であることもほのめかしていた。(注8)
- FBI副長官だったアンドリュー・マッケイブは、メディアに情報を流したことについて嘘をついたために解雇された。マッケイブは容疑を認めている。(注9)
- FBIはヤフーニュースのマイケル・イシコフ記者による記事を理由の一つに挙げることで、トランプ陣営の顧問だったカーター・ペイジへの通信傍受を認める令状を取得した。その記事は、イギリスの元諜報部員クリストファー・スティールが調べたトランプの醜聞をクリントン陣営と民主党全国委員会が対価を払って購入したものだ。だがそもそもステ

ィールの調査は、ＦＢＩがリークした情報をもとにしていたことがわかっている。(注10)

- 捜査令状を認めた裁判所は、その記事が独自に裏づけ調査されたものではなく、スティールが違法に手に入れた証拠から間接的に得た情報であることを知らなかったようだ。(注11)
- 最近議会に提出された司法省の資料によると、スティールの上司だったフュージョンＧＰＳの創設者グレン・シンプソンは、スティールが関与したメディアへの情報漏洩について、選挙を揺さぶるための「神頼み的な企て」と考えていた。ＦＢＩと裁判所に情報を提供することが目的ではなかった。ＦＢＩはそういう偏った証拠を採用すべきではなかった。(注12)
- ストラーゾックのＦＢＩ内部でのやり取りから、ＦＢＩはスティールを解雇してからも、ロシア疑惑についてさまざまな情報を受け取っていたことがわかる。それらの情報はいまや広く知れわたってはいるが、事実の裏づけはない。マザー・ジョーンズ誌のライターであるデビッド・コーンも、そうした情報をＦＢＩに流した人物の一人だった。コーンは公の場で反トランプを掲げている(注13)

そのほかにも、元ＦＢＩ法律顧問のジェイムズ・ベーカーが情報漏洩の罪で取り調べを受けている。(注14)

このように、メディアは報道と社会運動の境界線を越えてしまった。ある物事を前に進めるためにメディアが自ら働きかけ、それを報道する。これこそまさに、本書の第1章で述べた「パブリック」ジャーナリズム、つまり社会運動（ソーシャル・アクティビズム）としてのジャーナリズムという考え方であり、それに疑問を抱く人の心配が的中してしまった。またメディアのプログレッシブ的なイデオロギーと民主党寄りの価値観は、昨今ますます強まるばかりだ。それは、メディアがトランプ大統領を「やっつける」ことに狂ったように執着しているのを見ればわかるだろう。逆にメディアは、クリントン陣営や民主党全国委員会、それにオバマのFBIや司法省や諜報機関がトランプ陣営やトランプ大統領を阻止するために果たした役割に関心を示そうとも、追及しようともしない。

その結果、報道機関やジャーナリストは、間違った、あるいは完全なつくり話を繰り返し人々に伝えるようになってしまった。ほぼすべての大手報道機関がこうした罪を犯している。なかでもAP通信（注15）、CNN（注16）、ニューヨーク・タイムズ紙（注17）、ワシントン・ポスト紙（注18）、マクラッチー紙（注19）、ナショナル・パブリック・ラジオ（注20）などがその典型だ。

さらにメディアは、トランプとロシアの共謀や最近の「一連の不安をかき立てる事件」の証拠を集めようと、さまざまな関係者と、とにかく人脈を築こうと躍起になっている。また、ロシア疑惑やトランプ大統領に関係のない有罪の申し立てや判決を、トランプが絡む犯罪行為や汚職の証拠だと大々的に報道している。

最近もメディアが盛んに報道した出来事があった。一部の連邦職員が現職の大統領の解任を求めて、おそらくアメリカの歴史上かつてない規模の政治的な転覆を謀ろうとしたとされる事件だ。彼らは選挙中も、トランプの選挙運動を妨害しようとしていた。実際に直接の証拠もあり、自白すらあるなかで、メディアはそうした陰謀を嘆くどころか、事件の成り行きや主な立役者を称賛しながら取り上げた。なぜなら、ターゲットがトランプ大統領だったからだ。

2019年2月17日のCBSの報道番組『60ミニッツ』では、司会者のスコット・ペリーと不祥事で解任された元FBI副長官のアンドリュー・マッケイブの間で、次のようなやり取りがあった。

元FBI長官のジェームズ・コミーの解任に触れて、ペリーはマッケイブに尋ねた。

「大統領に関わる司法妨害とスパイ防止の捜査を始めようと決めたのは、コミーの解任からどれぐらいあとのことですか」

マッケイブ　ロシア疑惑の捜査をしているチームと会った翌日のことだと思います。私はチームに向かって、これまでの捜査でどこまでわかっているのか、前に進めるためには何をすべきかを整理するように、と言いました。私がすぐに解任、転任あるいは解雇されても問題ないように、ロシア疑惑について決定的な証拠を残せるのかがとても心配でした。捜査にストップがかかり、事件が跡形もなく闇のなかに消される可能性があるからです。事件の確かな証拠を残したいと思っていました。そうすれば、私の次に誰かがやって来て、捜査を終わらせて手を引こうとしても、なぜそうするのかを記録に残さない限り、勝手なことはできなくなる。

ペリー　つまり、文書の記録を残したかったのですね。捜査が始まっていたという証拠ですね。捜査をストップさせられる可能性があると思っていたのですか。

マッケイブ　その通りです。(注21)

のちにマッケイブはこう語った。

「当時、(司法副長官の) ロッド・ローゼンスタインと私にどんなプレッシャーがかかり、私たちがどんな混乱状態にあったのかを正確に言い表すことはできません。信じられないぐらいの圧力とストレスを感じました。私から見て、そのストレスが……司法副長官に影響を与えていることは明らかでした。大統領はなぜ長官の解任にこだわったのか、ロシア疑惑の捜査のことが頭にあったのか、それが解任の決定に影響したのか、ロッドと私は話し合いました。そんな話をしているとき、ロッドは、ホワイトハウスに行くときに盗聴器をつけて行こうと言い出しました。『ホワイトハウスに入るときにボディチェックをされたことはないので、録音機器を持ち込むのは簡単だと思う。わかりっこないですよ』と言うのです。冗談ではありません。恐ろしく本気でした。それで次の会議に本当に持ち込んだのです。私自身は彼の提案に乗る気はありませんでした。それでFBIに戻ってから、そのことについて内部の弁護士と幹部と相談しました。ロッドが初めて盗聴器を持ち込んだ直後のことです(注22)」

ペリー　ローゼンスタインは、大統領の解任投票をした場合、閣僚の過半数が賛成するかどうかについても確かに話していたのですね。

マッケイブ　その通りです。何人が確実で、見込みがありそうなのは何人か、票読みしていました(注23)。

ほかのメディアの反応も、CBSと似たようなものだった。代表的なのが、CNNのジェフリー・トゥービン弁護士による翌日のコメントだ。トゥービンは、マッケイブを反逆者だと非難したトランプ大統領のツイートを受けて、次のようにコメントした。

この場合、反逆者ではなく愛国者が正しい言葉だと思います。彼らはアメリカという国の安全についてきちんと考えています。彼らはキャリア官僚です。民主党から任命されたのではない。アメリカの安全について気を配ることが彼らの仕事なのです。考えてもみてください。この2年間で有力な証拠が次から次へと出てきており、アダム・シフ下院議員はいま、大統領が本当にロシアと共謀したかどうかの捜査を行っている。この問題は相変わらず大きな懸念です。裏づけとなる証拠がたくさん出てきている。2016年にロシアとトランプの間で行われていた取引や、モスクワのトランプタワー計画の議論についても、彼らは当時まったく知らなかった。私が言いたいのは、彼らは反逆者ではなく、まったく逆なのです。(注24)

ロシアとの共謀疑惑は、トランプ大統領を破滅させるために、主に民主党を支持するメディアとFBIや司法省高官の許されない行為によってつくり出されたものだ。とはいえ、過去の大統領や側近が何者かと共謀したり、反逆行為を犯したりしたことは実際にあった。歴史を振り返り、そういう出来事を思い起こすことは、トランプが権力を乱用しているというもっともらしい疑惑について慎重な視点を持つうえでも価値があるだろう。以下で見ていきたい。

まずは、アレクサンダー・ハミルトンを取り上げよう。建国の父の一人ではあるが、一方で外国勢力と手を結び、ジョージ・ワシントン大統領の中立的な外交政策を批判し、のちにジェイ条約（訳注＊フランス革命に干渉する立場のイギリスと中立的立場のアメリカの関係改善を図るための条約）の締結に導いた人物でもある。そのジェイ条約は（正しいかどうかは別として）大いに批判されている。だが左寄りの価値観を共有するメディアや一部の人たちは、このアレクサンダー・ハミルトンがいまでも大好きだ。惚れ込んでいると言ってもいい。

たとえば、ニューヨーク・タイムズ紙のジャーナリストで名物演劇評論家でもあるベン・ブラントレーは、ミュージカル『ハミルトン』を絶賛する。このミュージカルは、ハミルトンの人生のプログレッシブ的な側面を描いた作品だ。プログレッシブを支持する人たちの多くは、この作品を通じて、自分の政治観や「抵抗勢力」としての考え方を認めてもらったような気持ちになるのだろう。ブラントレーはこう書いている。「ここ数カ月、このミュージカルは拡大したり縮小したりしながら、マンハッタンのイースト・ヴィレッジからブロードウェイまで、いろいろな劇場で上演されてきた。主演のリン＝マニュエル・ミランダは、ラップとダンスで、アレクサンダー・ハミルトン（アメリカの初代財務長官）の人生の起伏を描き出している。ファッション雑誌でも新聞の論説コラムでも、大いに称賛されている……。『もういい加減にしてくれ』と思うほどの称賛だったが、2月についにリチャード・ロジャース劇場で作品を見ることにした。すると多くの評論家と同様、信仰の心を取り戻した信者のように、この『ハミルトン』に心を奪われてしまった[注25]」

ブラントレーは続ける。「ブロードウェイのヒットミュージカルのチケットを手に入れるために、家を抵当に入れろとまでは言わない。だがこの『ハミルトン』は……見る価値があるかもしれない。少なくとも、アメリカのミュージカルが生き残っているだけでなく進化している証を見たい人には必見だ。アメリカのミュージカルは、これからも形を変えながら発展していくに違いない[注26]」

民主党を支持するメディアは、トランプ大統領の起訴や弾劾を求め、ロシア共謀疑惑への関与を否定するトランプを激しく非難している。その同じメディアが、ハミルトンのミュージカル作品を褒めたたえている。ハミルトンはワシントン大統領の時代にイギリスと共謀していたというのに。

果たして彼らは、ハミルトンがイギリスと手を結んでいたことを知っているのだろうか。

いまは亡き歴史学者で、ピューリッツァー賞の受賞者でもあるランス・バンニングの説明を引用しよう。

「1793年3月の終わり頃、革命で生まれたフランス共和国が大英帝国に宣戦布告したというニュースが届いた……。（ジョージ・ワシントン大統領は）完全に中立を保とうと決めていた……。生き残りをかけて必死だったフランスとイギリスは、中立を保つアメリカの貿易に干渉するようになる。さらに、戦争に関するアメリカ人の世論も決して中立というわけではなかった。アメリカ国内では連邦党と民主共和党が、自由か秩序かをめぐる議論をしていたが、海外の問題についても同じだった。民主共和党は、国内の一部の者たちが大英帝国と共謀して、ヨーロッパで起きている自由との戦いに、アメリカを引き込もうとしていると確信していた。一方、連邦党は、民主共和党がフランスと手を結んでいるのではないか、フランスはアメリカを戦争に巻き込み、アメリカでもう一度、暴力的な革命を起こそうとしているのではないかと疑っていた。『フランス派』と『イギリス派』の対立である。政治的な分裂は、かつてないような激しい暴力を生んだ。国内を望ましい調和のとれた状態にするのは不可能だ、揉め事を避けるのはもはや難しいとワシントンは悟った(注27)」

「どちらの政党も、相手の政党は外国の力、いや外国の金に目がくらんで影響を受けすぎだと強く信じるようになった」とバンニングは書いている。「外国と賄賂のやり取りがあったのではないかという疑いは、少なくとも政府高官については証明されていない。歴史学者はのちに、民主共和党のジェファーソンや、とりわけ連邦党のハミルトンに疑わしい行為があった証拠を発見したものの、それは1790年代にはまったく知られていなかった……。ハミルトンは1789年以降、ほとんど常に、イギリスの政府職員や大臣と隠れて連絡を取り合っていた。

ジェファーソンは、外国、特にイギリスとの交渉をハミルトンに裏で妨害されていると疑うようになる。こういう不満が募り、1793年の末、ジェファーソンは国務長官を辞任した。現在では、たいていの歴史学者は、ハミルトンの行為は不適切だったと考えている。アメリカの外交に悪影響を与えたとさえ考える学者も多い。ところが、ハミルトンはその非難されるべき不正行為の罪を問われていない（注28）」

このように、ハミルトンがイギリスと共謀していた事実は広く知られている。プログレッシブを掲げる人たちがそれを気にしているのかと言えば、まったく気にしていない。

続いて、民主党上院議員の故エドワード・ケネディを取り上げよう。「上院のライオン」とも言われたケネディは、1980年の大統領選挙で民主党の指名候補を争い、1988年の大統領選にも出馬の意欲を見せていた。エドワード・ケネディはロナルド・レーガン大統領の再選を阻むために、冷戦のさなかにソビエト連邦の支援を求めていた。

これについて、フォーブス誌のピーター・ロビンソンが記事を書いている。「1991年、ロンドン・タイムズ紙のティム・セバスティアン記者は、ボリス・エリツィンが開放したばかりのソ連の書庫を歩いていたとき、興味深いメモを見つけた。ソ連の秘密警察KGBのトップ、ヴィクトル・チェブリコフが1983年に作成した文書だ。宛先はソ連トップのユーリ・アンドロポフで、『エドワード・ケネディ上院議員』というタイトルだった（注29）」

1992年、セバスティアンはこの文書についてロンドン・タイムズ紙に記事を載せた。だがアメリカでは、セバスティアンの記事はまったく注目されなかった。歴史家のポール・ケンガーは2006年刊行の著書『十字軍戦士 ロナルド・レーガンと共産主義の崩壊（*The Crusader: Ronald Reagan and the Fall of Communism*）』にこの文書全体を転載し、「メディアは新事実を無視した」と語っている。

グローブ・シティ大学教授で冷戦の専門家であるケンガーは、これまでさまざまなところでエドワード・ケネディとソ連の共謀について書いてきた。たとえば2018年4月12日にはアメリカン・スペクテイター誌で、「KGBトップのヴィクトル・チェブリコフから、彼の上司でありソ連トップのユーリ・アンドロポフに送られた、1983年5月14日付けの極秘文書」のことを書いている。ソビエト連邦の書庫で発見された例の文書である。ケンガーはすでに著書でも取り上げたこの文書について、こう説明した。「冒頭には大文字で『最重要事項』、続けて『ソ連国家保安委員会』と書かれている。KGBのことだ。この驚くべきヘッダーの下には、『ケネディ上院議員から共産党総書記ユーリ・ウラジーミロヴィチ・アンドロポフへの依頼について』とある。ケネディの依頼は、ロースクール時代のルームメイトでカリフォルニア州選出の民主党元上院議員ジョン・タニーの手で、直接モスクワに届けられた（注30）」

文書をさらに読み進めたケンガーはこう述べている。「チェブリコフによると、エドワード・ケネディは、アメリカとソ連の関係を『非常に悩ましく』思っていた。ケネディはその原因を、ソ連を率いる不愉快な独裁者ではなく、ロナルド・レーガン大統領のせいだと考えていた。問題はレーガンの『好戦的な態度』で、しかもレーガンの頑固な性格が拍車をかけているという。『ケネディの話によると、現在の問題は大統領が政治姿勢を変えようとしないことにある』とチェブリコフは報告した。状況は悪化しつつあるとも書かれている。1984年の大統領選挙が迫っており、レーガンの再選が確実視されていたからだ（注31）」

ケネディは、こうすれば選挙でレーガン大統領の勢いを削ぐことができる、とソ連にアドバイスを送った。「KGBの文書は、ケネディへの賛辞とともに、守りが堅いレーガンの政治の弱点は、戦争と平和の問題だろうと書いている。だからチェブリコフは、『現状を踏まえ、そして平和のために、ケネディの考えではレーガンの軍国主義政治に反撃するためには以下の策を取るのが賢明で、それはいましかない』と書いている（注32）」

エドワード・ケネディはさらに、ソ連に期待する行動を示した。ケンガーはこう書いている。「続けてチェブリコフは、文書のなかで、ケネディから提案された一連の具体策をアンドロポフに詳しく説明した。ソ連が『アメリカ人に影響を与える』ための策である。ケネディは、あるアメリカのメディアとソ連当局者との会合も計画していた。どのメディアだろうか。文書には、リベラル派の有名なジャーナリストであるウォルター・クロンカイトとバーバラ・ウォルターズの名前が具体的に挙げられていた。ケネディはソ連の政治家や軍関係者をニューヨークとワシントンに招待し、メディアの友人たちに引き合わせることまで提案していた。さらに、ケネディ自らがクレムリンに行って、アンドロポフと会合を持つという提案も書かれていた(注33)」

ケネディは結局、自分の利益のために動いている、とソ連の文書はこう明らかにしている。「タニーの話では、1984年の大統領選挙でも、エドワード・ケネディ上院議員は1988年の大統領選挙に出馬したいと考えている。1984年の大統領選挙でも、民主党が共和党との戦いで優位に立つために自分に指名候補の声がかかるかもしれない、と思っているようだ(注34)」

これこそまさに共謀ではないだろうか。エドワード・ケネディの裏切りに関するこうした爆弾ニュースは、1992年にロンドン・タイムズ紙に載り、2006年にはケンガーが著書『十字軍戦士　ロナルド・レーガンと共産主義の崩壊(注35)』でひも解いているにもかかわらず、どの大手報道機関もまったく関心を示さなかった。ケンガーにインタビューをすることもなければ、ケネディの存命中に、真剣に取材をしようともしなかった(2009年に亡くなったケネディは、この話が明らかにされた頃は生きていた)。ケンガーはこう述べている。「メディアの反応は、現在のドナルド・トランプに対する熱狂的なあら探しとは正反対だった。CNNのように、いまや休む暇もなく一日中トランプとロシアの『最新ニュース』を流すようになった報道機関が、ケネディとロシアに関するニュースはまったく取り上げなかった。私はCNN、

MSNBC、ニューヨーク・タイムズ紙、ワシントン・ポスト紙、その他どんな報道機関からも、一度も連絡を受けたことがないと明言できる。2006年の著書は大手出版社ハーパーコリンズから出版された。決して『右寄りの出版社』ではない[注36]」

さらに議会の調査も公聴会も、倫理をめぐる調査もなかった。元陸軍中将マイケル・フリンの調査理由として使われたローガン法（訳注＊政府の許可なく外国政府やその代理人と外交交渉を行うことを禁じる法律[注37]）に関する調査もなければ、特別検察官による刑事捜査も行われなかった。何も起きなかったのである。

そして、民主党を支持するメディアは無関心だった。

それから10年。アメリカ大統領選挙に影響を与えようとする企てが、またしても明らかになった。今度はビル・クリントンの再選と中国をめぐる問題である。2018年9月9日、コラムニストのバイロン・ヨークがワシントン・エグザミナー紙に、あるコラムを書いた。「ときは1990年代。敵対する外国がわが国の大統領選挙に介入したことがあった。政党の候補者（この場合は恩恵を受ける側）が介入を共謀していたのか、それとも事態が進むなかで見て見ぬふりをしていただけなのかは重大な問題だ。候補者は、調査のための特別検察官（当時は独立検察官）の任命に激しく抵抗した。結局はメディアと世間の関心が高まらず、問題は立ち消えとなってしまった[注38]」

だが、関心を持ったメディアもあった。ロサンゼルス・タイムズ紙がこれを詳しく調べて、次のように報じている。「中国の軍情報機関のトップは、1996年のクリントン大統領の再選を助けるために、北京からひそかに資金を提供していたと、かつて民主党で資金調達を担当していたジョニー・チャンという人物が、連邦捜査官に語った。チャンの極秘証言を知る情報筋によると、チャンは中国の情報機関の役人だった姫勝徳《チー・シェンデ》と3回会った、と話している。姫勝徳はクリントンの選挙を支援するための献金として、トーランスにある銀行のビジネスマンの口座に30万ドルを送金した(注39)」

中国政府はクリントンの再選を望んでいた、とチャンは連邦大陪審で決定的な証言をしている。ロサンゼルス・タイムズ紙によると、「1996年8月11日に香港で行われた最初の会合で、姫勝徳はチャンに、中国政府はクリントンの支援に特別な関心を抱いていると伝えた。チャンの連邦大陪審での証言を知る情報筋が明かしたところによると、『我々はあなたの大統領を気に入っている』と言ったという。チャンは、中国の退役した軍高官の娘から、情報部のトップを紹介されたと証言した(注40)」。

チャンは、外国から得た多額の資金を民主党の多くの候補者や組織にばらまき、ホワイトハウスに何度も出入りする立場を手に入れた。チャンは「民主党のさまざまな選挙運動や理念に40万ドル以上も寄付し、ホワイトハウスを50回以上は訪れた。大統領やファーストレディーのヒラリー・ロダム・クリントンが出席するイベントに、中国の関係者を何人も連れていった。昨年、選挙法違反の罪を認め、外国からの不適切な献金といった選挙資金の不正利用をめぐる司法省の捜査で、中心人物としては初めて捜査に協力した。このスキャンダルで大勢の寄付者が起訴されている（注41）」

チャンが証言したことについて、中国政府や関係者は大きな不安を感じていた。それで「FBIはチャンの身の安全を心配した。チャンのもとには、中国との取引のことをしゃべるなと圧力をかける者たちから、遠回しな脅迫や口止め料の誘いが届いていたからだ。チャンに危険が迫っているという情報は海外からもFBIに寄せられ、懸念は大きくなった」。そのため、FBIはチャンと彼の家族を何度も保護し（注42）、最終的にチャンを執行猶予処分とした。

バイロン・ヨークのコラムによると、クリントン大統領の長年の友人である中国系アメリカ人のチャーリー・トリーは、「クリントンのセクハラ訴訟の資金や民主党全国委員会（DNC）のために、外貨で120万ドルを集めた。1996年3月に、トリーはワシントンの事務所で訴訟資金として46万ドルを、一部は同じ筆跡で振り出された連続番号の小切手で献金している。トリーがホワイトハウスを訪れたのは22回。連邦選挙法の違反の罪を認め、執行猶予の判決を受けた（注43）」。

また、ロサンゼルス・タイムズ紙は、ジェームス・T・リアディという人物についても報じた。リアディもまた「クリントン大統領の長年の友人」であり、「インドネシアの世界的な銀行グループ、リッポーのトップである……。1996年の民主党資金調達スキャンダルに関与したほか、それまで8年の間に、違法な選挙資金の献金を行い、その陰謀について罪を認めた」。リアディは中国と深いつながりを持ち、「彼の銀行グループは宣誓供述書で、1988年以降、民主党の大統領と議会選挙の候補者に違法な選挙資金として数百万ドルの献金をしたと認めた。1992年のクリントンの最初の大統領選挙にも数十万ドルを提供したという」。リアディも執行猶予の判決を受けた。(注44) ロサンゼルス・タイムズ紙は、「選挙の候補者たちが、外国資金からの献金であることを知っていたかどうかは明らかでない」(注45)と付け加えている。

ロサンゼルス・タイムズ紙の記事はさらに続く。「民主党の元資金調達係のジョン・ファンは……かつてリッポー・カリフォルニアの役員を務めた人物で、2年前のスキャンダルで罪を認め、リアディに対する訴訟に協力した。ファンは、すべての政治献金はリアディの指示によるものだったと証言した」(注46)。さらに、「外国の違法な資金源から150万ドルを超える資金を集め」「ホワイトハウスへの出入りは78回にのぼった」(注47)という。

ところが、当時の司法長官ジャネット・レノは、こうした中国と民主党とクリントンの共謀スキャンダルを調べるために独立検察官（独立検察官法は現在は失効している）の任命を求めることを拒否した。結局、クリントン夫妻に対して偽証罪が適用される正式な尋問は行われず、検察官の報告もなかった。ビル・クリントンは無事に2期目の再選を果たし、スキャンダルは消えてしまった。ヒラリー・クリントンが2008年の民主党の大統領予備選に出馬し、その後2016年に民主党の指名候補者として大統領選を戦ったというのに、スキャンダルが再び取り上げられることはなかった。民主党を支持するメディアは、まったく関心を示さなかったのである。

ほかにも、民主党議員が外国政府と共謀して、共和党の大統領やその外交政策を攻撃しようとしたことはこれまでたびたびあった。たとえば、ロシア疑惑のストーリーを声高に訴える人物の一人、民主党の下院議長ナンシー・ペロシがその代表だ。ペロシは、虐殺を行う独裁者であるシリアのバッシャール・アル＝アサドの孤立を目指したジョージ・W・ブッシュの政策に公然と反対していた。そして「8人組」と呼ばれる仲間の議員たちを巻き込んで、政権の許可を得ずに外交のためにシリアを訪問した。

2007年4月、AP通信はこう報じている。「米下院議長のナンシー・ペロシは水曜日、シリアのバッシャール・アル＝アサド大統領と会談した。ホワイトハウスは、強硬なアサド政権を孤立させるアメリカの政策を損なう行為だとして、両者の会談に反発している。ペロシと同行する議員たちは、まずワリード・ムアレム外相とファールーク・シャラ副大統領と会談。その後、アサド大統領と会談した。アサド大統領はペロシらのために昼食会を開催した。ペロシのシリア訪問は、中東とイラク戦争に関する政策への影響力の拡大を図る民主党議員による、ホワイトハウスへの挑戦状だった（注48）」

ブッシュ大統領は強い不満を示した。「アサド政権はまっとうな国際社会の一員ではない。だがペロシの訪問は、そうした事実に反するメッセージを伝えることになってしまう、とブッシュは言った。シリアは、イラクのスンニ派武装勢力による自国拠点の活動を認め、ヒズボラと過激派組織ハマスを支援し、レバノン政府を弱体化させようとしている、とアメリカは主張する。シリアはこれを否定している（注49）」

だがAP通信は、シリアの残虐な攻撃を控えめにしか伝えていない。コラムニストのトム・ローガンはナショナル・レビュー誌にこう書いている。

「2005年から2008年にかけて、シリア東部とイラク西部を結ぶ幹線道路をたどって、シリアのジハーディスト（聖戦主義者）がイラクに押し寄せた。イラクに入った彼らは、イスラム国の先駆けであるイラクのアルカイダ（AQI）のまとめ役と合流した。その後、熱狂的な支持者は、アメリカ人兵士や海兵隊の殺害を命じられる。AQIは恐ろしい犯罪の数々の黒幕と言われている……。だが、アサドの支援を受けたのはAQIだけではない。アサド政権はイランの秘密警察やレバノンのヒズボラと長期的に手を組み、イラクで米軍パトロール隊に対して高性能な爆発成形弾（EFP）によるテロを起こした者たちをかくまった（スンニ派の無実な人々を電気ドリルで殺害した者たちも含まれる）。事実は明らかだ。２００８年2月に中央情報局（ＣＩＡ）が（これらの攻撃の首謀者である）ヒズボラの最高幹部イマード・ムグニヤを発見したとき、彼はシリアの首都ダマスカスにいた。考えてみてほしい。ペロシの『和平』訪問からほぼ1年、アサドはこの殺人者をかくまっていた。ムグニヤは人目をはばかることなく、シリアで生活していたのである」[注50]。下院議長として、ペロシはその事実を含むいろいろなことを知っていたのだろう。

しかし、共和党の大統領の外交政策をこのように妨害しようとした民主党の下院議長は、ペロシが初めてではなかった。１９８０年代に故ジム・ライト下院議長は、ニカラグアで、絶対的指導者ダニエル・オルテガが率いる共産主義政権をはじめとするさまざまなグループと交渉する役目を買って出た。これはロナルド・レーガン大統領の政策に反する行為だった。１９８７年11月17日のロサンゼルス・タイムズ紙の記事は、こう伝えている。「レーガン大統領は……ニカラグアのリーダーたちとの交渉について……ジム・ライト下院議長に個別に忠告した。だがライト議長は、中央アメリカの和平交渉に自分が果たしている型破りな役割について、謝罪しないまま席を立った」[注51]

ロサンゼルス・タイムズ紙はさらに、「レーガンとライトの対立によって、中央アメリカでわが国の政策の実現を担う国務省職員の仕事がやりにくくなったのは間違いない。ライトが今後も交渉に関与するのであれば、レーガン政権がサンディニスタ民族解放戦線の政府と二国間交渉をする際に、余計な負担がかかるだろう(注52)」と書いている。

レーガン大統領と外交政策チームがホワイトハウスでミーティングを行ったとき、「(レーガンの)報道官マーリン・フィッツウォーターによると、大統領はライトを非難した。政権がサンディニスタ民族解放戦線トップのダニエル・オルテガとの会談を拒否しているこの時期、ライトが前週にオルテガと会談を行ったからだ。レーガンはサンディニスタ民族解放戦線の転覆を目指すコントラ(反政府民兵)を長年支援してきた。ライト下院議長がニカラグアの和平交渉に首を突っ込むことで、『サンディニスタ民族解放戦線の政府とニカラグアの抵抗勢力の間の問題に深入りしてしまう』とレーガンは諭した。だがミーティングのあと、ライトは『これからも中央アメリカのリーダーと会談する。12月1日にコスタリカに行く予定だ』と言った(注53)」。

この場合も同じだった。民主党を支持するメディアは、これらを含む共謀の事実を大きく取り上げようとはしなかった。民主党議員が何者かと共謀して共和党政権の外交政策をおっぴらに妨害しても、無関心のままだった。もちろんマスメディアは、そうした行動をとる民主党関係者に対して犯罪捜査や政治的な決着を迫ることはなく、求めることさえしない。メディアの対応を比べてみてほしい。民主党議員が関わるあらゆる出来事への対応と、トランプ大統領の扱いは違いすぎないだろうか。

権力の乱用

トランプ大統領は何度も執拗に「権力を乱用」していると、放送局や新聞の社説は主張する。記事、ニュース分析、解説、討論、専門家のコメント、そしてときにはわかりやすいプロパガンダを通じて、民主党を支持するメディアは、トランプ大統領に関する疑いを毎日人々に伝えている。トランプは罪を犯した、法律や倫理・規範に違反した、前例のない行動をした、いじめや脅しに関与したなど、その内容はさまざまだ。まるで、トランプは暴君だと言わんばかりである。

典型的な例を挙げよう。2017年7月27日、トランプが大統領に就任してからわずか6カ月後のこと。ハフィントン・ポスト紙の解説者、フィリップ・ロットナーは次のように述べた。「ドナルド・トランプは大統領という突出した公権力（『突出』という言葉を強調した）を使って、刑事司法制度を政治利用し、自分に従わない政治家を不当に扱い、思い切って自分を非難した一般市民を侮辱している。トランプの権力の乱用は犯罪に当たるのか、それとも単に倫理に大きく反するだけなのか。それはトランプが一線を越えて司法妨害の罪を犯したかどうかによるだろう。その判断は今後、ロバート・モラー特別検察官の手に委ねられる。モラーは徹底的に調査をしてくれるはずだ（注54）」

モラーはもちろん調査を終えた。その結果、司法妨害の罪は存在しなかった。それでもロットナーは、「刑事司法によっても弾劾によっても、トランプの権力の乱用を完全に裁くことはできない。肝心なことは、法の支配や権力の分立、民主主義を守る抑制と均衡のシステムにトランプが与えているダメージだ（注55）」と力説している。

そんなロットナーの滑稽にも見える感情的な主張は、アメリカの報道機関で働く人たちの間では珍しいことではない。ドナルド・トランプを扱ったマスメディアの記事は、トランプが権力に執着して法を犯す人物であることを前提として書かれている。だが、なぜ彼は、そんなにも偏った扱われ方をしているのだろうか。

トランプは大統領として私腹を肥やしているわけではない。反対に、公職に立候補し就任するために、富を生み出すビジネスのキャリアを捨て、しかも大統領としての給料を政府や慈善団体に寄付している。トランプは特定のイデオロギーの信奉者でもない。バラク・オバマが打ち出したように、あるいはバーニー・サンダース上院議員や大統領に立候補したほかの民主党候補者が言明したように、国民の意思に反して、現状とは違う姿にアメリカを根本から変えようとしているわけではない。実のところ、トランプの政策は保守本流だが、場合によってはやや左寄りとも言える。いわゆる刑務所の改革や同盟国への関税、国内で製造される医薬品の価格統制、有給の育児休暇などは、中道左派の政策と言ってもいいだろう。またトランプは、とんでもなく異常なやり方で大統領に就任し、その権力を行使しているわけではない。ただ、国家緊急事態法（1976年）の利用やメキシコ国境に物理的な壁を築くための資金調達といった取り組みが誤解されているだけだ（大統領は法律の面でも予算の面でも、行動を起こすために必要な議会の承認は得ている）。

20カ月にわたるニュース報道やメディアのコメントを調べてみると、大統領が何かを発言したり、決定したり、行動したりするたびに、メディアは一斉に判を押したように激しい非難を浴びせかけていることがわかる。予想通りの反応と言ってもいい。だがトランプ大統領がFBI長官のジェームズ・コミーを解任したときには、マスメディアは特に衝撃を受けたようだ。コミーの解任は、民主党議員と民主党を支持するメディアがかねてから要求していたことだというのに。メディアはトランプを政治的にも法的にも破滅させようと、「憲法の危機」「司法妨害」「隠蔽工作」といったあらゆる非難を浴びせた。そうしたなかで、自分たちがトランプに対してどれほど嫌悪感を抱いているかをはっきり自覚するきっかけとなったようだ。

政治サイトのワシントン・フリー・ビーコンは、その様子をこう書いている。「トランプが2016年の大統領選挙でロシアと共謀したとされる疑惑をめぐり、連邦捜査が行われている。コミーを解任したのは、トランプがこの捜査の隠蔽を狙ったためだと非難の声があがっている。CNNのジェフリー・トゥービン弁護士は、解任はトランプによる『権力のおぞましい乱用』

であり、『非民主主義的な社会』で起こる類いのものだと語った。同じくCNNフェロー・アナリストのデイビット・グレゴリーは、トランプの行為とそれを受けたホワイトハウスの情報操作は『大統領職への侮辱』の表れだと話した（注56）」

ワシントン・フリー・ビーコンの記事はこう続く。「MSNBCの司会者クリス・マシューズは、今回の事件を『火曜日の夜の虐殺』と呼んだ。リチャード・ニクソンが1973年にウォーターゲート事件の特別検察官だったアーチボルド・コックスの解任を命じた事件、『土曜日の夜の虐殺』にちなんでいる。マシューズはまた、トランプの行動には『ファシズムの匂い』が感じられるとも語った。ウォーターゲート事件の第一報を伝えた記者の一人、カール・バーンスタインはCNNで、この解任は『アメリカの歴史上、恐ろしく危険な瞬間』となったと話した（注57）」。さらに、「ABCニュースのコーキー・ロバーツは、ウォーターゲート事件と比較されるのも『無理はない』とコメントし、MSNBCの司会者、ジョー・スカーボロは……首都ワシントンで『ウォーターゲート事件がよみがえった』かのようだと言い、『今朝お話したい問題は一つです。私たちが何世紀もかけて築いてきた抑制と均衡のシステムは、今後機能するのでしょうか』と問いかけた（注58）」。

こうした「報道」のほとんどに欠けていたもの、それは正確さと背景事情の理解である。

コミーの解任には、もっともな理由がいくつもあった。また民主党議員がさんざんコミーを批判していた記録も残っている。たとえば2016年11月2日のブルームバーグ・ニュースの記事にはこう書かれている。「FBI長官のジェームズ・コミーは、新たに入手した電子メールが、ヒラリー・クリントンの私設メールサーバーをめぐるFBI捜査に関係するかもしれないと考え議会に通知する判断をしたが、これに対して批判の声が高まっている。チャールズ・シューマー上院議員もそうした声をあげる一人だ。シューマーは『私はもはやコミーを信用していない』とブルームバーグ・ニュースに語った[注59]」。また2017年1月13日には、CBSニュースが「民主党議員とFBI長官との間の緊張が頂点に」というタイトルの記事でこう報じた。「民主党議員らは、ロシアのハッキングに関する報告会を飛び出し、報告者の一人であるコミーへの怒りをあらわにした。『FBI長官は信用できない』とカリフォルニア州選出のマクシーン・ウォーターズ下院議員は言う。またジョージア州選出のハンク・ジョンソン下院議員は、『コミー長官が本当にFBIを率いることができるのか。彼の能力への信頼が揺らいでいる』と話した[注60]」

また、当時の司法副長官のロッド・ローゼンスタインは2017年5月9日付けで、「FBIに対する国民の信頼の回復」というタイトルの文書に、自分と司法省がコミーに不信感を抱くようになった詳しい理由と、コミーの解任根拠をこう書いている。「大統領にFBI長官を解任する権限があるのは確かだが、この決定は軽々しく行うべきではない。だが司法省の元当局者なら、ほぼ全員が私と同じ意見だろう。（ヒラリー・クリントンの）電子メール捜査の結論の出し方について、コミーのやり方は間違っていた。その結果、FBIは国民と議会の信頼を失ってしまった。過ちの重大性を理解して同じことを繰り返さないと誓う人物を長官にするまで、信頼は回復できないだろう。過ちを認めようとしないコミー長官では、必要な対策は期待できない（注61）」

実は、コミーは解任後まもなく、「FBIの全職員」に宛てた書簡に、「大統領はどんな理由によっても、あるいはまったく理由がなくても、FBI長官を解任できるものだと長年思っている。だからこの解任の決定や方法について思い悩むことはない（注62）」と書いている。もちろん不満を感じていたコミーは、自分が解任されたことについてその後も大統領を批判したが、当初は、解任は大統領の行為として完全に合法的なものと理解していた。

一方、コミーの解任劇は、その後の「ロシア」捜査に何の支障ももたらさなかった。トランプは捜査の範囲や資金をまったく制限しなかったからだ。それにもかかわらず、メディアは「トランプによる権力の乱用」というストーリーを報道し続けた。だが実際は、トランプ政権による行政権の行使は乱用と言うにはほど遠い。むしろ、ごく一般的で平凡とさえ言えるものだった。

今日、メディアによるトランプの取り上げ方を考えると、やはりいま一度、広い視野に立って背景事情を理解することが重要だ。そのためにも、「権力の乱用」に関わる歴史をざっと振り返ることが必要だろう。

かつてニューヨーク・タイムズ紙の調査報道記者だったデイビッド・バーナムは、1989年刊行の著書『思いどおりにする（*A Law Unto Itself*）』で、過去の大統領や政権が内国歳入庁（IRS、日本の国税庁に当たる）を使って政敵（個人と組織の両方）を狙い撃ちにしていた事実を、さまざまな証拠を挙げて克明に描いた。たとえば、プログレッシブ信奉者として知られるフランクリン・ルーズベルト大統領を取り上げて、こう書いている。「政府の機密文書には……ルーズベルトと側近たちが敵と判断した人物のキャリアを台無しにするために、ためらうことなく内国歳入庁を動かしていたと書かれている。ヘンリー・モーゲンソウ財務長官はあるとき、ファーストレディーのエレノア・ルーズベルトから頼まれて、ルーズベルト政権の主な批判者だった保守派の新聞発行者に税務調査を行うよう命じたという記録まである」（注63）

ルーズベルトはとりわけ、共和党の元財務長官で実業家としても成功していたアンドリュー・メロンと敵対していた。「ルーズベルト政権は政治目的のために税務当局を利用したが、なかでも最も恥知らずな行為はおそらくアンドリュー・メロンへの攻撃だった」とバーナムは言う。「アンドリュー・メロンは、1921年から1932年まで共和党政権の財務長官を務めた大金持ちの資本家だ。現在は犯罪捜査課と呼ばれる、内国歳入庁の部局の主任部長だったエルマー・リンカーン・アイリーは……モーゲンソウ財務長官からメロンに重大な脱税容疑をかけるよう命じられたことを認めた。アイリーはすでに辞任したメロン財務長官が無実だと知っていたが、命令に従ったという。モーゲンソウがルーズベルト大統領の許可なくそのような動きを起こしたとは考えにくい（注64）」

メロンは次から次へと無実の罪を問われて、何年も苦しんだ。だが最終的に、「ルーズベルト政権がメロンに対して起こした刑事、民事のすべての詐欺容疑」は無罪となった（注65）。

バーナムは、ルーズベルトは「権力を維持するためならいかがわしい策略を使うことも辞さない貪欲な人物だった」と書いている。「ルーズベルト政権が政治のために税務当局を動かしたのは、メロンの場合だけではない。ルーズベルトは1931年に民主党の大統領指名候補者となった瞬間から、自分にとっての本当の政敵はヒューイ・ロングだとわかっていた……。ルーズベルト政権はロング上院議員に強い不安を抱くあまり、モーゲンソウが財務長官に就くなり3日後には行動を起こした……。モーゲンソウはメロンの追及を指示すると同時に、アイリーに、ロングに対しても捜査を始めるよう命じた（注66）」

バーナムによると、「ロングの捜査はルーズベルト政権にとって、とても重要だった。それはロングを倒すための最後の重要な場面で、大統領自らが介入したことからもわかる。ルーズベルトは、訴追を取り仕切る弁護士の選定を人任せにせず自ら行ったのである。ルーズベルトは訴訟に直接関わっていたとアイリーは言う」[注67]。結局、1935年9月10日にロングが暗殺されるまで捜査は続いた。

ヒルズデール大学の元教授で歴史家のバートン・フォルサム・ジュニアによると、「ルーズベルトは、内国歳入庁の力はすばらしい、うまく使えば政敵を倒すことができる、と驚いていたようだ。新聞発行者のウィリアム・ランドルフ・ハーストも、ルーズベルトの政策を批判しはじめると捜査の手が及んだという」[注68]。またバーナムの著書には、「保守派の新聞社を経営し、共和党全国委員会の当時の副委員長でもあったフランク・ガネット」に対しても、エレノア・ルーズベルトが内国歳入庁を使って攻撃していたと書かれている[注69]。

新聞発行者のなかで、ルーズベルトの標的になったのはハーストとガネットだけではなかった。「モーゼス・モー・アネンバーグも……内国歳入庁の監査を受けた。2年半の間に35人の職員がアネンバーグの訴追に携わった」とフォルサムは言う。アネンバーグは、フィラデルフィア・インクワイアラー紙を買収したばかりで、ルーズベルトの政策に異を唱えるようになっていた。「アネンバーグはまもなく共和党の政策に傾倒し、特にフィラデルフィア・レコード紙に対抗して、ニューディール政策全般に反対する記事を載せるようになった。そのフィラデルフィア・レコード紙のデイビッド・スターン編集長は、モーゲンソウのチェス仲間で、ルーズベルトとも政治的に深い関係にあった人物だ。スターンはペンシルベニア州で民主党議員を増やすことに成功し、ルーズベルトから高く評価されていた。一方、保守派のアネンバーグは、起業家精神を持ち合わせていたこともあり、新聞事業を広げるとともに、共和党を支持して政治の戦いを繰り広げるようになる……。やがてインクワイアラー紙は積極的な広告とニュース記事のおかげで、購読者と販売部数を大きく伸ばし、そのあおりでスターンのレコード紙は販売部数と市場シェアが落ち込んでいった。政治の観点で見ると、ニューディール政策やルーズベルトへの痛烈な批判記事を読む購読者が増えたというわけだ……。アネンバーグはさまざまなアイデアを効果的に販売につなげてインクワイアラー紙の売り上げを伸ばし、1938年の中間選挙で共和党の大勝利に貢献した。スターン、ルーズベルト、ペンシルベニア州の民主党員にとって恐ろしい悪夢だった……。レコード紙の売り上げを落としたスターンは政府に助けを求め、インクワイアラー紙の広告の販売価格が安すぎると連邦取引委員会にアネンバーグを訴えた……。そこでルーズベルト政権はさらにいい考えを思いつく。内国歳入庁にアネンバーグへの捜査をさせたのである。財務長官として税法を知り尽くしていたメロンとは違い、アネンバーグは税金については無頓着で、あまり注意を払っていなかった」(注70)

大規模な捜査が行われた。その結果、アネンバーグは連邦政府に800万ドルの滞納があることが明らかになり、彼はそれを罰金で払おうと申し出た。だがルーズベルトはアネンバーグを投獄したかった。「アイリーはモーゲンソウに『(投獄を免れるために) 罰金を払うチャンスを与えなければいいのです』と話したという。1939年4月11日、モーゲンソウとルーズベルトはランチをしながらこの問題を話し合った。モーゲンソウが大統領に何かできることはないかと尋ねると、ルーズベルトは『ある。私は夕食でアネンバーグを食べたいんだ』と言った。それを聞いたモーゲンソウは『では朝食で食べてもらいましょう。フライにして』と答えた」[注71]。つまり目指す目的は、このインクワイアラー紙のオーナーを投獄して、ルーズベルトの政策への手厳しい批判を止めさせ、ペンシルベニア州で彼が持つ政治的な影響力を排除することだった。そして、この作戦はうまくいった。

またフォルサムによると、ルーズベルトは自分の支援者を守るためにも捜査に介入したという。たとえば、フォルサムが挙げたのは「ニュージャージー州ジャージーシティで絶大な力を誇ったフランク・ハーグ市長。彼は1932年の大統領選挙で、当初はアル・スミスを支援していたが、民主党全国大会からまもなくルーズベルトの支援に鞍替えした。激戦地であるニュージャージー州をルーズベルト支持に変えてみせると約束し、未来の大統領のために、ニュージャージー州シー・ガートで10万人もの参加者を集めて派手なパレードを行った。ルーズベルトが選挙戦の間に各地で見たどんなパレードよりも大規模なものだった……。ハーグは市長としての利権を巧みに利用して、ジャージーシティを牛耳っていた……。ニュージャージー州には連邦政府の多額の資金が流れ込み、腐敗がはびこっていたが、内国歳入庁がハーグを本格的に捜査することはなかった」(注72)。

ところがついに、ハーグがルーズベルトの介入を必要とするときがやって来る。そしてハーグはルーズベルトのおかげで法をすり抜けた。フォルサムによると、「ルーズベルトはハーグが苦手だったので、自分の側近グループには入れなかった。だがニュージャージー州をルーズベルト支持のままにしておくためには、ハーグが必要だ。ルーズベルトはそう固く信じていた。だから、ハーグが郵便局員を使って、自分の主な政敵がやり取りする郵便物をすべて開封して読んでいることをジェームス・ファーレー郵政長官が突きとめると、ハーグを守るために乗り出した。郵便物に手を出すのは連邦法の違反であり、実際、ヒューイ・ロングの何人かの取り巻きが郵便局の悪用の罪で刑務所行きになっていた。ファーレーはハーグの訴追についてルーズベルトの指示を仰いだ。ところが大統領は、その場で訴追をストップさせる。『訴追のことは忘れろ。フランク・ハーグには郵便物に手を出すのを止めるように言うんだ。そんなことを続けさせてはいけないが、この件は穏便に済ませてくれ。ニュージャージー州が欲しいのなら、ハーグの支援が必要だ(注73)』」。

ほかにもルーズベルトは、自分に忠実なテキサス州選出議員のリンドン・ジョンソンをかばったこともある。リンドン・ジョンソンはのちにアメリカ大統領となった人物だ。「ジョンソンは選挙戦の収入をきちんと報告しなかったため、内国歳入庁から目をつけられていた」とフォルサムは書いている。「1944年1月13日、ルーズベルト大統領はジョンソンと急きょ会合を持った。6人の内国歳入庁職員が18カ月に及ぶジョンソンの捜査を終えようとしていた。そしてその日、大統領は……アイリーに連絡をして、ジョンソンの捜査を中止させるために動きはじめた……。結局、ジョンソンは無傷のままだった。ルーズベルトにとって失うには惜しい存在だと認めてもらっていたからだ(注74)」

ルーズベルトだけではない。ケネディ政権も権力を乱用したことで知られている。内国歳入庁とFBIの機密情報を不正に利用し、FBIにマーティン・ルーサー・キング・ジュニアを監視させたのである。

第3章で取り上げた、ジャーナリストのジェフ・ヒメルマンが著書『真実の姿(*Yours in Truth*)』のなかで、伝説の編集者ベン・ブラッドリーについて明かした事実を思い出してほしい。ヒメルマンはこう書いている。「ケネディの報道官だったピエール・サリンジャーは、ブラッドリーにかけ合って、ロードアイランド州ニューポートに来てくれないかと頼んだ(ニューポートには、ジャッキーの家族が海岸沿いに広大な屋敷、ハマースミス・ファームを所有していた)。FBIのファイルを調べて、ケネディの噂を広めた組織がいかがわしい連中であることを証明してほしい、という依頼だった。こうして、ケネディは敵対勢力の面目をつぶして、政権が望む通りの筋書きを進めることに成功した(注75)」

ブラッドリー自身も著書『ケネディとの対話（*Conversations with Kennedy*）』のなかで、次のように書いている。「私たち（ケネディ大統領とブラッドリー）は税金について、誰がいくら払っているかを話したことがある。大統領の言葉には驚いた。世界一の大富豪と噂される石油王のジャン・ポール・ゲティは昨年、所得税を500ドルしか払っていない。テキサスの石油王で、世界で2番目に大富豪のH・L・ハントは、昨年の納税額がわずか2万2000ドル……そんなことを口にしたからだ。ケネディは明らかに富豪たちの納税額を調べていた。そこで私は、先月ニューポートで最高指揮官である大統領に敬礼しなかった海運王を持ち出して、ダニエル・ラドウィックはいくら払っているのかと尋ねた。ケネディは微笑みつつも、私の質問に答えようとはせず、こういう税金の情報は、本当はすべて秘密なのだと言った。おそらく大統領が知るのはもちろん、少なくとも私に話すのは違法だろう。だが私は大統領に言った。税制改革法案を通すために最後の一押しをしたければ、連絡をくれればそういう情報を報道する、と」(注76)

元ニューヨーク・タイムズ紙記者のバーナムはさらに著書のなかで、ホワイトハウスには内国歳入庁の機密情報を日常的に知るための仕組みがあったと書いている。「1961年5月23日、ケネディのもとで新任の内国歳入庁長官を務めたモーティマー・M・キャプランは、ケネディ大統領の特別顧問だったカーマイン・ベッリーノに数カ月前に『文書での依頼もなしに』

内国歳入庁のファイルを閲覧させたと長いメモを残している」。同庁職員だったバーノン・マイク・アクリーはこう説明する。「ケネディが大統領になるとまもなく、キャプランの部屋に呼ばれてベッリーノと引き合わされました。ベッリーノは大統領の特別顧問でどんな権限も持っている、とキャプランは言いました。私のアシスタントが、ベッリーノのために内国歳入庁の本庁舎のなかに小さな部屋を一つ用意しました。ケネディが大統領だった頃、ある日、アシスタントがニューヨーク・タイムズから提出された大量の納税記録の束をベッリーノに渡したのを覚えています。25センチくらいの厚さはあったでしょうか。ホワイトハウスがなぜニューヨーク・タイムズの申告書を見たいのかは、理由は言われなかったし、尋ねもしませんでした」「ケネディとニクソンが税金の情報を閲覧できるようにしていたのは、珍しいことではありません。トルーマンやアイゼンハワー、それにジョンソン大統領のときにも、同じようなことをしていました(注77)」

またキャプランは、ケネディ大統領に促されて、大統領と弟のロバート・ケネディ司法長官の情報をもとに、ケネディとその政策を批判する「右派」の団体に対して税務監査を始めた。1976年4月、上院情報特別委員会は、「ケネディ政権は(『イデオロギー団体監査プロジェクト』により)、政治信念だけを理由にさまざまな個人や団体に税務監査を行った。『反体制派』を狙った、非常に巧妙な計画の前例をつくってしまった(注78)」と報告している。

権力の乱用はFBIにも及んだ。FBIは、マーティン・ルーサー・キングのほとんどすべての行動を追跡していた。CNNはキング牧師の研究者として有名なデイビッド・ガロウとのインタビューを、次のように報じている。「FBIは、飛行機であちこち飛び回るキングをひそかに追跡し、彼の仲間たちを監視するようになりました。1963年7月、FBI長官のエドガー・フーヴァーは、ロバート・ケネディ司法長官に対し、キングと仲間たちの電話に盗聴器をつけて彼らの自宅とオフィスを盗聴する許可を求めました。ワシントン大行進(訳注＊1963年8月の人種差別撤廃を求めるデモ。キング牧師の有名な演説が生まれた)の1カ月前のことです。司法長官は9月、盗聴を認めました。FBI捜査官が『この特殊な問題の難しさ』を十分理解するのなら、盗聴器をつけるためにキングのオフィスと自宅に侵入してよいと認め、捜査員の行為に目をつぶった。ロバート・ケネディ司法長官は、一つ条件をつけました。『何か重要な情報があれば、個人的に教えてほしい』」(注79)

ケネディ大統領は、大統領執務室と閣議室にも盗聴器を取りつけていた。ケネディが大統領護衛官に直接、設置を命じたという。作家のグレッグ・ミッチェルは著書『トンネル(*The Tunnels*)』のなかで次のように書いている。「それまでの3人の大統領も盗聴器を仕掛けていたものの、彼らの使い方は控えめだった。フランクリン・ルーズベルト大統領は1940年にいくつか会話を録音していた。ハリー・トルーマン大統領とドワイト・アイゼンハワー大統領はそれぞれ10時間ほどの録音テープを残している。だがケネディの計画はもっとずっと大がかりだった。彼は側近や来客との面と向かっての会話を、自分で使うために、あるいは歴史の記録として残すために文書に記録しようとした。理由は誰にも明かされなかった……。ロバート・ブック護衛官はケネディの指示で、大統領執務室の大統領の机とコーヒーテーブルの下にマイクを取りつけた。ケネディは自分の机でボタンをこっそり押すだけで、マイクを起動することができる。閣議室のマイクはカーテンの陰に隠され、ケネディが座るテーブルの上座でボタンを押せばオンとオフを切り替えられた(注80)」

国内での大規模なスパイ行為と税務調査は、ケネディの後継者リンドン・ジョンソン大統領のもとでさらにひどくなった。

ジョンソンは歴代の大統領と同じように、だがより積極的に、内国歳入庁とFBIとCIAを憲法に反する違法な目的で利用した。たとえばヘリテージ財団のリー・エドワーズは、1964年のバリー・ゴールドウォーターの大統領選挙で情報責任者を務めた人物だが、ジョンソンがゴールドウォーター陣営を監視するためCIAとFBIを利用していたと語っている。「元CIA諜報員のE・ハワード・ハントは1973年の上院委員会で、CIA高官からゴールドウォーター陣営への潜入を命じられたと証言した。ハントはウォーターゲート事件で盗聴作戦の指揮をとったことで有名な人物だ。ハントは潜入の命令について尋ねたが、ジョンソン大統領からの内密の依頼だとしか言われなかったことや、手に入れた情報はホワイトハウスの側近に渡していたことを語った。1975年にはCIA長官のウィリアム・コルビーが議会の聴聞会で、違法な監視にホワイトハウスが関与していたと認めている。CIAは法律でアメリカ国内での活動を禁止されているが、ジョンソン陣営はそんなことは気にしていなかったようだ。ゴールドウォーター陣営のほうは、仲間の一人が民主党のスパイだとはまったく疑っていなかった(注81)」

エドワーズはさらにこう言う。「FBIはゴールドウォーター陣営に対して大規模な盗聴を行っていた。すると案の定、選挙戦の取材をする記者たちは、ゴールドウォーターの移動計画について側近たちが密室のなかだけで話し合った細かい内容に関する質問をするようになった。ゴールドウォーターのスタッフは対策のために、本部の外で公衆電話を使いはじめた……。ジョンソンはまた、ゴールドウォーター陣営の上院議員スタッフのセキュリティチェックを違法に行うようFBIに命令した……。1971年、ゴールドウォーター陣営の地域責任者だったロバート・マルディアは、国内治安担当の司法次官補になった。FBI長官のエドガー・フーヴァーと2時間にわたるミーティングをしたとき、マルディアは電子監視のやり方を尋ねた。驚いたことにフーヴァーは、FBIが1964年にゴールドウォーター陣営の飛行機に盗聴器を仕掛けていたと打ち明けた。ホワイトハウスの命令だという。なぜ命令に従ったのかとマルディアが尋ねると、フーヴァーは言った。『大統領の命令は絶対だ』(注82)」

ジョンソン大統領の諜報活動のターゲットは、対立候補だけではない。自分が所属する民主党の全国大会もターゲットの一つだった。ケネディ一族が自分の政治的な立場を脅かすかもしれないと恐れたからだ。ジョンソンは大会の様子を完全に把握したかった。そこでFBIを呼び、民主党全国大会を監視するよう命じた。歴史学者のロバート・ダレック教授は、著書『欠陥のある巨人　リンドン・ジョンソンと彼の時代（1961年から1973年）（*Flawed Giant—Lyndon Johnson and His Times 1961-1973*）』でこう書いている。「ロバート・ケネディの行動を把握して彼を封じ込めるために、ジョンソンはFBIのチームをアトランティックシティに送り込んだ。派遣された捜査官は30人。表向きは、『シークレットサービスと協力してジョンソン大統領の警備に当たり、党大会が市民に妨害されないようにする』ためだった(注83)」

当時、司法長官だったロバート・ケネディは、そのことを知らなかった。それに、FBIの監視ターゲットは彼だけではなかった。ダレック教授は次のように書いている。「7日間にわたって……FBIのチームは、党大会の主な動きをすべてホワイトハウスに報告した。潜入者からの情報と……さまざまな秘密の技術を使い、キング牧師のホテルの部屋や学生非暴力調整委員会（SNCC）（訳注＊1960年代のアメリカの黒人解放運動の組織）や人種平等会議（CORE）（訳注

＊公民権運動で重要な役割を果たした組織）を盗聴し、主な団体に覆面捜査官を記者として潜入させた……。FBI副長官カーサ・デローチは、ウォルター・ジェンキンス（ジョンソンの腹心の側近）に『44ページの情報データ』を渡した。『ジェンキンスとビル・モイヤーズ（ジョンソンの別の側近）は、常に電話で分刻みの状況報告を受けていた』（注84）」

さらにダレック教授によると、ヒューバート・ハンフリー副大統領が1968年に民主党の大統領候補に指名されたとき、「ジョンソンはハンフリー陣営の内部の動きを追うために、FBIにハンフリーの電話を盗聴させた。ハンフリーがベトナム戦争への反対を表明するのなら、ジョンソンはそのことを事前に知って、ハンフリーを思いとどまらせるチャンスが欲しかったのである（注85）」。

ジョンソンは内国歳入庁も最大限に政治利用した。バーナムは著書にこう書いている。「ジョンソン政権の間……まったく知られていないが内国歳入庁は政権のために手を尽くしていた。最初の頃は右派をターゲットとしていたが、やがて人種問題に携わったりベトナム戦争への参戦に反対したりする個人や団体を狙うようになる。ケネディの場合とは違い、FBIと内国歳入庁が政権の批判者の力を削ぐために邁進《まいしん》した活動にジョンソン大統領が直接関わっていたという証拠はこれまで公表されていない。だが、文書の証拠が出てきていないことを重く考えすぎてはならない。1967年1月1日、FBI副長官のカーサ・デローチは、エドガー・フーヴァー長官にある書簡を送っている。ホワイトハウスから連絡があり、戦争反対論者へのFBIの諜報活動に大統領が直接関わった証拠となるような『記録を残さないでほしいと大統領が望んでいる』と言われたという……。実は記録には、リンドン・ジョンソンが大統領だった数年の間に、内国歳入庁やFBIやその他いくつもの政府機関がそうした多くのプロジェクトに関与していたことを示す情報が含まれていたのだろう」(注86)

ホワイトハウス内での会話の録音でも、ジョンソンはケネディに引けを取らなかった。ダレック教授はこう言う。「ジョンソン大統領の頃の記録によると、ジョンソンは憲法によるプライバシーの保護に気を配ったり、プライベートな会話や行動への政府の行き過ぎた干渉を控えたりするような人物ではなかった。ジョンソンは5年あまりの在任中に、電話の相手に内緒で、あるいはホワイトハウスの執務室で、1万回以上もの会話を秘密に録音していた」(注87)

続いてリチャード・ニクソン大統領を見てみよう。民主党を支持するメディアが何十年も大々的に報道してきたように、ニクソン大統領と彼の政権は、自分たちの政治や政策に異を唱える人たちを攻撃し、監視し、阻むために、連邦政府のさまざまな調査機関、執行機関、治安当局を利用した。大統領執務室で盗聴器を使ったこともよく知られている。だがニクソンがそれまでの大統領たちと違うのは、こうした行為で大きな報いを受けたことだ。

1974年7月、下院司法委員会は、合衆国憲法第2条の権力の乱用など弾劾に値するさまざまな行為があったとして、ニクソンの弾劾勧告を可決した。その一部を以下に紹介しよう。

リチャード・M・ニクソンは、合衆国大統領の職務を忠実に執行し、全力を尽くして合衆国憲法を維持、擁護、防衛するという憲法上の宣誓に違反し、また法が忠実に執行されるのを見届けるという憲法上の義務を無視し、合衆国大統領の権力を利用して市民の憲法上の権利を侵害し、司法の正当かつ適切な施行と合法的調査の遂行を損ない、もしくは行政機関を律する法とこれら機関の目的に違反する行為を繰り返し行った。(注88)

この罪状の第1項で、ニクソンは「自ら、また部下および職員を通じて、法律によって正当化されていない目的のために、市民の憲法上の権利を侵害して内国歳入庁から納税申告書に含まれる秘密情報を入手しようとし、また市民の憲法上の権利を侵害して内国歳入庁に所得税の監査もしくはほかの所得税調査を開始させ、あるいはそれを差別的なやり方で行わせようとした(注89)」とされている。

第2項目では、ニクソンは「FBI、シークレットサービス、その他の行政職員を市民の憲法上の権利を侵害もしくは無視して悪用し、これら機関、職員に国家安全保障、法の執行、あるいはその者の合法的職務と関係のない目的のために電話盗聴やほかの捜査を実施または続行するよう指示や権限を与えた。また、そのようにして入手した情報を国家安全保障、法の執行、あるいは合法的職務と関係のない目的のために使うよう指示や権限を与え、あるいは許可した。またFBIが作成した電話盗聴記録の隠匿を指示した」(注90)とされている。

さてニクソン以降、内国歳入庁を政治に利用して最も重大な権力の乱用を犯したのは、オバマ政権だ。保守系の草の根運動である「ティーパーティー」に関わる何百という団体が、内国歳入庁に狙い撃ちされた。税務調査や監査を受けた団体もあれば、税控除の申請をしたときに質問を浴びせられた団体や、調査に長々と時間をかけられた団体もあった。

オバマ大統領は、内国歳入庁のこういう動きを何も知らなかったと主張し、結局、スキャンダルはつくり話として片づけられてしまった。2013年12月、MSNBCのクリス・マシューズとのインタビューでオバマはこう語った。「あなたが内国歳入庁のシンシナティ事務所で働いているとしましょう。たとえば、非営利組織は政治団体と言えるのか、税控除の対象とする団体としてふさわしいのか、などは法の解釈が難しい問題ですが、それを業務効率化のために整理しようと思い、団体のリストを手に入れた。すると突然、大騒ぎになったのです」(注91)

たいていの報道機関やジャーナリストは、このスキャンダルに最初の頃こそ注目してあれこれ詮索したものの、すぐに興味を失った。そうしたメディアの態度は、極左系ウェブサイト「サロン」の政治記者アレックス・ザイツ＝ウォルドが、2013年7月9日に書いた記事によく表れている。「ワシントンはここ数週間、内国歳入庁のスキャンダルに釘付けだった。最初の数日で事態は大きく動いた。内国歳入庁の行為に保守派は腹を立て、メディアは騒ぎ立て、オバマ支持者も疑いの目を向け、大統領は対応せざるを得なくなった……。そこで初めて、財務省の監査官が議論を巻き起こすような事実を明らかにした（訳注＊内国歳入庁の行為を政権幹部である財務省トップは知っていたと報告された）。経緯はこうだった。だが6週間が過ぎたいま、のちの汚点になるような大事件が、結局は歴史上のささいな出来事になった。物語とはそういうものだ。スキャンダルめいたストーリーは、事実でなくてもワシントンとメディアのニュースを席巻できる。今回はその典型的な例だった」。皮肉なことに、ジョンソン大統領に有能な報道官として信頼され、のちに批評家となったビル・モイヤーズは、このザイツ＝ウォルドの記事にとても感心したという。彼自身がウェブサイトにそう投稿した。（注92）

だが、このスキャンダルはつくり話ではなかった。2017年10月、ワシントン・タイムズ紙のステファン・ディナンはこう報じている。「トランプ政権は木曜日、オバマ政権時代に内国歳入庁に狙い撃ちされた保守系団体に350万ドルを支払うことに合意した。内国歳入庁による執拗な調査は違法で二度と繰り返してはならない、とトランプ政権は語った。内国歳入庁元幹部のロイス・ラーナー氏への見方も変わった。2015年にオバマ政権が断じたように、内国歳入庁による狙い撃ちを止めようとした英雄ではなく、ラーナー氏は2年間、部下を止めずに上司にそうした不正行為を隠していた、と司法省と内国歳入庁は言う。和解を発表したジェフ・セッションズ司法長官は、内国歳入庁に対する2件の訴訟に参加していた450を超える団体に謝罪した。内国歳入庁は、保守系団体に政治的信条や事務所の運営計画や資金支援者を尋ねるなど、違法な時間稼ぎと不当な調査をしていた、と政府は和解のなかで認めた」(注93)

オバマ政権の時代に内国歳入庁が犯した権力の乱用と深刻な不正を正すために、トランプ政権は真摯に対応した。だが、たいていのマスメディアはこれを正しく評価しようとせず、一様に退屈そうな冷めた視線を送っていた。一つ言えることは、トランプ大統領と彼の政権は、過去の大統領や政権のように内国歳入庁やＦＢＩやＣＩＡを違法なやり方で利用してはいないということだ。そんな様子は微塵もない。

人格

ドナルド・トランプが過去に私生活で何をしてきたか。民主党を支持するメディアの興味は尽きない。だがトランプは大統領になってからは、倫理に反する不誠実な行為を犯したという事実は聞かない。歴代の大統領のなかには最近でも、そうした誠意のない行為に走った者たちがいた。その代表格がジョン・ケネディとリンドン・ジョンソンだが、マスメディアはそのことに触れたがらない。

ケネディは大統領になる前もなってからも、不倫と浮気を繰り返した。相手は女優、秘書、既婚女性、友人、マフィアの愛人などさまざまだ。おそらくそのなかで特に注目されたのが、東ドイツのスパイとされる女性と19歳のインターンの女性との関係だった。

政治学者のラリー・サバト教授は著書のなかで、ケネディの女性関係を明かしている。「1963年7月、FBI長官のエドガー・フーヴァーは、大統領がエレン・ロメッシュという東ドイツのスパイとされる女性と深い関係にあることを知っている、とロバート・ケネディに話した。西ドイツ大使館に赴任している陸軍将校の妻だったロメッシュは、売春婦としてワシントンのエリートたちと関係を持つことで収入の足しにしていた。売春をあっせんしていたのはボビー・ベイカー上院議員。ベイカーはリンドン・ジョンソンと親しい人物だった。1963年8月末、ロメッシュは国務省の要請を受け、アメリカ空軍の軍用機でドイツに送り返されている。報道記者のシーモア・ハーシュによると、ロバート・ケネディのマクレラン委員会の頃からの同僚だったラバーン・ダッフィーが、彼女に同行したという。ロメッシュの本国送還に関する記録は残っていない。削除されたか、あるいはそもそも作成されなかったのだろう（注94）」

またケネディは、ホワイトハウスに入ったばかりの若いインターンも誘惑した。サバト教授は、「ミミ・アルフォードとの関係には確かな証拠がある」と言う。「ケネディ大統領はわずか

19歳のホワイトハウスのインターンに手を出した。許されることではない。アルフォードはインターン4日目にして、ケネディの愛人の仲間入りをした。男性と性的関係を持ったのはケネディが初めてだったという。彼の行為は、若い部下との極めて不適切な関係と言うしかない。彼女は大統領の命令で、大統領の目の前で側近のデイヴ・パワーズとオーラルセックスをしたことさえあるという。二人の関係はホワイトハウスや政府の関係施設ではほとんど知られていなかったが、アルフォードはあちこち飛び回る大統領の滞在先にたびたび送り込まれていた。

こうした行為が明らかになったいま、ケネディが果たして大統領という立場にふさわしい人物だったのかという疑問が生まれる。ケネディは高潔で優秀な公人としての一面と、不誠実で無謀な私人としての一面を併せ持つ人物で、多くの人はこの二面性を受け入れようとしてきた。だがこうした二つの側面をうまく調和させるのは、どう考えても不可能だ。愛人がいるのは、当時としては当たり前だった、ケネディ夫妻に愛がなかったといっても、こうした逃避は許されず、正当化されるものでもない。多少なりとも責任を負った一般市民なら、厳しく非難されるだろう。ジョン・F・ケネディは大統領として、ホワイトハウスでの在任期間も自分の政党の繁栄も目指す政策も、そして大切にすべきすべての人たちも危険にさらしていた」(注95)

リンドン・ジョンソンも同類だった。歴史学者のダレック教授の著書をもう一度引用しよう。

「ジョンソンは大統領職に大いに敬意を表していたが……自分は下品な人間だから大統領にふ

さわしくないとは思っていなかった。上院議員の頃も副大統領の頃も、ジョンソンは自分がくどき落とした女性の数を平気で自慢するような、自己顕示欲の強い遊び人だった。ある女性記者が数人のジャーナリストと一緒に大統領との非公開の会合に出席したときのこと、厳しい質問をすると、ジョンソン大統領は股間に手をやって『うーん、わからないな』と言いながら持ち上げるような仕草をしたという。股間を引っ掻いていたようでぞっとした、と彼女は言った。ジョンソンが副大統領の頃、メディアは彼の上院議員室を『浮気部屋』と呼んでいた……。美しい女性を部下にするのを好み、彼女たちを愛人候補と見ていた……。ジョンソンの妻はこういう行為を見て見ぬふりをしていた。傷つかないためには知らない、認めないのが最善の対策というわけだ(注96)」

さらにダレック教授は、メディアの対応について重要な点を指摘している。「ジョンソン大統領のあきれた行動のほとんどは、世間の目には触れなかった。1960年代、ジャーナリストたちはジョンソンのような大統領が犯した罪を知りながら、たいてい秘密にしていた。大統領の罪を報道しなかったのは、伝えるべきもっと重要なニュースがあるからだけではない。記者や新聞社は、ジョンソンの政敵ゴールドウォーターを嫌っており、リンドン・ジョンソンほどのプログレッシブな人物を攻撃するような報道をしたくなかったからだ。確かに、私生活でのジョンソンは下品な言葉で記者たちを怒らせる粗野な人物だった。だが公の場では、すべてのアメリカ人、とりわけマイノリティー（人種的少数派）や女性の生活を大幅に向上させると約束する、社会改革の断固たる提唱者だった[注97]」

まさにこれこそ、メディアの扱いがケネディやジョンソンとトランプとの間で、こんなにも違う理由である。つまりケネディとジョンソンは民主党の大統領で、二人ともプログレッシブだった。特に、ジョンソンは「大きな政府」を目指し、フランクリン・ルーズベルトのニューディール政策以来の大型の福祉政策や給付金の配布を進めていた。また、ケネディとジョンソンは、メディアが目の敵にしていた共和党候補（リチャード・ニクソンとバリー・ゴールドウォーター）を倒してくれた大統領だった。だから民主党を支持するメディアは、ベトナム戦争に関してはジョンソンに異を唱えたものの、ジョンソンとケネディの私生活を世間の目から守るために力を尽くした。

ビル・クリントン大統領の場合、メディアはケネディとジョンソンの不倫のときのような寛大な扱いはしなかった。だが、クリントンとモニカ・ルインスキーのスキャンダルの第一報を伝えたのは、主流メディアではなく、保守系政治サイトを運営するマット・ドラッジだった。この情報をつかんでいたニューズウィーク誌は、土壇場《どたんば》になって報道を控えたという。1998年1月17日、ドラッジはこう報じた。

土曜日の夕方6時、ニューズウィーク誌はぎりぎりになって、ある記事を差し止めた。ワシントンの当局を根底から揺さぶることになるニュースだった。ホワイトハウスのインターンがアメリカ大統領と不倫関係にあるという！

ドラッジ・レポートがつかんだ情報によると、このスキャンダルの記事をすでに書いていたマイケル・イシコフ記者に対し、ニューズウィーク誌の幹部は、出版の数時間前になって記事を差し止めた。スキャンダルの相手は23歳の若い女性。彼女はホワイトハウスのインターンだった21歳の頃から、合衆国大統領と性的関係を持っていた。彼女にとって、大統領はこの世で最愛の男性だった。大統領執務室の脇の書斎に足しげく通い、大統領との不適切な関係に溺れた、と彼女は言う。二人の関係はホワイトハウス内で広まり、彼女は国防総省に異動になった。先月までそこで働いていたという。

皮肉なことにイシコフは数年前にも、クリントンとポーラ・ジョーンズのスキャンダルを徹底的に調査し、その一部を報道しようとしたところ、出版を止めた編集長と激しく言い争ったことがあった。当時、ワシントン・ポスト紙に勤めていたイシコフは、それからまもなく同紙の傘下にあったニューズウィーク誌に移り、大統領の女性関係を追い続けていた。(注98)

クリントンがアーカンソー州の司法長官だった頃のレイプ疑惑に関するＮＢＣの報道にも、大きな疑問が投げかけられている。ブライトバートは次のように報じた。「１９９９年に（リサ・マイヤーズ記者が、被害者とされるジャニタ・ブロードドリックに）インタビューと撮影をしたあと、ＮＢＣがそれをスクープとして放送するまで35日間のタイムラグがあった。絶妙のタイミングである。上院は2月12日の弾劾裁判でクリントンを無実と認定したからだ。ＮＢＣのインタビューは１９９９年1月20日に行われていたが、放送されたのは2月24日だった。そして、高い視聴率が見込まれるグラミー賞授賞式の裏番組で放送した」(注99)

ＮＢＣは、したたかな思惑で放送を遅らせたわけではないと否定した。だが、「ＮＢＣはなぜブロードドリックのレイプの告発をすぐに報道しなかったのか。一部の人々は疑問を感じている。１９９９年、ニューヨーク・オブザーバー紙のフィリップ・ワイスは、『撮影から放送までの35日間のタイムラグが、弾劾プロセスとの関係で注目されている。なぜアメリカ国民は、2月12日に上院がクリントン氏を無罪とする前に、ブロードドリックの告発を知ることができなかったのか』と書いている」(注100)。

これらさまざまな例を、トランプ大統領に対するメディアの報道と比べてみてほしい。また、連邦最高裁判所の判事に指名されたブレット・カバノーの公聴会をめぐる下品な報道とも比べてみてほしい。複数の報道機関が伝えたところによると、カバノーは若い頃に下半身を露出し、ドラッグや集団レイプをし、ボートの上で女性を襲い、バーで喧嘩をし、高校時代に泥酔し、偽証までしたという。ほかにもさまざまな疑惑が取り沙汰された。(注101) 連邦控訴裁判所の現職の裁判官だったカバノーは、窮地に陥った。トランプ大統領から最高裁判所の判事に指名されており、もし承認されれば最高裁判所に（是非はともかく）原意主義（訳注＊憲法制定者の意図に従って憲法解釈すること。主に保守派裁判官がとる立場）の裁判官がもう一人生まれるというのが大方の見方だった。だから、民主党を支持するメディアは、ジャーナリストとしての規範を完全に見失ってしまった。民主党上院議員に力を貸して、カバノーの人格を否定するような報道をし、指名の承認を妨げるための恥ずべき見せ物に参加したのである。

おわりに

質の基準がない仕事

A Standardless Profession

アメリカ独立戦争に至るまでの時代、そして独立戦争のさなか、出版業を営みパンフレットや新聞を発行した愛国者は、自由、私有財産権、代議制、言論の自由といった共和主義の理想に基づく国家をつくりたいと願っていた。彼らはそういう目的を堂々と掲げ、率直に語った。まさしく革命の理念を広め、独立のための知的で、感情に訴える、だが事実に即した議論を起こしたリーダーたちと言えるだろう。やがて党派的な報道が生まれ、新聞は特定の政党や候補者とおおっぴらに手を結び、彼らの考えをそのまま伝えるツールとなった。新聞と新聞記者たちは、特定の政党や候補者や政策の代弁者となった。自分たちがどの政党や候補者のために報道をしているのか、隠そうともしなかった。

19世紀から20世紀へと変わり、プログレッシブ運動が高まりつつあった頃、マスメディアは「科学的」で「専門的」なやり方でニュースの取材を行い、「客観性」を重んじる報道こそ大切だと言うようになる。メディアそのものが持つ価値観と報道を切り離そうとした。だがそもそも客観性とは何なのか。その概念や定義が議論の的になり、それは今日も続いている。現在の報道機関やジャーナリストは明らかにプログレッシブ的なイデオロギーを持ち、民主党支持に偏っているが、「客観的」なニュースという言い方をすることで、自分たちの偏りを棚に上げて、言い逃れをしている。彼らは、ニュースを選ぶ際に必要なのは客観的で統一化された基準だ、記者個人や報道現場はさほど重要ではないと主張する。その結果100年ほど前から、ジャーナリスト個人の考え方や政治信条が中立的である必要はない、中立性を追い求める必要はない、という見方が幅を利かせている。ニュースを取材し、報道するときの分析方法が客観的ならそれでよい、というわけだ。

ここでもう一度、本書の冒頭で取り上げたビル・コヴァッチとトム・ローゼンスティールの著書『ジャーナリズムの原則』(加藤岳文・斎藤邦泰訳、日本経済評論社)を振り返ってみよう。二人はこう指摘している。「より強力で、統一的で、透明性の高い方法でニュースを検証すること……それこそジャーナリストがとるべき最も重要なステップだろう。ジャーナリストの仕事は先入観によって損なわれているという認識が広まりつつあるが、ジャーナリストは必要とあれば、そういう認識を改めなければならない……。目的としてのジャーナリズムではなく、この客観的方法のジャーナリズムはどのようなものなのだろうか。市民は、報道上の適切な規律という点でメディアに何を期待すべきなのか(注1)

コヴァッチとローゼンスティールは、「報道という科学における知的原則」として次の五つを挙げている。

1 存在しないものを付け加えるな。
2 オーディエンス（読者や視聴者）を欺くな。
3 方法や動機について可能な限り透明性を確保せよ。
4 自分オリジナルの報道を頼りにしろ。
5 謙虚であれ。(注2)

だが、客観性をこのように解釈することは一見魅力的ではあるものの、たいていの報道現場やジャーナリストにとっては明らかに不可能だ。というのは、特定の政党を支持する者は、自分の個人的なイデオロギーや政治信条を簡単には捨てきれないうえ、そうしたいとも思っていないからだ。また、さらに困ったことに、自分たちが運動を通じて社会をいい方向に動かしていくべきと考えているからだ。これが現代のメディアの本質である。だからほとんどの場合、方法の客観性を担保していたはずが、いつの間にか特定のイデオロギーや政治信条を支持する報道になってしまう。

私たちの周りには、イデオロギーや政治信条に突き動かされた記事があふれている。メディアはまったくのつくり話や嘘を伝えることさえある。最近では、たとえば次のような悪質な報道があった。

- ローリング・ストーン誌は、バージニア大学キャンパスで集団レイプ事件が起きたと非難する記事を報じたが、記事はねつ造だった。(注3)
- デューク大学のラクロスチームの複数のメンバーにレイプ容疑がかけられたが、冤罪とわかった。(注4)
- ジャーナリストのダン・ラザーは、ジョージ・W・ブッシュの軍歴詐称をスクープしたが、信ぴょう性のない報道だった。(注5)
- ブレット・カバノーがメディアにひどく中傷された。(注6)
- トランプを支持するコビントン・カトリック高校の生徒が人種差別をしたとメディアに非難されたが、それは誤りだった。(注7)
- ロシア疑惑をはじめとして、トランプ大統領に関する誤った報道が際限なく続いている。(注8)

ほかにも多くの例がある。

1897年、ニューヨーク・タイムズのオーナーだったアドルフ・S・オックスは、「印刷に値するすべてのニュースを」という有名なスローガンを打ち出した。この言葉はいまでも同紙の1面左上に印刷されている。オックスは偏りなくニュースを報道するという心構えを宣言するために、このスローガンを書いた。(注9)ニューヨーク・タイムズ紙は今日、ほかの報道機関やジャーナリストも参考にするジャーナリズムの規範であり、ニュース記事や見出しの指針とも言える存在だ。しかし、ニューヨーク・タイムズ紙には、ほかの報道機関とは比べものにならないぐらい、嘘や虚偽の報道を行った恥ずべき歴史がある。アドルフ・ヒトラーによるユダヤ人の大量虐殺や、ヨシフ・スターリンによるウクライナ人の大量虐殺を報道しないという恐ろしい失敗を犯した。どちらもニューヨーク・タイムズ紙の誠実さと信頼性に、永久に汚点を残したはずである。だが今日、ニューヨーク・タイムズ紙はメディアが団結して報道の自由を訴えたキャンペーンでリーダーを自認するなど、思い上がった態度をとっている。プログレッシブを代表する存在として知られ、事実を歪めて報道することも多い。それが、ニューヨーク・タイムズ紙の本当の姿ではないだろうか。イデオロギーを広めるという真の目的を隠すために、ジャーナリズムや自由な報道の役割と目的を踏みにじっているのではないだろうか。メディアは自らを振り返って慎重に考えるのが苦手だ。ニューヨーク・タイムズ紙もほかの多くの報道機関も、自分たちの行動や規範を振り返り、真剣に自己管理をして行いを改めようとするどころか、自分たちこそが正しい、報道の自由を守らねばならない、と自信たっぷりに訴えている。

2019年2月20日、ニューヨーク・タイムズ紙の現発行人アーサー・グレッグ・サルツバーガー（オックスの玄孫《やしゃご》に当たる）は、大統領と国民に向けて、報道の自由の重要性を訴える文章を寄稿した。メディアを「国民の敵」とするトランプ大統領の発言に反応したものだった。トランプはこのときも、自分や政権に関する疑いや皮肉（すべて匿名の情報源からもたらされたものだ）が詰め込まれた「調査記事」にいらだち、そうした発言をしていた。サルツバーガーは次のように書いている。

アメリカの建国者たちは、報道の自由は知識を持って社会に積極的に関わる市民の基礎となり、民主主義になくてはならないものだと信じていた。合衆国憲法修正第1条に記されたこの信念は、ほぼすべてのアメリカ大統領によって尊重されてきた。トーマス・ジェファーソンは「安定は常に自由な報道のなかだけにある」と言い、ジョン・F・ケネディは「報道があまり活発ではない自由な社会」の危険性を警告した。ロナルド・レーガンは「私たちが今後も成功するためには、自由で力強い中立的な報道より大切なものはない」

と語った。

これらの大統領はみな、自分の記事について文句を言い、ときには自由にジャーナリストを批判した。すべてのアメリカ国民にはこうした批判の自由がある。だがトランプ大統領は、自由な報道を敵と決めつけた。メディアは厳しい質問をし、不愉快な情報を明るみに出すという本来の役割を果たしただけだというのに。彼は明らかにアメリカという国の原則を覆している。歴代の大統領が政策や政党にかかわらず、あるいは報道での扱われ方にどれほど文句を言ったとしても、必死で守ってきた原則だ。

「国民の敵」という言葉は、誤っているだけでなく危険である。過去には、言論を抑え込もうとする独裁者や専制君主がこの言葉を使った忌まわしい歴史がある。そしていま、この言葉は、国民の敵と戦い、投獄できる強権を与えられた者から安易に発せられている。私はトランプ大統領に何度も面と向かって伝えたが、この扇動的な発言は、国内外でジャーナリストに対する脅迫や暴力を招くような危険な空気を生んでいる。

ニューヨーク・タイムズ紙は167年の歴史のなかで、33人の大統領を見てきた。その間、私たちは自由なメディアの基本的な使命を果たすことによって、国民に尽くしてきた。生い立ちや支持政党にかかわらず、すべての人々に祖国や世界を理解してもらうこと。中立的に、公正に、正確に伝えること。厳しい質問を問うこと。どんな結果になろうと真実

を追い求めること。この使命に変わりはない。(注10)

サルツバーガーはこのように、ニューヨーク・タイムズ紙とその報道をただ激しく非難しようとしたトランプ大統領に対し、大げさに抗議した。だがその言葉とは裏腹に、ニューヨーク・タイムズ紙は、予想される結果によっては真実を追い求めないことがしばしばある。昨今のトランプ大統領に関する記事がその典型だ。それらの記事に大統領への強い敵意が感じられるのは言うまでもない。

実のところ、トランプ支持者や保守派でない人々からも、懸念が出ている。ABCニュースの元司会者でベテランジャーナリストであるテッド・コッペルは、2019年3月7日、カーネギー国際平和基金のマービン・カルブとの対談のなかで、ジャーナリズムの現状、とりわけニューヨーク・タイムズ紙の報道に強い懸念を示した。コッペルは次のように話している。

いまやニューヨーク・タイムズ紙の1面には、50年前には決して載らなかったような記事が掲載されています。ニュースの分析や記者のコメントです。妻と朝食のテーブルに座って、ニューヨーク・タイムズ紙を読んでいた日のことをいまでも思い出します。大統領選挙が迫り、バラエティー番組「アクセス・ハリウッド」のテープ(訳注＊番組収録中にトランプが下品な言葉使いで女性について言及する声が録音されていた）が流出したあとのことでした。ニューヨーク・タイムズ紙にどのような言葉が載っていたかを具体的に口にして、この場にいるみなさんを不快な気分にするつもりはありませんが、どんな言葉かおわかりでしょう。ニューヨーク・タイムズ紙の1面には、トランプに関する詳しい「分析」が書かれていました。（トランプ大統領は）主流メディアは自分をやっつけようと必死だと感じているようですが、偉大なはずのジャーナリズムがそうした行為を行っているのは事実です。私たちジャーナリストの多くが、ドナルド・トランプを選んだのは大失敗だったと考えているのは確かで……トランプが感じていることは、あながち間違いとは言えません。リベラルなメディアは、自らを抵抗勢力と位置づけているからです。これはどういう意味でしょうか？自分は客観的な立場の記者だ、と考えている人はそんなことは言いません。ドナルド・トランプはアメリカにとって有害だと心から信じている人が使う類いの言葉です。私自身は、トランプが有害などとは微塵も思っていませんが……。そういうジャーナリストは、トランプをできるだけ早く大統領の座から追いやるべきだと主張しています。起訴でも弾劾でも選挙でも、方法は何でもいい、と彼らは言います。

私たちメディアはもはや客観性を失っていると言えるでしょう。（注11）

ニューヨーク・タイムズ紙をはじめとするメディアは、自分たちのこれまでの行いの報いとして、市民からの信頼を失いつつある。ところがメディアはその責任を負うどころか、自分たちが市民に植えつけた不信感や皮肉なものの見方をトランプ大統領のせいだと都合よく非難している。

本書で見てきたように、歴代の大統領とは違い、トランプが報道機関やそこで働くジャーナリストの口を封じるために政府当局の力を使ったことはない。サルツバーガーは「ジェファーソンやケネディやレーガンは、報道に文句を言いつつも報道を保護した」と言っているが、実はその点において、トランプも彼らの仲間に入れてもらうべきだろう。それにサルツバーガーは、アダムズ、リンカーン、ウィルソン、ルーズベルト、そしてオバマが、自分に異を唱える報道機関やジャーナリストに対して連邦政府の権力を乱用したことにも触れていない。つまり、サルツバーガーのトランプに関する主張は、誠実さに欠け、新聞発行者としてのサルツバーガー自身の過ちから目を背けている。

またサルツバーガーは、事実を掘り下げて真実を追い求めるというジャーナリストの役割についても、率直には語っていない。２００４年4月25日、ニューヨーク・タイムズ紙のパブリックエディター（訳注＊編集部門から独立した立場で報道内容を検証する役職）だったダニエル・オクレントは、ジャーナリストの役割について、次のような意見記事を書いている。

ごくわずかな例外はあるものの、わが社に長く勤めるほど、あるいはわが社のなかで高い役職に上り詰めるほど、ニューヨーク・タイムズ紙は「記録の新聞（最も信頼が置ける事実を報道する新聞）」であるべきだ、とは考えなくなるようだ。日曜版のコーナー「メトロ」のコラムニスト、クライド・ハバーマンは、ニューヨーク・タイムズ紙に27年間勤めているが、「社内の人間が『記録の新聞』であるべきだと話しているのを一度も聞いたことがない」と話してくれた。勤続11年のベテラン記者、リチャード・ペレス・ペーニャは、「同僚がその表現を使うのを聞いたことがない。たまに皮肉として自虐的に使う場合はあるけれど」と言う。

彼らが「記録の新聞」という役割を果たすのは無理だ、と私は思う。客観的な記事の紙面での影響力は失われつつあると気づいているのだろう。ニューヨーク・タイムズ紙日曜版の副編集長、キャサリン・ブートンは言う。「私たちはいまや、すべてのニュースが恣意的に選ばれているとわかっています。直接の一次情報源から得られた情報は別だが、『記録の新聞』にふさわしい記事などほとんどないと思いませんか……」

別の言い方をしてみよう。この多様な世界において、新聞は何の「記録」を守るべきなのだろうか。いかに才能があり献身的に働いていようとも、自分たちがそんな神のような役割を担っていると平気で名乗ることができる記者がどこにいるのだろうか。ニュースの唯一の入手先としてニューヨーク・タイムズ紙を信頼している読者は、新聞を毎日つくっている人たちの考えや姿勢や関心をおのずと受け入れている。そういう考えや姿勢や関心に影響されない報道などあり得ないからだ。そんなことを求めても、新聞社のスタッフにも読者にもいいことはない。私はニューヨーク・タイムズ紙を侮辱しているわけではない。だが今日、情報に敏感な人々が、ニュースの情報源として一つだけのメディアに頼るのは難しいのではないだろうか。(注12)

確かにオクレントの言うことは正しい。ニューヨーク・タイムズ紙のような報道機関には「新聞を毎日つくっている人たちの考えや姿勢や関心」があり、その証拠に、ニューヨーク・タイムズ紙は明らかにプログレッシブ的なイデオロギーや民主党の政策に沿った、同じようなニュースや社説を日々掲載している。近頃は、ほかの多くの報道機関も同様だ。さらに、オクレントも彼と話をした同僚たちも、自分たちの仕事はただニュースを客観的に報じることではない、なぜなら紙面での客観的な記事の「影響力は失われつつある」と認めている。だから彼らは、ニュースを報道するときに客観性を求めないうえ、客観性の担保もしない。彼らの役割は、プログレッシブな理念に人々を誘うための社会運動、政策の推進、解釈、分析などを伴うニュースを報じることなのである。

ニューヨーク・タイムズ紙の特派員からコラムニストに転向したジム・ルーテンバーグは、さらにはっきり指摘する。民主党を支持する報道機関の多くがそうであるように、仮にジャーナリストがトランプを軽蔑し、トランプはアメリカにとって脅威だと考えているのなら、そのジャーナリストはトランプについて客観的な報道をすることはできないだろう――。2016年8月7日にルーテンバーグがニューヨーク・タイムズ紙とほかのいくつかのメディアに載せた意見を引用しよう。

「現役のジャーナリストのみなさん、もしもあなたがドナルド・J・トランプはアメリカで最悪の人種差別主義者で、国粋主義的な傾向のある扇動政治家だ、トランプは反米主義を掲げる独裁者たちと親しくしている、アメリカの『核のボタン』を握らせるには危険な人物だ、と考えているのなら、果たしてあなたはトランプについて報道する資格があるのだろうか……。トランプについてそう考えているのなら、あなたはアメリカのジャーナリズムが過去半世紀近くも使ってきたテキストを捨てて、これまでとはまったく違う方法で仕事に取り組まなければならない。トランプ大統領は危険な人物だと思いながら報道すれば、その気持ちが報道に表れる。あなたはこれまで以上に批判的になってしまうだろう。私が知る限り、それは主流メディアで社説ではない記事を書くすべてのジャーナリストにとって、不安を感じる未知の領域である。

これまでの規範では対処できない領域だ……。だが、一般的な規範は当てはまるのか、もし当てはまらないのなら代わりにどんな規範を使うべきかという問題に私たちは直面している……。トランプ大統領や彼の支持者たちからは不公平に見えるかもしれない。だがジャーナリズムは、ある政権が決める公平性の定義で、自らを評価してはならない。歴史の審判に耐えられるように、読者や視聴者、そして事実に忠実であること。それがジャーナリズムの使命である。それができないのなら、ジャーナリズムを守ることはできないだろう(注13)」

客観的な真実を伝えることを放棄し、それどころかアメリカ建国初期のメディアの信念や価値観を否定し、独立戦争までも否定する考え方は、ニューヨーク・タイムズ紙に始まったことではない。トランプ大統領が登場する前から存在した。そうした考え方によって、ニューヨーク・タイムズ紙をはじめとする報道機関は、自由な市民にとってなくてはならない存在としてのメディアの立場を踏みにじり、恐ろしい暗闇に迷い込んでしまった。報道機関とジャーナリストが、ジャーナリズムに対する姿勢を「根本から変革する」ために切迫感を持って一刻も早く行動しなければ(残念ながら、その可能性は極めて低いのだが)、メディアの信頼性はますます地に堕ちるだろう。そしてまもなく、大半の人々から愛想をつかされ、取り返しのつかない事態に陥ってしまうだろう。当然のことだ。メディアは今日、自らの価値をおとしめるばかりか、報道の自由に大きな脅威を与えている。トランプ大統領でもトランプ政権でもなく、かってジャーナリズムを掲げていた報道機関自身がいま、報道の自由の大きな脅威となっている。

さて、本書の冒頭で、この本を書いた目的に触れた。それを繰り返して筆を置くとしよう。

「自由、市民社会、共和主義を守る砦としてのメディアの役割は崩れつつある。この厄介な問題にどう対処すべきか、読者のみなさんと実りある対話を活発に行っていくことが本書の目的だ。本来、もっと早く、この対話を始めるべきだった」

謝辞

本の執筆は、家族を巻き込む作業となる。とても長い時間がかかり、週末も休日も、昼も夜も、ずっと書き続けなければならない。家族がそんな私の状況を理解して、寛大に見守ってくれたことに感謝している。まず、愛する妻のジュリーに感謝したい。多くの作家がそうであるように、私も本書を書き進めるなかで、生活のリズムが崩れ、気持ちの浮き沈みがあることもあったが、ジュリーはよく辛抱してくれた。それにジュリーは私にとって、物事を考えたりアイデアを出したりするうえでかけがえのないパートナーであり、相談相手でもある。優れた弁護士でもある彼女は、本書をより良い本にするために力を貸してくれただけでなく、本書のタイトル（訳注＊原書のタイトルは *Unfreedom of the Press*）も思いついてくれた。

また最愛の子どもたちと孫たち、ローレン、チェイス、デイビッド、ジェンナ、ニック、スローン、アッシャーへの感謝も言葉では言い尽くせない。才能豊かな彼らは、私たちに大きな喜びをもたらしてくれる。一人ひとりのことをこの上なく誇りに思っている。兄のダグ、あなたは私がこれまで出会ったなかで最も実直で親切な人間の一人だ。周りの人はみな、あなたに感化されている。そして愛するシルビア、第二次世界大戦を経験した世代のあなたを私たちは敬愛し、あなたの知恵、活力、やさしさに私たちはみな刺激を受けている。

最後に、いまは亡き愛する両親ジャックとノーマに感謝したい。両親は、わずか4カ月の間に相次いでこの世を旅立った。だが二人はいつまでも寄り添い、家族に永遠に愛されるだろう。後世に消えることのない影響を与えた哲学者レオ・シュトラウスのように、両親は輝く光となっていつも私たちを照らしてくれるだろう。

解説

古森 義久（ジャーナリスト）

アメリカの大手ニュースメディアが自国の政治報道では大きく偏向しているという現実は、日本では意外と知られていない。

ニューヨーク・タイムズ、ワシントン・ポスト、ＣＮＮに代表される大手メディアはアメリカの国政、特に大統領選挙となると、民主党と一体になったような党派性を発揮する。共和党側の動向は極めて否定的、批判的にしか報じない。

これら大手メディアはそれぞれに優秀な伝統や機能を有している。国際報道では他国のメディアの追随を許さないと言えるほどの客観性、速報性、情報量を誇る。ところが事、アメリカの国内政治となると、極めて民主党びいきに偏る傾向を公然とあらわにするのだ。

しかもこの政治的偏向は、歴史的かつ構造的、組織的なのである。その古く深く強い潮流は、いまやトランプ大統領とその政権に対してかつてない激しさでぶつかっている。

私自身も通算30年を超えるワシントンでの報道活動では主要メディアのそんな特殊な実態をさんざんに目撃し、体験してきた。

では、その偏りは、個々のメディアの実際の報道や評論ではどうあらわになるのか。そもそも本当にそんな重大な偏向があるのか。なぜそんな傾向が生まれたのか。

本書はこの種の疑問に、いやというほどの実証例を示しながら答えている。

日本にとってのアメリカの政治のあり方の重要性は、いまさら説明の必要もないだろう。その政治の流れを決めるのはもちろんアメリカ国民だが、その国民の思考を大きく左右するのがアメリカの主要メディアの姿勢である。その姿勢の特徴の裏も表も正確に知ることがアメリカ政治の読み方のカギとなる。本書はそのカギを提供している。

著者のマーク・レヴィン氏は全米的にも知名度が高い論客で、憲法や政治の学者であり、活動家である。1981年に若き弁護士として時の共和党ロナルド・レーガン政権に入り、司法省で長官補佐など多様な職を務めた。その後は民間の法律事務所や財団で活動し、やがて保守系の論客として全米レベルの民主党傾斜ではないラジオやテレビで活躍するようになった。

私はワシントンで2006年頃から、ラジオの「マーク・レヴィン・ショー」を聴くようになった。内外の時事問題について保守派の立場から、リベラル派の主張や政策の欠陥を鋭く衝く熱のこもったトーク・ショーだった。ファンが増えて、当初の1時間番組があっという間に3時間になった。

レヴィン氏はアメリカ政治についての著書も多く、特に2009年に刊行した『自由と圧制（*Liberty and Tyranny*）』は全米ベストセラー首位を10週間以上、記録した。ただし同氏はその容赦のないリベラル派批判のために、当然ながら民主党系の政治家やメディアからは激しく敵視される。

しかし本書は、著者のそんな政治的スタンスを越えて事実の重みを提示する。その民主党系メディアの偏向の指摘は、私自身のワシントン体験とも合致するのだ。

私がワシントン駐在の新聞特派員として初めて正面から報道した大統領選挙は1980年、民主党の現職ジミー・カーター大統領と共和党のロナルド・レーガン候補の対決だった。

その取材では、自分自身の現場での考察に加えて、情報の豊富なアメリカ側メディアのニューヨーク・タイムズとCBSテレビの報道を参考にした。その結果、カーター大統領の楽勝だろうと確信した。だが現実には、レーガン候補の歴史的な圧勝だった。

アメリカの両メディアともカーター氏のほうが人気が高く優秀だという好意的な構図を伝え続け、レーガン氏に関してはネガティブな特徴ばかりを報じていたのだ。経験不足の私はそれを鵜呑みにして、誤報にこそいたらなかったが、判断ミスを犯していた。

その後に、この種の大手メディアは伝統的かつ構造的に顕著な民主党支持であることを知るにいたった。

共和党側の政治家たちは、このメディアの傾斜に不満を述べながらも正面から対決することはなかった。だがその枠を破り、正面対決をしたのがトランプ大統領なのである。だからメディア側の敵対度合いも前例を超えている。

ニューヨーク・タイムズに代表される反トランプ・メディアは、トランプ氏の大統領当選自体があってはならないことだとする認識を当初から隠さなかった。そして、まず「ロシア疑惑」を使って彼を大統領の座から引きずり下ろす大キャンペーンを展開した。「2016年の大統領選でトランプ陣営はロシア政府と共謀して、アメリカ有権者の票を不正に動かした」という疑惑だった。

だがこの「疑惑」には、まったく根拠がないことが証明された。この一事を見ても本書の主題の「アメリカ主要メディアの民主党支持による偏向」は立証されると言えよう。だからこそ、アメリカ国民の新聞やテレビへの信頼度は、各種世論調査でも着実かつ大幅に下がっている。その実態がメディア側の経営不振にもつながる。

ただし、それでもなおアメリカのジャーナリズムが全体として健全さを喪失していないのは、主要メディアのなかでも少数派とはいえ、新聞ではウォール・ストリート・ジャーナル、テレビではFOXニュースなどが民主党傾斜になっていないことだろう。

だが日本側にとって危険なのは、日本の大手メディアやアメリカ通とされる識者たちの多くが、アメリカ政治に関してニューヨーク・タイムズやCNNの報道に全面依存する傾向であることだ。

特にトランプ政権に関しては、経済政策や軍事政策、対中政策での明白な実績を無視して、堅固なトランプ支持層の声にも注意を向けず、大統領の政策から離れた片言隻句の特異性だけを拡大して叩くという報道パターンになっていて、アメリカの政治の現実を大きく誤認する危険をはらんでいる。

本書は、そんな危険や陥穽《かんせい》を避けるためのパワーに満ちた指針となるだろう。

原注

はじめに｜失われた報道の自由

1 アメリカ合衆国憲法の前文

第1章｜政治的思想が色濃く反映されるニュース

1 Hutchins Commission, "A Free and Responsible Press," 1947, in *The Journalist's Moral Compass, Basic Principles,* Steven R. Knowlton and Patrick R. Parsons, eds. (Westport, CT: Praeger, 1995), p209

2 同上 p210

3 同上

4 Jeffrey M. Jones., "U.S. Media Trust Continues to Recover from 2016 Low," Gallup, October 12, 2018, https://news.gallup.com/poll/243665/media-trust-continues-recover-2016-low.aspx［2019 年 3 月 16 日にアクセス］

5 同上

6 "Mike Drop" interview with Lara Logan, February 15, 2019, iHeart Radio, https://www.iheart.com/podcast/867-mike-drop-29170721/episode/023-lara-logan-30567470［2019 年 3 月 16 日にアクセス］

7 同上

8 Lara Logan, appearing on *Hannity,* February 20, 2019, Fox News Corp.

9 Hutchins Commission, "A Free and Responsible Press," pp218–19

10 Knight Foundation, "Public trust in the media is at an all-time low. Results from a major new Knight-Gallup report can help us understand why," Medium.com, January 15, 2018, https://medium.com/trust-media-and-democracy/10-reasons-why-americans-dont-trust-the-media-d0630c125b9e［2019 年 3 月 16 日にアクセス］

11 同上

12 同上

13 同上

14 Hutchins Commission, "A Free and Responsible Press," pp221–22

15 Bill Kovach and Tom Rosentiel, *The Elements of Journalism* (New York: Three Rivers Press, 2007), p5（邦訳は『ジャーナリズムの原則』 ビル・コヴァッチ、トム・ローゼンスティール著、加藤岳文・斎藤邦泰訳、日本経済評論社、2011 年）

16 同上 pp5–6

17 同上 p6

18 同上 p7

19 同上 p240

20 同上 p82

21 同上 p81

22 同上 p82

23 同上 p83

24 Tim Groseclose, *Left Turn: How Liberal Media Bias Distorts the American Mind* (New

York: St. Martin's Griffin, 2011), vii

25 同上 p111

26 同上 pp111–12

27 American Press Institute, "Understanding Bias," https://www.americanpressinstitute.org/journalism-essentials/bias-objectivity/understanding-bias [2019年3月16日にアクセス]

28 Lars Willnut and David H. Weaver, "The American Journalist in the Digital Age," Indiana University School of Journalism, 2014, http://archive.news.indiana.edu/releases/iu/2014/05/2013-american-journalist-key-findings.pdf [2019年3月16日にアクセス]

29 Hadas Gold, "Survey: 7 Percent of Reporters Identify as Republican," *Politico*, May 6 2014, https://www.politico.com/blogs/media/2014/05/survey-7-percent-of-reporters-identify-as-republican-188053 [2019年3月16日にアクセス]

30 Media Research Center, "The Liberal Media: Every Poll Shows Journalists Are More Liberal than the American Public—and the Public Knows It," https://www.mrc.org/special-reports/liberal-mediaevery-poll-shows-journalists-are-more-liberal-american-public-—-and [2019年3月16日にアクセス]

31 Andrew C. Call, Scott A. Emett, Eldar Maksymov, and Nathan Y. Sharp, "Meet the Press: Survey Evidence on Financial Journalists as Information Intermediaries," December 27, 2018, https://papers.ssrn.com/sol3/papers.cfm?abstract_id=3279453 [2019年3月16日にアクセス]

32 Dave Levinthal and Michael Beckel, "Journalists Shower Hillary Clinton with Campaign Cash," Center for Public Integrity, October 18, 2016, https://www.publicintegrity.org/2016/10/17/20330/journalists-shower-hillary-clinton-campaign-cash [2019年3月16日にアクセス]

33 Elspeth Reeve, "Rick Stengal Is at Least the 24th Journalist to Work for the Obama Administration," *Atlantic*, September 12, 2013, https://www.theatlantic.com/politics/archive/2013/09/rick-stengel-least-24-journalist-go-work-obama-administration/310928/ [2019年3月16日にアクセス]

34 Paul Farhi, "Media, Administration Deal with Conflicts," *Washington Post*, June 12, 2013, https://www.washingtonpost.com/lifestyle/style/media-administration-deal-with-conflicts/2013/06/12/e6f98314-ca2e-11e2-8da7-d274bc611a47_story.html?utm_term=.630777c069c4 [2019年3月16日にアクセス]

35 Jack Shafer and Tucker Doherty, "The Media Bubble Is Worse than You Think," *Politico*, May/June 2017, https://www.politico.com/magazine/story/2017/04/25/media-bubble-real-journalism-jobs-east-coast-215048 [2019年3月16日にアクセス]

36 同上

37 Thomas E. Patterson, "News Coverage of Donald Trump's First 100 Days," Harvard Kennedy School, Shorenstein Center on Media, Politics, and Public Policy, May 18, 2017, https://shorensteincenter.org/news-coverage-donald-trumps-first-100-days [2019年3月16日にアクセス]

38 私は、フォックス・ニュースで日曜日の夜に放映される「Life, Liberty & Levin」で司会を務めている。

39 Thomas E. Patterson, "News Coverage of Donald Trump's First 100 Days."

40 Pew Research Center, Project for Excellence in Journalism, "Obama's First 100 Days: How the President Fared in the Press vs. Clinton and Bush," April 28, 2009, http://www.journalism.org/2009/04/28/obamas-first-100-days [2019年3月16日にアクセス]

41 Media Research Center, "Media Bias 101," January 2014, http://www.mrc.org/sites/default/files/uploads/documents/2014/MBB2014.pdf [2019年3月16日にアクセス]

42 Jay Rosen, "Donald Trump Is Crashing the System. Journalists Need to Build a New One," *Washington Post*, July 13, 2016, https://www.washingtonpost.com/news/in-theory/wp/2016/07/13/donald-trump-is-crashing-the-system-journalists-need-to-build-a-new-one/?noredirect=on&utm_term=.6dfd02937907 [2019年3月16日にアクセス]

43 同上

44 Alicia C. Shepard, "The Gospel of Public Journalism," *American Journalism Review*, September 1994, http://ajrarchive.org/Article.asp?id=1650 [2019年3月16日にアクセス] pp28–34

45 同上

46 Amitai Etzioni, *The Spirit of Community: Rights, Responsibilities, and the Communitarian Agenda* (New York: Crown, 1993), p2

47 John Dewy, *Liberalism and Social Action* (New York: Prometheus Books, 1991), pp65–66

48 同上 p66

49 Walter Lippmann, *Public Opinion* (New York: Renaissance Classics, 2012), p299 (chapter 27, "The Appeal to the Public," section 1) (邦訳は『世論』ウォルター・リップマン著、掛川トミ子訳、岩波書店、1987年)

50 同上 p300

51 同上 p302

52 Charles R. Kesler, "Faking It," *Claremont Review of Books*, Summer 2018, https://www.claremont.org/crb/article/faking-it/ [2019年3月16日にアクセス]

53 同上

54 Jay Rosen, *What Are Journalists For?* (New Haven, CT: Yale University Press, 1999), pp19–20

55 John Dewey, *The Public and Its Problems* (Athens: Ohio University Press, 1927), pp179–80 (邦訳は『公衆とその諸問題』ジョン・デューイ著、植木豊訳、ハーベスト社、2010年)

56 同上 pp180–81

57 Matthew Pressman, *On Press* (Cambridge, MA: Harvard University Press, 2018), pp1–2

58 同上 p23

59 同上 pp23–24

60 Thomas Edsall, "Journalism Should Own Its Liberalism," *Columbia Journalism Review*, October 8, 2009, https://archives.cjr.org/campaign_desk/journalism_should_own_its_libe.php [2019年3月16日にアクセス]

61 Art Swift, "Six in 10 in U.S. See Partisan Bias in News Media," Gallup, April 5, 2017, https://news.gallup.com/poll/207794/six-partisan-bias-news-media.aspx [2019年3月16日にアクセス]

62 Edsall, "Journalism Should Own Its Liberalism."

63 同上

64 同上

65 Kovach and Rosentiel, *The Elements of Journalism*, p235 (邦訳は『ジャーナリズムの原則』

ビル・コヴァッチ、トム・ローゼンスティール著、加藤岳文・斎藤邦泰訳、日本経済評論社、2011年)

66 Kesler, "Faking It."

第2章｜建国初期の愛国的メディア

1 Isaiah Thomas, *The History of Printing in America* (London: Forgotten Books, 2012), p14

2 同上 p15

3 同上 pp15–16

4 同上 p17

5 同上 p18

6 同上 p136

7 同上 pp136–39

8 David A. Copeland, *The Idea of a Free Press* (Evanston, IL: Northwestern University Press, 2006), pp206–7

9 同上 p207（傍点は原文通り）

10 Carol Sue Humphrey, *The American Revolution and the Press* (Evanston, IL: Northwestern University Press, 2013), pp3–4

11 同上 p5

12 同上

13 Copeland, *The Idea of a Free Press*, p15

14 Bernard Bailyn, *Pamphlets of the American Revolution* (Cambridge, MA: Harvard University Press, 1965), p8

15 同上 viii

16 同上 pp17–19

17 同上 p19

18 Bernard Bailyn, *The Ideological Origins of the American Revolution* (Cambridge, MA: Harvard University Press, 1992), p8

19 National Constitution Center, "How Thomas Paine's other pamphlet saved the Revolution," December 19, 2018, https://constitutioncenter.org/blog/how-thomas-paines-other-pamphlet-saved-the-revolution［2019年3月16日にアクセス］

20 Thomas Paine, *Common Sense*, February 14, 1776, http://www.ushistory.org/paine/commonsense/［2019年3月16日にアクセス］（邦訳は『コモン・センス：他三篇』トーマス・ペイン著、小松春雄訳、岩波書店、1976年）

21 同上

22 同上

23 同上

24 同上

25 同上

26 同上

27 同上

28 Humphrey, *The American Revolution and the Press,* p12

29 同上 p15

30 同上 pp202–3

31 Woodrow Wilson, "Fourth of July Address on the Declaration of Independence," appearing in *Classics of American Political & Constitutional Thought*, vol. 2, (Cambridge, MA: Hackett, 2007), p318

32 同上

第3章｜現代の民主党機関紙的な報道

1 Charles L. Ponce De Leon, "Press and Politics," in *The Concise Princeton Encyclopedia of American Policy History* (Princeton, NJ: Princeton University Press, 2011), p399

2 同上

3 Jim A. Kuypers, *Partisan Journalism* (Lanham, MD: Rowman & Littlefield, 2014), p18

4 Peter Onuf, "Thomas Jefferson: Campaigns and Elections," University of Virginia Miller Center, https://millercenter.org/president/jefferson/campaigns-and-elections［2019年3月16日にアクセス］

5 同上

6 "Candidacy," Andrew Jackson's Hermitage, https://thehermitage.com/learn/andrew-jackson/president/candidacy［2019年3月16日にアクセス］

7 同上

8 Kuypers, *Partisan Journalism*, p21

9 同上 p22–23

10 同上 p23

11 Harold Holzer, *Lincoln and the Power of the Press* (New York: Simon & Schuster, 2014), Introduction, xxi.

12 Andrew Malcolm, "Media's Anti-Trump Addiction Amps Up the Outrage and Fuels the Public's Suspicion," *Miami Herald*, January 15, 2019, https://www.miamiherald.com/article224535145.html［2019年3月16日にアクセス］

13 同上

14 同上

15 Matthew Continetti, "How Trump Survives," *National Review*, September 1, 2018, https://www.nationalreview.com/2018/09/trump-survives-thanks-to-economy-and-detractors/［2019年3月16日にアクセス］

16 Jennifer Harper, "Media Mulled Impeaching Trump Even Before He Was Elected," *Washington Times*, December 9, 2018, https://www.washingtontimes.com/news/2018/dec/9/inside-the-beltway-media-mulled-impeaching-trump-b［2019年3月16日にアクセス］

17 Bill D'Agostino, "CNN, MSNBC Say 'Impeachment' 222 Times in One Day," MRC NewsBusters, August 23, 2018, https://www.newsbusters.org/blogs/nb/bill-dagostino/2018/08/23/cnn-msnbc-say-impeachment-222-times-one-day［2019年3月16日にアクセス］

18 Letter from Attorney General William Barr to House and Senate Committees on the Judiciary, March 24, 2019, available on Lawfare, https://lawfareblog.com/document-

attorney-general-barr-letter-mueller-report [2019年3月28日にアクセス]

19 Michael W. Chapman, "What the Liberal Media Actually Say About Trump, a.k.a. 'Hitler, Madman, Dictator, Racist,'" cnsnews.com, October 29, 2018, https://www.cnsnews.com/blog/michael-w-chapman/what-liberal-media-actually-say-about-trump-aka-hitler-mussolini-white [2019年3月16日にアクセス]

20 John Nolte, "List: 24 Pieces of MSM Fake News in 5 Days," *Daily Wire*, January 31, 2017, https://www.dailywire.com/news/13001/omg-list-last-week-msm-spread-much-fake-news-john-nolte [2019年3月16日にアクセス]

21 Daniel Payne, "16 Fake News Stories Reporters Have Run Since Trump Won," *Federalist*, February 6, 2017, http://thefederalist.com/2017/02/06/16-fake-news-stories-reporters-have-run-since-trump-won/ [2019年3月16日にアクセス]

22 Sharyl Attkisson, "75 Media Mistakes in the Trump Era: The Definitive List," Sharylattkisson.com, March 3, 2019, https://sharylattkisson.com/50-media-mistakes-in-the-trump-era-the-definitive-list/ [2019年3月16日にアクセス]

23 Jason Leopold and Anthony Cormier, "President Trump Directed His Attorney Michael Cohen to Lie to Congress About the Moscow Tower Project," BuzzFeednews.com, January 18, 2019, https://www.buzzfeednews.com/article/jasonleopold/trump-russia-cohen-moscow-tower-mueller-investigation [2019年3月16日にアクセス]

24 同上

25 See, generally, https://www.newsbusters.org/media-places/buzzfeed?page=0%2C1 [2019年3月16日にアクセス]

26 Amber Athey, "CNN and MSNBC Repeatedly Floated Impeachment Over Disputed BuzzFeed Report," *Daily Caller*, January 18, 2019, https:// dailycaller.com/2019/01/18/cnn-msnbc-impeach-trump-buzzfeed-mueller/ [2019年3月16日にアクセス]

27 Curtis Houck, "Networks Spend Over 27 Minutes on Dubious BuzzFeed Trump Story," mrcNewsBusters, January 19, 2019, https://www.newsbusters.org/blogs/nb/curtis-houck/2019/01/19/networks-spend-over-27-minutes-dubious-buzzfeed-trump-story [2019年3月16日にアクセス]

28 Chris Mills Rodrigo, "Special counsel issues rare statement disputing explosive Cohen report," *The Hill*, Jan. 18, 2019, https://thehill.com/homenews/administration/426128-special-counsel-issues-rare-statement-disputing-buzzfeeds-cohen [2019年3月28日にアクセス]

29 Phil McCausland, "Democratic Bill Lays Groundwork to Remove Trump from Office," NBCNews.com, July 3, 2017, https://www.nbcnews.com/news/us-news/democratic-bill-lays-groundwork-remove-trump-office-n779171 [2019年3月16日にアクセス]

30 Brandy Lee, *The Dangerous Case of Donald Trump* (New York: St. Martin's Press, 2017), p8（邦訳は『ドナルド・トランプの危険な兆候：精神科医たちは敢えて告発する』バンディ・リー編、村松太郎訳、岩波書店、2018年）

31 同上 xii, xiii, xiv

32 Annie Karni, "Washington's Growing Obsession: The 25th Amendment," *Politico*, January 3, 2018, https://www.politico.com/story/2018/01/03/trump-25th-amendment-mental-health-322625 [2019年3月16日にアクセス]

33 Jonathan Easley, "Reporter Asks Questions on Trump's 'Mental Fitness' at WH Press Briefing," *The Hill*, January 3, 2018, https://thehill.com/homenews/administration/367289-reporter-questions-trumps-mental-fitness-at-white-house-press [2019年3月16日にアクセス]

34 アメリカ合衆国憲法の修正第 25 条

35 Ralph Ginzburg, "1,189 Psychiatrists Say Goldwater Is Psychologically Unfit to Be President," *Fact*, September–October, 1964, https://www.scribd.com/document/322479204/Fact-Magazine-Goldwater-1964 [2019 年 3 月 16 日にアクセス] p3、p4

36 同上 p24

37 APA's Principles of Medical Ethics with Annotations Especially Applicable to Psychiatry, 7.3

38 Bobby Azarian, "The Psychology Behind Donald Trump's Unwavering Support," *Psychology Today*, September 13, 2016, https://www.psychologytoday.com/us/blog/mind-in-the-machine/201609/the-psychology-behind-donald-trumps-unwavering-support [2019 年 3 月 16 日にアクセス]

39 同上

40 同上

41 Will Rahn, "The Unbearable Smugness of the Press," CBSNews.com, November 10, 2016, https://www.cbsnews.com/news/commentary-the-unbearable-smugness-of-the-press-presidential-election-2016 [2019 年 3 月 16 日にアクセス]

42 Jeff Himmelman, *Yours in Truth* (New York: Random House, 2012)

43 Roger Yu, "Ben Bradlee, Legendary 'Washington Post' Editor, Dies," *USA Today*, October 21, 2014, https://www.usatoday.com/story/news/nation/2014/10/21/ben-bradlee-obituary/16640515/ [2019 年 3 月 16 日にアクセス]

44 Himmelman, *Yours in Truth*, p78

45 同上 pp82–83

46 同上 p83

47 同上 p83

48 同上 pp83–84

49 同上 p87

50 同上

第4章｜報道の自由に対する真の脅威

1 Bob Salsberg, "Newspaper Calls for War of Words Against Trump Media Attacks," Associated Press, August 10, 2018, https://apnews.com/1381b7918b8a40baa182a72ae618c3f1 [2019 年 3 月 16 日にアクセス]

2 Claire Atkinson, "Newspapers Across the Country Denounce Trump's Media Attacks with Coordinated Editorials," NBC News, August 16, 2018, https://www.nbcnews.com/business/business-news/newspapers-across-u-s-decry-trump-s-media-attacks-coordinated-n901211 [2019 年 3 月 16 日にアクセス]

3 Editorial Board, "Journalists Are Not the Enemy," *Boston Globe*, August 15, 2016, https://www.bostonglobe.com/opinion/editorials/2018/08/15/editorial/Kt0NFFonrxqBI6NqqennvL /story.html [2019 年 3 月 16 日にアクセス]

4 Kalev Leetaru, "Measuring the Media's Obsession with Trump," *RealClearPolitics*, December 6, 2018, https://www.realclearpolitics.com/articles/2018/12/06/measuring_the_medias_obsession_with_trump_138848.html [2019 年 3 月 16 日にアクセス]

5 同上

6 Thomas E. Patterson, "News Coverage of Donald Trump's First 100 Days," Harvard Kennedy School, Shorenstein Center on Media, Politics and Public Policy, May 18, 2017, https://shorensteincenter.org/news-coverage-donald-trumps-first-100-days [2019年3月16日にアクセス]

7 Editorial Board, "Journalists Are Not the Enemy," *Boston Globe*, August 15, 2016.

8 Jenn Topper and Amelia Nitz, "New Report Shows American Voters Overwhelmingly Support Press Freedom but Are Missing Signs It's Under Threat," Committee for Freedom of the Press, September 5, 2018, https://www.rcfp.org/new-report-shows-american-voters-overwhelmingly-support-press-freedo/ [2019年3月16日にアクセス]

9 同上

10 同上

11 Editorial Board, "Journalists Are Not the Enemy," *The Boston Globe*, August 15, 2016.

12 Richard Buel, Jr., "Freedom of the Press in Revolutionary America: The Evolution of Libertarianism, 1760–1820," in *The Press & the American Revolution*, Bernard Bailyn and John B. Hench, eds. (Worcester, MA: American Antiquarian Society, 1980), p61

13 Sedition Act, July 14, 1798, http://www.constitution.org/rf/sedition_1798.htm [2019年3月16日にアクセス]

14 Buel, "Freedom of the Press in Revolutionary America," p61

15 Ronald G. Shafer, "The Thin-Skinned President Who Made It Illegal to Criticize His Office," *Washington Post*, September 8, 2018, https://www.washingtonpost.com/news/retropolis/wp/2018/09/08/the-thin-skinned-president-who-made-it-illegal-to-criticize-his-office/?utm_term=.ef3e3de112ea [2019年3月16日にアクセス]

16 Buel, "Freedom of the Press in Revolutionary America," p89

17 同上 p95

18 Harold Holzer, *Lincoln and the Power of the Press* (New York: Simon & Schuster, 2014), pp335–36

19 同上 pp336–37

20 David T. Z. Mindich, "Lincoln's Surveillance State," *New York Times*, July 5, 2013, https://www.nytimes.com/2013/07/06/opinion/lincolns-surveillance-state.html?_r=0 [2019年3月16日にアクセス]

21 Holzer, *Lincoln and the Power of the Press*, pp489–90

22 Abraham Lincoln, "Executive Order—Arrest and Imprisonment of Irresponsible Newspaper Reporters and Editors," May 18, 1864, available online by Gerhard Peters and John T. Woolley, American Presidency Project, http://www.presidency.ucsb.edu/ws/?pid=70018 [2019年3月16日にアクセス]

23 Holzer, *Lincoln and the Power of the Press*, pp492, 495

24 Sedition Act of 1918, Encyclopedia.com, https://www.encyclopedia.com/politics/legal-and-political-magazines/sedition-act-1918 [2019年3月16日にアクセス]

25 "U.S. Congress passes Sedition Act, May 16, 2018," History.com, https://www.history.com/this-day-in-history/u-s-congress-passes-sedition-act [2019年3月16日にアクセス]

26 Christopher B. Daly, "How Woodrow Wilson's Propaganda Machine Changed American Journalism," *The Conversation*, April 27, 2017, https://theconversation.com/how-woodrow-wilsons-propaganda-machine-changed-american-journalism-76270?xid=PS_smithsonian [2019年3月16日にアクセス]

27 Gale Group, "Civil Liberties, World War I," Encyclopedia.com, https://www.encyclopedia.com/defense/energy-government-and-defense-magazines/civil-liberties-world-war-i [2019年3月16日にアクセス]

28 Daly, "How Woodrow Wilson's Propaganda Machine Changed American Journalism."
29 Gil Troy, "America's First Minister of Propaganda," *Daily Beast*, March 27, 2016, https://www.thedailybeast.com/americas-first-minister-of-propaganda [2019年3月16日にアクセス]

30 David Beito, "FDR's War Against the Press," *Reason*, April 5, 2017, https://reason.com/archives/2017/04/05/roosevelts-war-against-the-pre/print [2019年3月17日にアクセス]

31 同上

32 同上

33 同上

34 同上

35 David Beito, "The New Deal Witch Hunt," *National Review*, July 30, 2013, https://www.nationalreview.com/2013/07/new-deal-witch-hunt-david-t-beito/ [2019年3月17日にアクセス]

36 同上

37 Graham J. White, *FDR and the Press* (Chicago: University of Chicago Press, 1979), p17

38 James E. Pollard, *The Presidents and the Press* (New York: Macmillan, 1947), p797

39 同上 p798

40 同上 p839

41 同上 p840

42 Leonard Downie Jr., "In Obama's War on Leaks, Reporters Fight Back," *Washington Post*, October 4, 2013, https://www.washingtonpost.com/opinions/in-obamas-war-on-leaks-reporters-fight-back/2013/10/04/70231e1c-2aeb-11e3-b139-029811dbb57f _print.html [2019年3月17日にアクセス]

43 Oliver Knox, "Obama Administration Spied on Fox News Reporter James Rosen," Yahoo.com, May 20, 2013, https://www.yahoo.com/news/blogs/ticket/obama-admin-spied-fox-news-reporter-james-rosen-134204299.html [2019年3月17日にアクセス]

44 Joanna Walters, "James Risen Calls Obama 'Greatest Enemy of Press Freedom in a Generation," *Guardian*, August 17, 2014, https://www.theguardian.com/world/2014/aug/17/james-risen-obama-greatest-enemy-press-freedom-generation [2019年3月17日にアクセス]

45 Calvin Woodward and Christopher Rugaber, "AP Fact Check: Obama Doesn't Always Tell the Straight Story," Associated Press, September 12, 2018, https://www.boston.com/news/politics/2018/09/12/ap-fact-check-obama-doesnt-always-tell-the-straight-story [2019年3月17日にアクセス]

46 "Gov't Obtains Wide AP Phone Records in Probe," Associated Press, May 13, 2013, https://www.ap.org/ap-in-the-news/2013/govt-obtains-wide-ap-phone-records-in-probe [2019年3月17日にアクセス]

47 Matt Margolis, "The Top Five Ways Obama Attacked the Free Press," PJ Media, September 11, 2018, https://pjmedia.com/trending/the-top-five-ways-obama-attacked-the-free-press [2019年3月17日にアクセス]

48 Jack Shafer, "Spare Me Your Hypocritical Journalism Lecture, Mr. President," *Politico*, March 29, 2016, https://www.politico.com/magazine/story/2016/03/obama-hypocriticaljournalism-lecture-213775 [2019 年 3 月 17 日にアクセス]

49 同上

50 同上

第5章｜ニュース、プロパガンダ、事実ねつ造

1 Edward Bernays, *Propaganda* (New York: IG, 1928), back cover

2 Christopher B. Daly, "How Woodrow Wilson's Propaganda Machine Changed American Journalism," *Smithsonian*, April 28, 2017, https://www.smithsonianmag.com/history/how-woodrow-wilsons-propaganda-machine-changed-american-journalism-180963082/ [2019 年 3 月 17 日にアクセス]

3 Bernays, *Propaganda*, pp27–28（邦訳は『プロパガンダ』エドワード・バーネイズ著、中田安彦訳、成甲書房、2010 年）

4 同上 pp50–51

5 同上 pp51–52

6 同上 p52

7 同上

8 同上 p55

9 同上 p57

10 David Samuels, "The Aspiring Novelist Who Became Obama's Foreign-Policy Guru: How Ben Rhodes Rewrote the Rules of Diplomacy for the Digital Age," *New York Times*, May 8, 2016, https://www.nytimes.com/2016/05/08/magazine/the-aspiring-novelist-who-became-obamas-foreign-policy-guru.html [2019 年 3 月 17 日にアクセス]

11 同上

12 同上

13 同上

14 同上

15 同上

16 同上

17 Chuck Todd, *Meet the Press*, January 2, 2019, video and transcript available at https://www.realclearpolitics.com/video/2019/01/02/chuck_todd_im_not_going_to_give_time_to_climate_deniers.html [2019 年 3 月 17 日にアクセス]

18 Joe Weisenthal, "The 10 Most Respected Global Warming Skeptics," *Business Insider*, July 30, 2009, https://www.businessinsider.com/the-ten-most-important-climate-change-skeptics-2009-7 [2019 年 3 月 17 日にアクセス]

19 "Estimated 40 Percent of Scientists Doubt Manmade Global Warming," National Association of Scholars, Press Release, January 3, 2011, https://www.nas.org/articles/Estimated_40_Percent_of_Scientists_Doubt_Manmade_Global_Warminghttps://www.nas.org/articles/Estimated_40_Percent_of_Scientists_Doubt_Manmade_Global _Warming [2019 年 3 月 17 日にアクセス]

20 同上

21 Patrick Michaels, "Global Warming Scientists Scrap Real Science, Bow Before President Obama Instead," *Forbes*, March 27, 2014, https://www.forbes.com/sites/patrickmichaels/2014/03/27/global-warming-scientists-scrap-real-science-bow-before-president-obama-

instead/#59cf119f6d0e [2019 年 3 月 17 日にアクセス]

22 Richard Lindzen, biography, Cato Institute, https://www.cato.org/people/richard-lindzen [2019 年 3 月 17 日にアクセス]

23 Maria Tadeo, "Greenpeace Co-founder Patrick Moore Tells U.S. Senate There Is 'No Proof' Humans Cause Climate Change," *Independent*, February 28, 2014, https://www.independent.co.uk/environment/climate-change/greenpeace-co-founder-patrick-moore-tells-us-senate-there-is-no-proof-humans-cause-climate-change-9159627.html [2019 年 3 月 17 日にアクセス]

24 Roy Spencer, biography, drroyspencer.com, http://www.drroyspencer.com/about [2019 年 3 月 17 日にアクセス]

25 Warner Todd Huston, "Dr. Roy Spencer: Science Knows 'Almost Nothing' About Global Warming," *Breitbart*, July 10, 2014, https://www.breitbart.com/politics/2014/07/10/dr-roy-spencer-science-knows-almost-nothing-about-global-warming/ [2019 年 3 月 17 日にアクセス]

26 同上

27 同上

28 Chuck Todd, *Meet the Press*, January 2, 2019, video and transcript available at https://www.realclearpolitics.com/video/2019/01/02/chuck_todd_im_not_going_to_give_time_to_climate_deniers.html [2019 年 3 月 17 日にアクセス]

29 H. Sterling Burnett, "Time to Clear Out the Obama Holdovers and the Climate Propaganda They Spread," Heartland Institute, December 28, 2018, https://www.heartland.org/news-opinion/news/time-to-clear-out-the-obama-holdovers-and-the-climate-propaganda-they-spread [2019 年 3 月 17 日にアクセス]

30 Daniel J. Boorstin, *The Image: A Guide to Pseudo-Events in America* (New York: Vintage Books, 1961), p8–9 (邦訳は『幻影の時代：マスコミが製造する事実』ダニエル・J. ブーアスティン著、星野郁美・後藤和彦訳、東京創元社、1986 年)

31 同上 p14

32 同上 pp33–34

33 Letter from Attorney General William Barr to House and Senate Committees on the Judiciary, March 24, 2019, http://judiciary.house.gov/sites/democrats.judiciary.house.gov/files/documents/AG%20March%2024%202019%20Letter%20to%20House%20and%20Senate%20Judiciary%20Committees.pdf [2019 年 3 月 29 日にアクセス]

34 Rich Noyes, "Fizzle: Nets Gave Whopping 2,284 minutes to Russia Probe," *NewsBusters*, March 25, 2019, http://www.newsbusters.org/blogs/nb/rich-noyes/2019/03/24/fizzle-nets-gave-whopping-2284-minutes-russia-probe [2019 年 3 月 29 日にアクセス]

35 Michael Calderone, "Pulitzer Prizes honor reporting on Trump-Russia, sexual misconduct scandals," *Politico*, April 16, 2018, http://www.politico.com/story/2018/04/16/2018-pulitzer-prize-winners-526854 [2019 年 3 月 29 日にアクセス]

36 Amy Chozick, "After Mueller Report, News Media Leaders Defend Their Work," *New York Times*, March 25, 2019, http://www.nytimes.com/2019/03/25/business/media/mueller-report-media.html [2019 年 3 月 29 日にアクセス]

37 Joshua Caplan, "Jeff Zucker: No Regrets on CNN's Russia Hoax Coverage, 'We are not investigators'," *Breitbart*, March 26, 2019, https://www.breitbart.com/the-media/2019/03/26/jeff-zucker-no-regrets-on-cnns-russia-hoax-coverage [2019年3月29日にアクセス]

38 Chozick, "After Mueller Report, News Media Leaders Defend Their Work."

39 Ken Meyer, “ABC’s Jon Karl Defends Media Coverage of Mueller Probe: ‘How could reporters not cover that?’” *Mediaite*, March 25, 2019, http://www.mediaite.com/tv/abcs-jon-karl-defends-media-coverage-of-trump-russia-probe-how-could-reporters-not-cover-that/ [2019 年 3 月 29 日にアクセス]

40 Carlos Garcia, “Brit Hume says collusion story is the ‘worst journalistic debacle’ of his lifetime in scathing commentary,” *The Blaze*, March 25, 2019, http://www.theblaze.com/news/brit-hume-slams-media-on-collusion [2019 年 3 月 29 日にアクセス]

41 Boorstin, *The Image*, pp33–34（邦訳は『幻影の時代:マスコミが製造する事実』ダニエル・J. ブーアスティン著、星野郁美・後藤和彦訳、東京創元社、1986 年）

42 Anonymous, “I Am Part of the Resistance Inside the Trump Administration—I work for the president but like-minded colleagues and I have vowed to thwart part of his agenda and his worst inclinations,” *New York Times*, September 5, 2018, https://www.nytimes.com/2018/09/05/opinion/trump-white-house-anonymous-resistance.html?module=inline [2019 年 3 月 17 日にアクセス]

43 同上

44 Boorstin, *The Image*, p35（邦訳は『幻影の時代:マスコミが製造する事実』ダニエル・J. ブーアスティン著、星野郁美・後藤和彦訳、東京創元社、1986 年）

45 *Washington Times* staff, “Trump v. CNN’s Jim Acosta: The Full Exchange,” Washington Times, November 7, 2018, https://www.washingtontimes.com/news/2018/nov/7/trump-vs-cnns-jim-acosta [2019 年 3 月 17 日にアクセス]

46 Katie Pavlich, “Mexican Citizens: Trump Is Right, This Caravan Is Absolutely an Invasion,” Townhall.com, November 19, 2018, https://townhall.com/tipsheet/katiepavlich/2018/11/19/mexican-citizens-this-caravan-is-absolutely-an-invasion-n2536171 [2019 年 3 月 17 日にアクセス]

47 Ami Horowitz, “The Truth Behind the Caravan,” *Daily Wire*, video report available on YouTube, November 12, 2018, https://www.youtube.com/watch?v=quz5A87Oqgc [2019 年 3 月 17 日にアクセス]

48 Curtis Houck, “Adorable: Fake News Jim to Publish Book to Make Us Feel Bad for Him,” MRCNewsbusters, January 24, 2019, https://www.newsbusters.org/blogs/nb/curtis-houck/2019/01/24/adorable-fake-news-jim-publish-book-make-us-feel-bad-him [2019 年 3 月 17 日にアクセス]

49 同上

50 Boorstin, *The Image*, p35（邦訳は『幻影の時代:マスコミが製造する事実』ダニエル・J. ブーアスティン著、星野郁美・後藤和彦訳、東京創元社、1986 年）

51 同上

52 同上 p6

53 同上 p29

第6章｜ニューヨーク・タイムズの裏切り

1 Deborah E. Lipstadt, *Beyond Belief: The American Press & the Coming of the Holocaust 1933–1945* (New York: Free Press, 1986), p10

2 David S. Wyman, *The Abandonment of the Jews* (New York: New Press, 1984), p321

3 同上 p62

4 Andrew Buncombe, “Allied Forces Knew About Holocaust Two Years Before Discovery of Concentration Camps,” *Independent*, April 18, 2017, https://www.independent.co.uk/

news/world/world-history/holocaust-allied-forces-knew-before-concentration-camp-discovery-us-uk-soviets-secret-documents-a7688036.html [2019年3月17日にアクセス]

5 Wyman, *The Abandonment of the Jews*, p62

6 同上 p321

7 同上

8 同上 pp321–22

9 Lipstadt, *Beyond Belief*, pp244–45

10 同上 pp245–46

11 同上 p252

12 同上 p251

13 同上

14 同上

15 同上 pp245–46

16 Laurel Leff, *Buried by the Times* (New York: Cambridge University Press, 2005), back cover.

17 同上 p5

18 同上

19 同上 pp6–7

20 同上 p13

21 同上 pp13–14

22 同上 p14

23 同上 pp15–16

24 同上 p237

25 同上

26 Max Frankel, "150th Anniversary: 1851-2001; Turning Away from the Holocaust," *New York Times*, November 14, 2001, https://www.nytimes.com/2001/11/14/news/150th-anniversary-1851-2001-turning-away-from-the-holocaust.html?mtrref=www.google.com&gwh=5EF060B0F36492EA97FC390DED59E112&gwt=pay [2019年3月17日にアクセス]

27 同上

28 同上

29 同上

30 同上

31 Neil A. Lewis, "Israel in *The New York Times* Over the Decades: A Changed Narrative and Its Impact on Jewish Readers," Joan Shorenstein Center on the Press, Politics, and Public Policy, Harvard University, Spring 2011, https://shorensteincenter.org/wp-content/uploads/2012/03/d69_lewis.pdf [2019年3月17日にアクセス]

32 Frankel, "150th Anniversary: 1851-2001."

33 Ed Koch, "The New York Times' Anti-Israel Bias," *RealClearPolitics*, June 1, 2006, https://www.realclearpolitics.com/articles/2006/06/the_new_york_times_antiisrael.html [2019年3月17日にアクセス]

34 Matti Friedman, "What the Media Gets Wrong About Israel," *Atlantic*, November 30, 3014, https://www.theatlantic.com/international/archive/2014/11/how-the-media-makes-the-israel-story /383262［2019 年 3 月 17 日にアクセス］

35 同上

36 同上

37 同上

38 Ambassador David Friedman, "Liberal Media Sides with Hamas over Trump," Fox News, May 20, 2018, https://www.foxnews.com/opinion/us-ambassador-to-israel-david-friedman-liberal-media-sides-with-hamas-over-trump［2019 年 3 月 17 日にアクセス］

39 同上

40 Vivan Yee and Hwaida Saad, "Christmas in Lebanon: 'Jesus Isn't Only for the Christians,'" *New York Times*, December 24, 2018, https://www.nytimes.com/2018/12/24/world/middleeast/christmas-lebanon.html?smtyp=cur&smid=tw-nytimesworld［2019 年 3 月 17 日にアクセス］

41 同上

42 同上

43 "Hezbollah," Counter Extremism Project, https://www.counterextremism.com/threat/Hezbollah［2019 年 3 月 17 日にアクセス］

44 Gilead Ini, "The 'Times' and Israel: A Review of 2018," *Commentary* magazine, Feb. 2019, https://www.commentarymagazine.com/articles/the-times-and-israel-a-review-of-2018/［2019 年 4 月 5 日にアクセス］

45 Bruce Bartlett, "The Shame of the Times," *Human Events*, July 5, 2006, http://humanevents.com/2006/07/05/the-shame-of-the-times［2019 年 3 月 17 日にアクセス］

46 同上

47 S. J. Taylor, *Stalin's Apologist* (New York: Oxford University Press, 1990), p205

48 Robert Conquest, *The Harvest of Sorrow* (New York: Oxford University Press, 1986), pp308–9（邦訳は『悲しみの収穫：ウクライナ大飢饉――スターリンの農業集団化と飢饉テロ』ロバート・コンクエスト著、白石治朗訳、恵雅堂出版、2007 年）

49 Walter Duranty, "Russians Hungry, but Not Starving," *New York Times*, March 31, 1933

50 同上

51 Walter Duranty, "Big Ukraine Crop Taxes Harvesters," *New York Times*, September 18, 1933

52 Lubomyr Luciuk, "It's Time Journalism's 'Greatest Liar' Lost His Prize," *Montreal Gazette*, May 1, 2003, http://www.ukemonde.com/news/duranty.html［2019 年 3 月 17 日にアクセス］

53 Conquest, *The Harvest of Sorrow*, p320（邦訳は『悲しみの収穫：ウクライナ大飢饉――スターリンの農業集団化と飢饉テロ』ロバート・コンクエスト著、白石治朗訳、恵雅堂出版、2007 年）

54 Arnold Beichman, "Pulitzer-Prize Winning Lies," *Weekly Standard*, June 12, 2003, https://www.weeklystandard.com/arnold-beichman/pulitzer-winning-lies［2019 年 3 月 17 日にアクセス］

55 Douglas McCollam, "Should This Pulitzer Be Pulled," *Columbia Journalism Review*, November/December 2003, http://www.uncg.edu/~jwjones/russia/378readings/

durantypulitzer.html [2019 年 3 月 17 日にアクセス]

56 同上

57 Jacques Steinberg, “Times Should Lose Pulitzer from 30s, Consultant Says,” *New York Times*, October 23, 2003, https://www.nytimes.com/2003/10/23/us/times-should-lose-pulitzer-from-30-s-consultant-says.html [2019 年 3 月 17 日にアクセス]

58 同上

59 James William Crowl, *Angels in Stalin's Paradise* (New York: University Press of America, 1982), pp140–41

60 Timothy Snyder, *Bloodlands: Europe Between Hitler and Stalin* (New York: Basic Books, 2010), p56 (邦訳は『ブラッドランド：ヒトラーとスターリン大虐殺の真実』ティモシー・スナイダー著、布施由紀子訳、筑摩書房、2015 年)

第7章｜共謀、権力乱用、人格についての真実

1 Olivia Gazis, “Richard Burr on the Senate Intelligence Committee's Russia Investigation, 2 Years On,” CBS News, February 7, 2019, https://www.cbsnews.com/news/richard-burr-on-senate-intelligence-committees-russia-investigation-2-years-on/ [2019 年 3 月 17 日にアクセス]

2 Ken Dilanian, “Senate Has Uncovered No Direct Evidence of Conspiracy Between Trump Campaign and Russia,” NBC News, February 12, 2019, https://www.nbcnews.com/politics/congress/senate-has-uncovered-no-direct-evidence-conspiracy-between-trump-campaign-n970536 [2019 年 3 月 17 日にアクセス]

3 Sean Davis, “Obama's Campaign Paid $972,000 to Law Firm That Secretly Paid Fusion GPS in 2016,” *Federalist*, October 29, 2017, http://thefederalist.com/2017/10/29/obamas-campaign-gave-972000-law-firm-funneled-money-fusion-gps/ [2019 年 3 月 17 日にアクセス]

4 John Solomon, “How the Clinton Machine Flooded the FBI with Trump-Russia Dirt . . . until Agents Bit,” *The Hill*, January 22, 2019, https://thehill.com/opinion/white-house/426464-how-the-clinton-machine-flooded-the-fbi-with-trump-russia-dirt-until [2019 年 3 月 17 日にアクセス]

5 John Solomon, “FISA Shocker: DOJ Officials Warned Steele Dossier Was Connected to Clinton, Might Be Biased,” *The Hill*, January 16, 2019, https://thehill.com/opinion/white-house/425739-fisa-shocker-doj-official-warned-steele-dossier-was-connected-to-clinton [2019 年 3 月 17 日にアクセス]

6 William Cummings, “Reporter Who Broke Steele Dossier Story Says ex-British Agents' Claims ‘Likely False,’” *USA Today*, December 18, 2018, https://www.usatoday.com/story/news/politics/2018/12/18/steele-dossier-michael-isikoff/2347833002 [2019 年 3 月 17 日にアクセス]

7 John Solomon, “The Mueller Probe's Troubling Reliance on Journalists as Sources,” *The Hill*, September 5, 2018, https://thehill.com/opinion/white-house/405242-the-mueller-probes-troubling-reliance-on-journalists-as-sources [2019 年 3 月 17 日にアクセス]

8 同上

9 同上

10 同上

11 同上

12 同上

13 同上

14 Kelly Cohen, "Former Top FBI Lawyer James Baker Under Criminal Investigation for Media Leaks," *Washington Examiner*, January 15, 2019, https://www.washingtonexaminer.com/news/former-top-fbi-lawyer-james-baker-under-criminal-investigation-for-media-leaks [2019年3月17日にアクセス]

15 Eric Scheiner, "Unfactual: AP Walks Back Several Trump-Russia Stories," Media Research Center, July 2, 2017, https://www.mrctv.org/blog/unfactual-ap-walks-back-several-trump-russia-stories [2019年3月17日にアクセス]

16 Mollie Hemingway, "18 Questions CNN Needs to Answer After Getting Busted for Fake News," *Federalist*, December 8, 2017, http://thefederalist.com/2017/12/08/18-questions-cnn-needs-to-answer-after-getting-busted-for-fake-news/ [2019年3月17日にアクセス]

17 Rowan Scarborough, "FBI-Debunked Russia-Trump Story Helped New York Times win Journalism Award," *Washington Times*, March 1, 2018, https://www.washingtontimes.com/news/2018/mar/1/fbi-debunked-russia-trump-story-helped-new-york-ti [2019年3月17日にアクセス]

18 Mollie Hemmingway, "Tips for Reading Washington Post Stories About Trump Based on Anonymous Leaks," *Federalist*, May 16, 2017, https://thefederalist.com/2017/05/16/tips-for-reading-washington-post-stories-about-trump-based-on-anonymous-leaks/ [2019年3月17日にアクセス]

19 Rowan Scarborough, "Robert Muller's Warning: 'Many' News Stories on Trump Russia Probe Are Wrong," *Washington Times*, April 16, 2018, https://www.washingtontimes.com/news/2018/apr/16/robert-mueller-many-news-stories-trump-russia-prob/ [2019年3月17日にアクセス]

20 Chuck Ross, "NPR Falsely Accuses Don Jr. of Lying in Senate Testimony," *Daily Caller*, November 30, 2018, https://dailycaller.com/2018/11/30/npr-false-donald-trump-jr/[2019年3月17日にアクセス]

21 *60 Minutes*, "Andrew McCabe: The Full 60 Minutes Interview," February 17, 2019, https://www.cbsnews.com/news/andrew-mccabe-interview-former-acting-fbi-director-president-trump-investigation-james-comey-during-russia-investigation-60-minutes/ [2019年3月17日にアクセス]

22 同上

23 同上

24 Joseph A. Wulfsohn, "CNN's Jeffrey Toobin Calls Andrew McCabe 'Patriotic,' 'Not Treasonous' for Handling of President Trump," Fox News, February 18, 2019, https://www.foxnews.com/entertainment/cnns-jeffrey-toobin-calls-andrew-mccabe-patriotic-not-treasonous-for-handling-of-president-trump [2019年3月17日にアクセス]

25 Ben Brantley, "Review: Young Rebels Changing History and Theater," *New York Times*, August 6, 2015, https://www.nytimes.com/2015/08/07/theater/review-hamilton-young-rebels-changing-history-and-theater.html [2019年3月17日にアクセス]

26 同上

27 Lance Benning, "Republican Ideology and the French Revolution: A Question of Liberticide at Home, in *Responses of the Presidents to Charges of Misconduct*, C. Vann Woodward, ed., (New York: Delacorte Press, 1974), p11

28 同上 pp11–12

29 Peter Robinson, "Ted Kennedy's Soviet Gambit," *Forbes*, August 28, 2009, https://www.forbes.com/2009/08/27/ted-kennedy-soviet-union-ronald-reagan-opinionscolumnists-peter-robinson.html#3bb23c0f359a［2019年3月17日にアクセス］

30 Paul Kengor, "The Kremlin's Dupe: Ted Kennedy's Russia Romance," *American Spectator*, April 12, 2018, https://spectator.org/the-kremlins-dupe-ted-kennedys-russia-romance/［2019年3月17日にアクセス］

31 同上

32 同上

33 同上

34 Robinson, "Ted Kennedy's Soviet Gambit."

35 Paul Kengor, *The Crusader: Ronald Reagan and the Fall of Communism* (New York: Harper Perennial, 2006), pp205–6

36 Kengor, "The Kremlin's Dupe."

37 ローガン法の定義はこちらを参照。https://legal-dictionary.thefreedictionary.com/Logan+Act［2019年3月17日にアクセス］

38 Byron York, "When a Foreign Adversary Meddled in a Presidential Election," *Washington Examiner*, September 9, 2018, https://www.washingtonexaminer.com/opinion/columnists/byron-york-when-a-foreign-adversary-meddled-in-a-presidential-election［2019年3月17日にアクセス］

39 William C. Rempel, Henry Weinstein, and Alan C. Miller, "Testimony Links Top China Official, Funds for Clinton," *Los Angeles Times*, April 4, 1999, http://articles.latimes.com/1999/apr/04/news/mn-24189［2019年3月17日にアクセス］

40 同上

41 同上

42 同上

43 York, "When a Foreign Adversary Meddled in a Presidential Election."

44 Rempel, Weinstein, and Miller, "Testimony Links Top China Official, Funds for Clinton."

45 同上

46 同上

47 York, "When a Foreign Adversary Meddled in a Presidential Election."

48 Associated Press, "Pelosi Shrugs Off Bush's Criticism, Meets Assad," NBC News, April 4, 2007, http://www.nbcnews.com/id/17920536/ns/world_news-mideast_n_africa/t/pelosi-shrugs-bushs-criticism-meets-assad/#.XFhF_PZFxcY［2019年3月17日にアクセス］

49 同上

50 Tom Rogan, "Why Pelosi's Syria Visit Remains Indefensible," *National Review*, March 16, 2015, https://www.nationalreview.com/2015/03/why-pelosis-syria-visit-remains-indefensible-tom-rogan［2019年3月17日にアクセス］

51 Sara Fritz, "President and Wright Clash on Nicaragua: Speaker's Meetings with Ortega, Obando Draw Reagan's Ire," *Los Angeles Times*, November 17, 1987, http://articles.latimes.com/1987-11-17/news/mn-21965_1_daniel-ortega［2019年3月17日にアクセス］

52 同上

53 同上

54 Philip Rotner, "Trumps' Abuse of Power," *HuffPost*, July 27, 2017, https://www.huffingtonpost.com/entry/trumps-abuse-of-power_us_5978c1d9e4b01cf1c4bb74cc［2019

年 3 月 17 日にアクセス]

55 同上

56 David Rutz, "The Strongest Media Reactions to Trump's Firing of James Comey," *Washington Free Beacon*, May 10, 2017, https://freebeacon.com/politics/strongest-media-reactions-trumps-firing-of-james-comey [2019 年 3 月 17 日にアクセス]

57 同上

58 同上

59 Steven T. Dennis, "Schumer Says He Lost Confidence in FBI's Comey Over E-Mail Probe," Bloomberg, November 2, 2016, https://www.bloomberg.com/news/articles/2016-11-02/schumer-says-he-lost-confidence-in-fbi-s-comey-over-e-mail-probe [2019 年 3 月 17 日にアクセス]

60 Nancy Cordes, "Tensions Boil Up Between Democrats and FBI Director," CBS News, January 13, 2017, https://www.cbsnews.com/news/democrats-angry-james-comey-john-lewis-maxine-waters-hank-johnson/ [2019 年 3 月 17 日にアクセス]

61 "FBI Director James B. Comey's Termination: Letters from the White House, Attorney General," *Washington Post*, http://apps.washingtonpost.com/g/documents/politics/fbi-director-james-b-comeys-termination-letters-from-the-white-house-attorney-general/2430/ [2019 年 3 月 17 日にアクセス]

62 Jim Sciutto, "First on CNN: In ltr to FBI staff, Comey says he's 'long believed a president can fire an FBI director for any reason or no reason at all,'" Twitter, May 10, 2017, https://twitter.com/jimsciutto/status/862461497401909248 [2019 年 3 月 17 日にアクセス]

63 David Burnham, *A Law Unto Itself* (New York: Random House, 1989), pp228–29

64 同上 p229

65 同上 p230

66 同上 p231

67 同上 p232

68 Burton W. Folsom Jr., "FDR and the IRS," Hillsdale College, https://www.hillsdale.edu/educational-outreach/free-market-forum/2006-archive/fdr-and-the-irs/ [2019 年 3 月 17 日にアクセス]

69 Burnham, *A Law Unto Itself*, p236

70 Folsom, "FDR and the IRS."

71 同上

72 同上

73 同上

74 同上

75 Jeff Himmelman, *Yours in Truth* (New York: Random House, 2017), p87

76 Benjamin C. Bradlee, *Conversations with Kennedy* (New York: Norton, 1975), p218

77 Burnham, *A Law Unto Itself*, p244

78 同上 p272

79 Jen Christensen, "FBI Tracked King's Every Move," CNN, December 28, 2008, http://www.cnn.com/2008/US/03/31/mlk.fbi.conspiracy [2019 年 3 月 17 日にアクセス]

80 Greg Mitchell, *The Tunnels* (New York: Broadway Books, 2016), p95

81 Lee Edwards, "The FBI Spied for LBJ's Campaign," Heritage Foundation, June 7, 2018, https://www.heritage.org/crime-and-justice/commentary/the-fbi-spied-lbjs-campaign [2019年3月17日にアクセス]

82 同上

83 Robert Dallek, *Flawed Giant: Lyndon Johnson and His Times*, 1961–1973 (New York: Oxford University Press 1998), pp161–62

84 同上 p162

85 同上 p576

86 Burnham, *A Law Unto Itself*, p273

87 Dallek, *Flawed Giant*, p407

88 House Judiciary Committee, "Articles of Impeachment," July 27, 1974, http://watergate.info/impeachment/articles-of-impeachment [2019年3月17日にアクセス]

89 同上

90 同上

91 Brendan Bordelon, "Obama Dismisses IRS Targeting of Conservatives: 'They've Got a List, and Suddenly Everybody's Outraged,'" *Daily Caller*, December 6, 2013, https://dailycaller.com/2013/12/06/obama-dismisses-irs-targeting-of-conservatives-theyve-got-a-list-and-suddenly-everybodys-outraged/ [2019年3月17日にアクセス]

92 Alex Seitz-Wald, "How the Media Outrageously Blew the IRS Scandal," BillMoyers.com, July 9, 2013, https://billmoyers.com/2013/07/09/how-the-media-outrageously-blew-the-irs-scandal/ [2019年3月17日にアクセス]

93 Stephen Dinan, "Justice Department Admits IRS Wrongdoing, Agrees to $3.5 million Settlement with Tea Party Groups," *Washington Times*, October 26, 2017, https://www.washingtontimes.com/news/2017/oct/26/tea-party-groups-targeted-irs-get-35-million-settl/ [2019年3月17日にアクセス]

94 Larry Sabato, *The Kennedy Half Century* (New York: Bloomsbury, 2013), p129

95 同上 pp129–30

96 Dallek, *Flawed Giant*, pp186–87

97 同上 p188

98 Matt Drudge, "Newsweek Kills Story on White House Intern," Drudge Report Archives, January 17, 1998, http://www.drudgereportarchives.com/data/2002/01/17/20020117_175502 _ml.htm [2019年3月17日にアクセス]

99 Aaron Klein, "Juanita Broaddrick: NBC Skipped 'Perfect Opportunity' to Ask Bill Clinton About Rape Allegations," *Breitbart*, June 4, 2018, https://www.breitbart.com/the-media/2018/06/04/juanita-broaddrick-nbc-skipped-perfect-opportunity-to-ask-bill-clinton-about-rape-allegations/# [2019年3月17日にアクセス]

100 同上

101 Alexandra Desanctis, "The Worst Moments in Media Coverage of the Kavanaugh Confirmation Fight," *National Review*, October 11, 2018.

おわりに｜質の基準がない仕事

1 Bill Kovach and Tom Rosenstiel, *The Elements of Journalism* (New York: Three Rivers Press, 2007), pp88–89 (邦訳は『ジャーナリズムの原則』ビル・コヴァッチ、トム・ローゼンスティール著、加藤岳文・斎藤邦泰訳、日本経済評論社、2011年)

2 同上 p89

3 Ashley Collman, "Rolling Stone Found GUILTY of Defaming University of Virginia Dean in False Campus Rape Story," Daily Mail, November 4, 2016, https://www.dailymail.co.uk/news/article-3906362/Rolling-Stone-GUILTY-defaming-University-Virginia-dean-false-campus-rape-story.html [2019年3月17日にアクセス]

4 Mary Katherine Ham, "Fantastic Lies: 10 Appalling Moments from the Duke Lacrosse Case," *Federalist*, March 16, 2016, http://thefederalist.com/2016/03/16/fantastic-lies-10-appalling-moments-from-the-duke-lacrosse-case [2019年3月17日にアクセス]

5 William Campenni, "The Truth About Dan Rather's Deceptive Reporting on George W. Bush," *Daily Signal*, October 30, 2015, https://www.dailysignal.com/2015/10/30/the-truth-about-dan-rathers-deceptive-reporting-on-george-w-bush [2019年3月17日にアクセス]

6 Lisa Boothe, "The Media's Orchestrated Smear of Brett Kavanaugh," Fox News, October 30, 2018, https://www.foxnews.com/opinion/the-medias-orchestrated-smear-of-brett-kavanaugh [2019年3月17日にアクセス]

7 Matt Walsh, "4 Lessons We Can Learn from the Despicable Smear Campaign Against the Covington Catholic Students," *Daily Wire*, January 21, 2019, https://www.dailywire.com/news/42418/walsh-4-lessons-we-can-learn-despicable-smear-matt-walsh [2019年3月17日にアクセス]

8 John Lott Jr., "The Media Just Can't Stop Lying About Trump," *The Hill*, June 21, 2018, https://thehill.com/opinion/campaign/393553-the-media-just-cant-stop-lying-about-trump [2019年3月17日にアクセス]

9 http://www.readwritethink.org/classroom-resources/calendar-activities/york-times-used-slogan-20412.html [2019年3月17日にアクセス]

10 A. G. Sulzberger, "New York Times Publisher A.G. Sulzberger Responded to President Trump's Continued Attacks on a Free Press," *New York Times*, February 20, 2019, https://www.nytco.com/press/new-york-times-publisher-a-g-sulzberger-responded-to-president-trumps-continued-attacks-on-a-free-press/ [2019年3月17日にアクセス]

11 P. J. Gladnick, "Ted Koppel: Trump's 'Not Mistaken' That Liberal Media Are Blatantly 'Out to Get Him,'" NewsBusters, March 18, 2019, https://www,newsbusters.org/blogs/nb/pj-gladnick/2019/03/18/ted-koppel-trump-not-mistaken-about-biased-liberal-media

12 Daniel Okrent, "The Public Editor; Paper of Record? No Way, No Reason, No Thanks," *New York Times*, April 25, 2004, https://www.nytimes.com/2004/04/25/weekinreview/the-public-editor-paper-of-record-no-way-no-reason-no-thanks.html [2019年3月17日にアクセス]

13 Jim Rutenberg, "Trump Is Testing the Norms of Objectivity in Journalism," *New York Times*, August 8, 2016, https://www.nytimes.com/2016/08/08/business/balance-fairness-and-a-proudly-provocative-presidential-candidate.html [2019年3月17日にアクセス]

著者

マークR.レヴィン
Mark R. Levin

全米ネットのラジオ番組を持つ司会者、著述家、弁護士。テレビの討論番組『Levin TV』やフォックス・ニュースの政治トーク番組『Life, Liberty & Levin』の司会者でもある。保守団体ランドマーク・リーガル・ファウンデーションの会長。著書 *Liberty and Tyranny*、*Plunder and Deceit*、*Rediscovering Americanism*、*Ameritopia*、*The Liberty Amendments*（いずれも未邦訳）で、ニューヨーク・タイムズ・ベストセラー第1位を獲得。*Liberty and Tyranny* は3カ月間1位を守り、全米で150万部以上を売り上げた。著書 *Men in Black* と *Rescuing Sprite*（いずれも未邦訳）もニューヨーク・タイムズ・ベストセラー。「全米ラジオの殿堂」入りを果たし、レーガン政権で閣僚の顧問を務めた経験を持つ。テンプル大学卒業、テンプル大学ロースクールで法務博士号取得。

訳者

道本 美穂
Miho Michimoto

東京大学文学部社会学科卒業。大手通信会社に勤務したのちに翻訳者に。主にビジネス・法務分野の翻訳を手がける。訳書に『トマトの歴史』(原書房)、『告発 フェイスブックを揺るがした巨大スキャンダル』(共訳、ハーパーコリンズ・ジャパン) がある。